T3-BGM-745

110

THÉOLOGIE HISTORIQUE

MORTS MARTYRS RELIQUES

L'EUCHARISTIE DES PREMIERS CHRÉTIENS

LE POINT THEOLOGIQUE — 17

EDITIONS BEAUCHESNE

THÉOLOGIE HISTORIQUE
COLLECTION FONDÉE PAR LE CARDINAL DANIÉLOU
DIRIGÉE PAR CHARLES KANNENGIESSER

55

MORTS MARTYRS RELIQUES

EN AFRIQUE CHRÉTIENNE AUX PREMIERS SIÈCLES

Les témoignages de Tertullien, Cyprien et Augustin
à la lumière de l'archéologie africaine

par
Victor SAXER

Professeur d'Histoire du culte chrétien
au Pontificio Istituto di Archeologia Cristiana
à Rome

ÉDITIONS BEAUCHESNE
PARIS

Pour tous renseignements concernant nos publications
s'adresser au service documentation
ÉDITIONS BEAUCHESNE — 72, rue des Saints-Pères, 75007 PARIS

BONAE MEMORIAE

HENRICI-IRENAEI MARROU

MAGISTRI

PATRONI

AMICI

TABLE DES MATIÈRES

Deuxième Partie

LA PÉRIODE CLASSIQUE DES IVe ET Ve SIÈCLE SAINT AUGUSTIN ET SON TEMPS

BIBLIOGRAPHIE

Cette liste comprend en principe les ouvrages cités plus d'une fois. Les exceptions concernent certains thèmes comme les banquets funéraires, et le mobilier archéologique les permettant. La liste inclut les ouvrages désignés par des sigles ou cités en abrégé, le sigle ou l'abréviation se trouvant chaque fois en tête de l'article. Les anonymes prennent rang aux lettres initiales de leur titre, les pseudépigraphiques, à la suite de l'auteur sous le nom duquel ils sont publiés. Les études et les articles sont cités sous leur titre complet dans la bibliographie, par les premiers mots de leur titre dans l'étude.

I. COLLECTIONS ET ÉDITIONS

1. *Collections*

BALUZE Étienne, *Miscellanea* novo ordine digesta op. et st. J. D. MANSI (Lucques, 1721).

CC = *Corpus christianorum,* series latina (Turnhout, Brépols, 1954 ss.)

CIL = *Corpus inscriptionum latinarum* (Berlin, 1871 ss.)

CPL = *Clavis Patrum latinorum* ed. E. DEKKERS, dans *Sacris erudiri,* 3 (Turnhout, 1961), 2e éd.

CSEL = *Corpus scriptorum ecclesiasticorum latinorum* ed. cons. et imp. Academ. litterarum Vindobonensis (Vienne, 1866 ss.)

DE ROSSI, *ICVR* = I. B. DE ROSSI, *Inscriptiones christianae urbis Romae septimo saeculo antiquiores,* 2 vol. (Rome, 1857-1861, 1888) ; *Suppl.* cur. et st. I. GATTI (Rome, 1915).

DE ROSSI I. B. et DUCHESNE L., *Martyrologium hieronymianum,* édition diplomatique, dans *Acta Sanctorum,* Nov. II/1 (Bruxelles, 1894).

DUCHESNE L., *Le Liber Pontificalis*. Texte, introduction et commentaire, 2 vol., dans *Bibliothèque des Écoles françaises d'Athènes et de Rome,* 2e série (Paris, 1886) ; 3e vol. : *Additions et corrections de Mgr Duchesne,* publ. par C. VOGEL (Paris, 1957).

GCS = *Griechische christliche Schriftsteller der ersten drei Jahrhunderte* hsg. v. d. Kirchenväter-Commission der Preuss. Akademie der Wissensch. (Berlin, 1897 ss.)

ICVR = *Inscriptiones christianae urbis Romae septimo saeculo antiquiores* edd. A. SILVAGNI et A. FERRUA, nova series (Rome, 1922 ss.)

ILCV = *Inscriptiones latinae christianae veteres* ed. E. DIEHL, 3 vol. (Berlin, 1925-1931).

MABILLON, *Vet. anal.* = MABILLON J., *Vetera analecta sive collectio veterum aliquot operum et opusculorum ... nova editio* (Paris, 1723).

MANSI, *Conc.* = MANSI J. D., *Sacrorum conciliorum nova et amplissima collectio* (Florence, 1759-1798).

MGH. Auct. ant. ou *Script. rer. merov.* = *Monumenta Germaniae historica, Auctores antiquissimi* ou *Scriptores rerum merovingicarum* (Hanovre-Berlin-Leipzig, 1826 ss.)
PG = MIGNE J.-P., *Patrologiae series graeca* (Paris, 1857 ss.)
PL = MIGNE J.-P., *Patrologiae series latina* (Paris, 1844 ss.)
PLS = *Patrologiae latinae supplementum* acc. A. HAMMAN (Paris, 1958-1974).
RUINART, *AMS* = RUINART Th., *Acta primorum martyrum selecta et sincera (*Paris, 1689).
SC = *Sources chrétiennes* (Paris, Éditions du Cerf, 1947 ss.)
TLL = *Thesaurus linguae latinae* ed. auct. et cons. Academiarum quinque germanicarum Berol., Gotting., Lips. Monac. et Vindob. (Leipzig, Teubner, 1900 ss.)

2. *Éditions*

CABIÉ R., *La lettre du pape Innocent I*[er] *à Décentius de Gubbio (19 mars 416).* Texte critique, traduction et commentaire, dans *Bibliothèque de la Revue d'histoire ecclésiastique,* 58 (Louvain, 1973).
MA = *Miscellanea Agostiniana.* Testi e studi pubbl. a cura dell'ord. erem. di S. Agostino nel XV centenario della morte del santo dottore. Vol. I : *S. Augustini Sermones post Maurinos reperti* ed. G. MORIN (Rome, 1930) ; vol. II : *Studi agostiniani* (Ib. 1931).
MERCATI G., « D'alcuni sussidi nuovi per la critica del testo di S. Cipriano », *Opere minori,* II, dans *Studi e Testi,* 77 (Vatican, 1937), 179-184.
MUNIER Ch., *Concilia Africae A. 345-525,* dans *CC* 149 (Turnhout, 1974).
PEREZ DE URBEL J. et GONZALEZ Y RUIZ-ZORILLA A., *Liber commicus.* Edicion critica, dans *Monumenta Hispaniae sacra,* ser liturg., 3 (Madrid-Barcelona, 1955).
Sacr. Leon. = *Sacramentarium Veronense (Cod. Bibl. Capit. Veron. LXXXV 80,* ed. L. C. MOHLBERG, dans *Rerum ecclesiasticarum documenta,* Series maior : Fontes, 1 (Rome, Herder, 1956).
VIVES J. et MARTINEZ DIAZ G., *Concilios visigoricos e hispano-romanos,* dans *Hispania cristiana,* Textos, 1 (Barcelona-Madrid, 1963).
VOGEL C. et ELZE R., *Le Pontifical romano-germanique du* X[e] *siècle,* dans *Studi e Testi,* 226-227 : *Le texte,* 269 : *Introduction générale et Tables (*Vatican, 1963, 1972).

II. SOURCES

7. *Auteurs profanes*

CIC. *Diuin.* = M. T. CICERONIS *De diuinatione,* ed. R. GIOMINI, dans *Bibliotheca scriptorum graecorum et romanorum Teubneriana* (Leipzig, 1975), 1-118.
CIC. *Ep.* = CICERONIS *Epistulae,* dans *Cicéron, Correspondance,* t. 1-4, par L. — A. CONSTANS, t. 5, par J. BAYET, collection Budé (Paris, 1934-1964).
CIC. *Off.* = CICERONIS *De officiis,* dans *Cicéron, Les devoirs,* 1. I-III, par M. TESTARD, coll. Budé (Paris, 1965, 1970).
CIC. *Quinct.* = CICERONIS *Pro Quinctio,* dans *Cicéron, Discours,* 1, p. 4-99, par H. DE LA VILLE DE MIRMONT, coll. Budé (Paris, 1921).
CIC. Quint. = CICERONIS *Epistulae,* dans *Cicéron, Correspondance,* t. 3, p. 20.
CIC. *Sest.* = CICERONIS *Pro Sestio,* dans *Cicéron, Discours,* t. 14, p. 121-222, par J. COUSIN, coll. Budé (Paris, 1965).

CIC. *Sull.* = CICERONIS *Pro P. Sulla*, ed. C. F. W. MUELLER, dans *Bibl. ... Teubneriana* (Leipzig, 1885), p. 339-373.
CIC. *Tusc.* ou *Tuscul.* = CICERONIS *Tusculanae disputationes*, dans *Cicéron, Tusculanes*, t. 1-5, par G. FOHLEN et J. HUMBERT, coll. Budé (Paris, 1931).
HOR. *Ep.* = HORATII *Epistulae*, dans *Horace, Les épîtres*, par Fr. VILLENEUVE, coll. Budé (Paris, 1934).
HOR. *Epod.* = HORATII *Epodae*, dans *Horace, Odes et Epodes*, par Fr. VILLENEUVE, coll. Budé (Paris, 1927).
HOR. *Sat.* = HORATII *Satirae*, dans *Horace, Satires*, par Fr. VILLENEUVE, coll. Budé (Paris, 1932).
IUVEN. *Sat.* = IUVENALIS *Satirae*, dans *Juvénal, Les Satires*, par P. DE LABRIOLLE et H. VILLENEUVE, coll. Budé (Paris, 1921).
LIV. *Hist. rom.* = TITI LIVII *Historiae romanae libri II*, dans *Tite-Live, Histoire romaine*, par J. BAYET et G. BAILLET, coll. Budé (Paris, 1940).
MACROB. *Saturn.* = MACROBII *Saturnalia*, par I. WILLIS, dans *Bibl... Teubneriana* (Leipzig, 1963).
MART. *Epigr.* = MARTIALIS *Epigrammata*, par J. IZAAC, coll. Budé (Paris, 1925).
OVID. *Metam.* = OVIDII, *Métamorphoses*, 3 vol., par G. LAFAYE, coll. Budé (Paris, 1928-1930).
PLIN. SEN. *Nat.* = PLINII SENIORIS *Historiae naturalis lib. X*, par E. de SAINT-DENIS, coll. Budé (Paris, 1961).
PROPERT. *El.* = PROPERTII *Elegiae*, par D. PAGANELLI, coll. Budé (Paris, 1929).
STAT. *Theb.* = P. PAPINI STATII *Thebais*, par A. KLOTZ, dans *Bibl... Teubneriana* (Leipzig, 1908).
SUET. *Aug.* = SUETONII *Vita XII Caesarum*, 1, II : *Divus Augustus*, par H. AILLOUD, coll. Budé (Paris, 1931).
VAL. MAX. = VALERII MAXIMI *Factorum et dictorum memorabilium lib. IX*, par C. KEMPF, dans *Bibl... Teubneriana* (Leipzig, 1888).
VIRG. *Aen.* = VIRGILII *Aeneis*, par H. GOELZER et A. BELLESSORT, 1er vol., par R. DURAND et A. BELLESSORT, 2e vol., coll. Budé (Paris, 1925, 1936).
VIRG. *Georg.* = VIRGILII *Georgicae*, par H. GOELZER, coll. Budé (Paris, 1926).

2. *Auteurs et ouvrages chrétiens*

Acta Cypriani, dans *CSEL* III/3, cx-ccxiv.
Acta Fructuosi, dans RUINART, *AMS*, p. 220-223.
Acta Maximiliani, *Ibid.*, p. 309-311.
Acta purgationis Caeciliani, ed. BALUZE, *Miscellanea*, p. 20-25.
Acta purgationis Felicis, dans *CSEL* 26, 197-204.
Acta Scillit. ed. J. A. ROBINSON, *The Passion of S. Perpetua*, which an Appendix : *The Acts of the Scillitan Martyrs*, dans *Texts and Studies*. Contributions of Biblical and Patristic Literature, I/2 (Cambridge, 1891), p. 112-117.
AMBR. *Ep.* = AMBROSII *Epistolae*, dans *CSEL* 82.
AMBR. *Fid.* = AMBROSII *De fide*, dans *CSEL* 78.
AMBR. *Hel.* = AMBROSII *De Helia et ieiunio*, dans *CSEL* 32, 411-465.
AMBR. *Ob. Val.* = AMBROSII *De obitu Valentiniani consolatio*, dans *CSEL* 73, 329-367.
AMBR. *Off.* = AMBROSII *De officiis*, ed. J. KRABINGER (Tübingen, 1857).
AUG. *Anim. orig.* = AUGUSTINI *De natura et origine animae*, dans *CSEL* 60, 303-409.
AUG. *Brev. coll.* = AUGUSTINI *Breuiculus collationis*, dans *CSEL* 53, 39-93.

AUG. *Caillau* = AUGUSTINI *Sermones ed. a Caillau et Saint-Yves,* dans *MA* I, 242-274.
AUG. *Cas.* ou *Casin.* = AUGUSTINI *Ex sermonibus in Bibliotheca Casinensi editis,* dans *MA* I, 401-419.
AUG. *Cité de Dieu* = AUG. *Ciu. Dei.*
AUG. *Ciu. Dei* = AUGUSTINI *De ciuitate Dei lib. XXII,* dans *CC* 47-48.
AUG. *Conf.* = AUGUSTINI *Confessiones,* dans *CSEL* 33.
AUG. *Cur. mort.* = AUGUSTINI *De cura pro mortuis gerenda,* ed. dans *CSEL* 41, 621-660 ; ed. et comm. E. I. VAN ANTWERP, *St. Augustine, The Divination of the demons and The Care of the dead,* dans *Patristic Studies,* 86 (Washington, 1955).
AUG. *Denis* = AUGUSTINI *Sermones a Denis ed. 1-25,* dans *MA* I, 11-164.
AUG. *Dulc. quaest.* = AUGUSTINIS *De octo Dulcitii quaestionibus,* dans *CC* 44 A, 253-297.
AUG. *Emerit.* = AUGUSTINI *Gesta cum Emerito,* dans *CSEL* 53, 181-196.
AUG. *En. Ps.* = AUGUSTINI *Enarrationes in Psalmos,* dans *CC* 38-40.
AUG. *Ench.* = AUGUSTINI *Enchiridion,* dans *CC* 46, 49-114.
AUG. *Ep.* ou *Epp.* = AUGUSTINI *Epistulae,* dans *CSEL* 34, 44, 57.
AUG. *Faust.* = AUGUSTINI *Contra Faustum manichaeum,* dans *CSEL* 25, 251-797.
AUG. *Felic.* = AUGUSTINI *Contra Felicem manichaeum lib. II,* dans *CSEL* 25/2, 801-852.
AUG. *Frangip.* = AUGUSTINI *Sermones a Frangipane ed. 1-9,* dans *MA* I, 169-237.
AUG. *Guelf.* = AUGUSTINI *Sermones e codice Guelferbytano ed. 1-33, App. I-VII,* dans *MA* I, 441-585.
AUG. *Hept.* = AUGUSTINI *Quaetiones in Heptateuchum,* dans *CC* 33.
AUG. *In Ioan. eu. tr.* = AUGUSTINI *In Ioannis euangelium tractatus 124,* dans *CC* 36.
AUG. *Lambot* = AUGUSTINI *Sermones a Lambot ed. 1-27,* dans *PLS* 2, 744-834.
AUG. *Mai* = AUGUSTINI *Sermones a Mai ed.,* dans *MA* I, 285-386.
AUG. *Mor. Eccl.* = AUGUSTINI *De moribus Ecclesiae catholicae,* dans *PL* 32, 1300-1344.
AUG. *Morin* = AUGUSTINI *Sermones a Morin ed.,* dans *MA* I, 589-664.
AUG. *Op. mon.* = AUGUSTINI *De opere monachorum,* dans *CSEL* 40, 531-596.
AUG. *Pecc. mer.* = AUGUSTINI *De peccatorum meritis et remissione,* dans *CSEL* 60, 3-151.
AUG. *Retract.* = AUGUSTINI *Retractationes,* dans CSEL 36.
AUG. *Serm.* 1-50 = AUGUSTINI *Sermones de Vetere Testamento* 1-50, dans *CC* 41 (*PL* 38, 23-332).
AUG. *Serm.* 51-396 = AUGUSTINI *Sermones,* dans *PL* 38-39.
AUG. *Serm. ad pleb. Caesar. eccl.* = AUGUSTINI *Sermo ad plebem Caesariensis ecclesiae,* dans *CSEL* 53, 167-178.
AUG. *Serm. pasc.* = *Augustin d'Hippone, Sermons pour la Pâques,* ed. et trad. par S. POQUE, dans *SC*, 116 (Paris, 1966).
AUG. *Serm. V.T.* = AUGUSTINI *Sermones de Vetere Testamento* 1-50, dans *CC* 41.
AUG. *Ver. rel.* = AUGUSTINI *De uera religione,* dans *CC* 32, 187-260.
AUG. *Virgin.* = AUGUSTINI *De uirginitate sancta,* dans *CSEL* 41, 235-302.
AUG. *Wilmart* = AUGUSTINI *Sermones a Wilmart ed.* 2-13, dans *MA* I, 673-710.
ps. — AUG. *Sobr.* = pseudo-AUGUSTINI *Liber de sobrietate et castitate,* dans *PL* 40, 1105-1112.
Brev. Hippon. = *Breuiarium Hipponense conc. Hippon. A. 393,* dans *CC* 149, 30-46.
Cal. Carth. = Calendrier de Carthage v. 505-535, ed. MABILLON, *Vet. anal.* 693-695 ; ed. DUCHESNE, dans *Acta SS., Nov. II_1, p. xx-xxii.*
Cod. Theod. = *Codex Theodosianus,* ed. Th. MOMMSEN et P. M. MEYER (Berlin, 1905).

Coll. Carth. = *Actes de la Conférence de Carthage en 411*, 3 vol., dans *SC* 194, 195, 224 (Paris, 1972, 1975).
Concilia Africae = MUNIER Ch., *Concilia Africae*.
Conc. Carth. 345-348 = *Concilium Carthaginense sub Grato A. 345-348*, dans *CC* 149, 3-10.
Conc. Carth. 390, dans *CC* 149, 12-19.
Conc. Carth. 397, *Ibid.* 28-29.
Conc. Carth. 418, *Ibid.* 69-73, 75-77.
Conc. Carth. 419, *Ibid. 89-165*.
Conc. Carth. 424-425, *Ibid.* 169-172.
Conc. Carth. 525, *Ibid.* 255-281.
Conc. Hippon. 393, *Ibid.* 20-21, et *Reg. Carth.*
Conc. Hippon. 427, *Ibid.* 250-253.
Conc. Thel. = *Concilium Thelense A. 418*, dans *CC* 149, 58-65.
CYPR. *Dem.* = CYPRIANI *Ad Demetrianum*, dans *CC* 3/2, 31-51.
CYPR. *Don.* = CYPRIANI *Ad Donatum*, dans *CC* 3/2, 1-13.
CYPR. *Ep.* ou *Epp.* = CYPRIANI *Epistulae*, ed. *CSEL*. III/2 ; ed. et trad. par L. BAYARD, *Saint Cyprien, Correspondance*, coll. Budé (Paris, 1925).
CYPR. *Fort.* = CYPRIANI *Ad Fortunatum de exhortatione martyrii*, dans *CC* 3, 3/1, 183-216.
CYPR. *Hab. virg.* = CYPRIANI *De habitu uirginum*, ed. *CSEL* 3/1, 185-205 ; ed. et comm. A. E. KEENAN, dans *Patristic Studies*, 34 (Washington, 1932).
CYPR. *Laps.* = CYPRIANI *De lapsis*, ed. CC 3/1, 221-242 ; ed. et rec. J. MARTIN, *S. Thascii Caecilii Cypriani De lapsis* (Bonn, 1930).
CYPR. *Mort.* = CYPRIANI *De mortalitate*, ed. *CC* 3/2, 15-32 ; ed. et comm. M. L. HANNAN, dans *Patristic Studies*, 36 (Washington, 1933).
CYPR. *Op. eleem.* = CYPRIANI *De opere et eleemosynis*, ed. *CC* 3/2, 53-72 ; ed. et comm. E. V. REBENACK, dans *Patristic Studies*, 94 (Washington, 1962).
CYPR. *Or.* = CYPRIANI *De oratione dominica*, ed. *CC* 3/2, 87-113 ; ed. et comm. M. RÉVEILLAUD, *Saint Cyprien, L'oraison dominicale*. Texte, traduction introduction et notes, dans *Études d'histoire et de philosophie religieuses* (Paris, 1964).
CYPR. *Pat.* = CYPRIANI *De patientia*, dans *CC* 3/2, 115-132.
CYPR. *Quir.* = CYPRIANI *Testimonia ad Quirinum*, dans *CC* 3/1, 3-179.
CYPR. *Quod idol.* = CYPRIANI *Quod idola dii non sint*, dans *CSEL* 3, 17-31.
ps. CYPR. *De duplici martyrio*, dans *PL* 4, 961-986.
ps. CYPR. *De laude martyrii*, dans *CSEL* 3/3, 26-52.
ps. CYPR. *Ep. ad Turasium*, dans *CSEL* 3/3, 274-282.
Dep. mart. = *Depositio martyrum ecclesiae Romanae*, ed. Th. MOMMSEN, dans *MGH. Auct. ant.*, 9, p. 70-71 ; ed. L. DUCHESNE, dans *Acta SS.*, Nov. II/1, p. XLVIII-i ; ed. prat. dans *DACL* VIII (1928) 635-636.
EUSEB. *Hist. eccl.* = EUSEBII CAESARIENSIS *Historia ecclesiastica*, dans *SC*, 31, 41, 53, 73 (Paris, 1952-1960).
FERRAND. *Brev. can.* = FERRANDI *Breuiatio canonum A. 523-546*, dans *CC* 149, 287-304.
FULG. *Ep.* = FULGENTII RUSPENSIS *Epistulae*, dans *CC* 91-91 A.
GELAS. *Ep.* = GELASII pp. I *Epistulae*, dans *PL* 59, 13-140.
GREG. MAGN. *Hom. Ev.* = GREGORII MAGNI *Homiliae in Euangelia*, dans *PL* 76, 1071-1312.
HIER. *Ez. comm.* = HIERONYMI *Commentarium in Hezechielem lib. XIV*, dans *CC* 75.
HIPPOL. *Elench.* = HIPPOLYTI *Elenchos*, dans *GCS*, *Hippolytus*, 3 (Leipzig, 1916).

Hippol. *Trad. ap.* = *La tradition apostolique de saint Hippolyte. Essai de reconstitution* par B. Botte, dans *Liturgiewissenschaftliche Quellen und Forschungen*, 39 (Münster/W., 1964).

Innoc. *Ep.* 25 = Cabié R., *La lettre du pape Innocent I*^{er} *à Décentius de Gubbio.*

Iustin. *Apol.* = Iustini *Apologia*, dans Justin, *Apologies*. Texte grec et trad. franc. par L. Pautigny (Paris, 1904).

Mart. hier. = *Martyrologium hieronymianum*, ed. crit. et comm. par H. Quentin et H. Delehaye, dans *Acta SS.*, Nov. II/2 (Bruxelles, 1932).

Min. Fel. *Oct.* = Minucii Felicis *Octavius*, dans *CSEL* 2, 3-56.

Mir. S. Steph. = *De miraculis S. Stephani lib. II*, dans *PL* 41, 833-854.

Opt. Mil. = Optati Milevitani *De schismate donatistarum*, dans *CSEL* 26, 3-182.

Passio Crispinae ed. P. Franchi de' Cavalieri, dans *Studi e Testi*, 9, 32-35.

Passio Laurentii = *Passio Polychronii*, 14 ss., p. 83 ss.

Passio Mariani, ed. P. Franchi de' Cavalieri, dans *Studi e Testi*, 3, 47-61.

Passio Montani, ed. ID., dans *Röm. Quartalschrift*, 8. Suppl.-Heft (Rome, 1898).

Passio Perpetuae = J. A. Robinson, *The Passion of S. Perpetua*, dans *Texts and Studies. Contributions of Biblical and Patristic Literature*, I/2 (Cambridge, 1891).

Passio Polychronii = H. Delehaye, *Recherches sur le Légendier romain*, dans *Anal. boll.* 51 (1933) 72-98.

Passio septem monachorum, dans *CSEL* 7, 108-114.

Paulin. Mediol. = Paulini Mediolanensis *Vita Ambrosii*, dans *PL* 14, 24-50.

Paulin. Nol. *Carm.* = Paulini Nolani *Carmina*, dans *CSEL* 30, 1-356.

Paulin. Nol. *Ep.*, *Ib.* 29, 1-462.

Pontius, *Vita Cypriani*, dans *CSEL* 3/3, xc-cx.

Poss. suivi de chiffres romains et arabes = Possidii *Operum S. Augustini elenchus*, par A. Wilmart, dans *MA* 2, 161-208.

Poss. *Vita Aug.* = Possidii *Vita Augustini*, dans *PL* 32, 33-66.

Procop. *Bell. vandal.* = Procopii *De bello uandalico*, ed. J. Haury, dans *Bibl. ... Teubneriana* (Leipzig, 1962).

Prud. *Perist.* = Prudentii *Peri stephanon liber*, dans *CSEL* 61, 291-431.

Quodvultdeus *Dimid.* = Quodvultdeus, *Dimidium temporis*, dans *CC* 60, 190-223.

Reg. Carth. = *Registri Carthaginiensis ecclesiae excerpta ex variis conciliis Africanis*, dans *CC* 149, 182-247.

Sidon. Apoll. *Ep.* = Sidonii Apollinaris *Epistolae et Carmina*, ed. C. Luetjohann, dans *MGH. Auct. ant.*, 8 (Berlin, 1887), 1-172.

Sobr. = ps. Aug. *Sobr.*

Sulp. Sever. *Martin.* = Sulpitii Severi *Vita S. Martini*, dans *CSEL* 1, 109-137.

Tert. *An.* = Tertulliani *De anima*, ed. et comm. J.H. Waszink, *Q.S.Fl. Tertulliani De anima* (Amsterdam, 1947).

Tert. *Apol.* = Tertulliani *Apologeticum*, ed. *CC* 1, 85-171 ; ed. et comm. J.-P. Waltzing, *Tertullien Apologétique*. I. *Texte*..., II. *Commentaire*..., dans *Bibliothèque de la Fac. de Philos. et Lettres de l'Univ. de Liège*, 23-24 (Liège-Paris, 1919).

Tert. *Bapt.* = Tertulliani *De baptismo*, ed. *CC* 1, 277-295 ; ed. et comm. R. F. Refoulé, trad. M. Drouzy, *Tertullien, Traité du baptême*, dans *SC* 35 (Paris, 1952).

Tert. *Carn. Chr.* = Tertulliani *De carne Christi*, dans *CC* 2, 873-917.

Tert. *Cor.* = Tertulliani *De corona militis*, ed. *CC* 2, 1039-1065 ; ed. et comm. J. Fontaine, *Tertullien, De corona*, coll. *Érasme*, 18 (Paris, 1966).

Tert. *Cult.* = Tertulliani *De cultu feminarum*, ed. *CC* 1, 343-370 ; ed. et comm. M. Turcan, *Tertullien, La toilette des femmes*, dans *SC* 173 (Paris, 1971).

TERT *Exh. cast.* = TERTULLIANI *De exhortatione castitatis*, dans *CC* 2, 1015-1035.
TERT. *Fug.* = TERTULLIANI *De fuga in persecutione*, dans *CC* 2, 1135-1155.
TERT. *Idol.* = TERTULLIANI *De idolatria*, dans *CC* 2, 1104-1124.
TERT. *Iei.* = TERTULLIANI *De ieiunio*, dans *CC* 2, 1257-1277.
TERT. *Iud.* = TERTULLIANI *Aduersus Iudaeos*, ed. *CC* 2, 1339-1396 ; ed. et comm. H. TRÄNKLE, *Q. S. F. Tertulliani, Aduersus Iudaeos*, mit Eintleitung und kritischem Kommentar (Wiesbaden, 1964).
TERT. *Marc.* = TERTULLIANI *Aduersus Marcionem*, dans *CC* 1, 437-726.
TERT. *Mart.* = TERTULLIANI *Ad martyras*, dans *CC* 1, 1-8.
TERT. *Monog.* = TERTULLIANI *De monogamia*, dans *CC* 2, 1229-1253.
TERT. *Nat.* = TERTULLIANI *Aduersus nationes*, ed. *CC* 1, 11-75 ; ed. et comm. A. SCHNEIDER, *Le premier livre 'Ad nationes' de Tertullien*. Introduction, texte, traduction et commentaire, dans *Bibliotheca helvetica romana*, 9 (Rome, 1968).
TERT. *Or.* = TERTULLIANI *De oratione*, ed. *CC* 1, 257-274 ; ed. et comm. J.F. DIERKS, *Tertullianus, De oratione*. Critische uitgave met prolegomena, vertaling en philologisch-exegetisch-liturgische commentaar (Bussum, 1947).
TERT. *Paen.* = TERTULLIANI *De paenitentia*, dans *CC* 1, 321-340.
TERT. *Pall.* = TERTULLIANI *De pallio*, ed. *CC* 2, 733-750 ; ed. et comm. A. GERLO, *Q. S. Fl. Tertullianus. De pallio*. Kritische uitgave met vertaling en commentaar, 2 fasc. (Wetteren, 1940).
TERT. *Pat.* = TERTULLIANI *De patientia*, dans *CC* 1, 299-317.
TERT. *Praescr.* = TERTULLIANI *De praescriptione haereticorum*, ed. *CC* 1, 187-224 ; ed. et comm. P. de LABRIOLLE et R. F. REFOULÉ, *Tertullien, De la prescription contre les hérétiques*, dans *SC* 46 (Paris, 1957).
TERT. *Prax.* = TERTULLIANI *Aduersus Praxean*, dans *CC* 2, 1159-1205.
TERT. *Pud.* = TERTULLIANI *De pudicitia*, dans *CC* 2, 1257-1277.
TERT. *Res. mort.* = TERTULLIANI, *De resurrectione mortuorum*, dans *CC* 2, 921-1012.
TERT. *Scap.* = TERTULLIANI *Ad Scapulam*, dans *CC* 2, 1127-1132.
TERT. *Scorp.* = TERTULLIANI *Scorpiace*, dans *CC* 2, 1069-1097.
TERT. *Spect.* = TERTULLIANI *De spectaculis*, ed. *CC* 1, 227-253 ; ed. et comm. E. CASTORINA, *Tertulliani De spectaculis*, dans *Biblioteca di studi superiori. Scrittori cristiani greci e latini*, 47 (Firenze, 1961).
TERT. *Test.* = TERTULLIANI, *De testimonio animae*, ed. *CC* 1, 175-183.
TERT. *Ux.* = TERTULLIANI *Ad uxorem*, dans *CC* 1, 343-370.
TERT. *Val.* = TERTULLIANI *Aduersus Valentinianos*, dans *CC* 2, 753-778.
TERT. *Virg. vel.* = TERTULLIANI *De uirginibus uelandis*, dans *CC* 2, 1207-1225.
ps. TERT. *Haer.* = *Aduersus haereses*, dans *CC* 2, 1339-1396.
THEOD. CYR. *Ep.* = THEODORETI CYRENSIS *Epistulae*, dans *PG* 83, 1173-1494.
VICT. VIT. *Hist. pers:* = VICTORIS VITENSIS *Historia persecutionis Africae prouinciae*, dans *CSEL* 7, 1-107.

III. ÉTUDES

1. *Archéologie*

P. ALLARD, « Du sens des mots 'depositio, depositus' dans l'épigraphie chrétienne », *Lettres chrétiennes*, 1880, 1, 227-238.
BOUCHENAKI Mounir, « Nouvelle inscription à Tipasa, Maurétanie Césarienne », *Mitteilungen des Deutschen Archäologischen Instituts. Römische Abteilung*, 81 (1974) 301-311, pl. 173-174.

Fouilles de la nécropole occidentale de Tipasa, 1968-1972 (Alger, SNED, 1975), dans *Publications de la Bibliothèque Nationale, Histoire et Civilisations,* 1.

CAMPS G., *Aux origines de la Berbérie. Monuments et rites funéraires protohistoriques* (Paris, 1961).

CHRISTERN Jürgen, « Basilika und memoria der hl. Salsa in Tipasa », *Bulletin d'archéologie algérienne,* 3 (1968) 193-257.

Das frühchristliche Pilgerheiligtum von Tebessa. Architektur einer spätantiken Bauhütte in Nordafrika, mit 64 Tafeln, 5 Faltkarten, 48 Figuren. Zeichnerische Bauaufnahmen von Eckhart MÜLLER (Wiesbaden, 1976).

COURBAUD Ed., « Imago », dans DAREMBERG et SAGLIO, *Dictionnaire des antiquités grecques et romaines,* 3 (1905) 389-415.

DEICHMANN F. W., « Martyrerbasilika, Martyrion, Memoria und Altargrab », *Mitteilungen des Deutschen Archäologischen Instituts. Römische Abteilung,* 77 (1970) 144-169.

DELATTRE A., *L'épigraphie funéraire chrétienne à Carthage* (Tunis, 1926).

DÖLGER Franz Josef, « Die Speisung der Toten in christlicher Zeit nach den Funden im Cœmeterium von Tarragona », *Antike und Christentum,* 5 (1936) 292-293.

DUVAL Noël, « Quelques tables d'autel de Tunisie », *Mélanges Charles Saumagne = Les Cahiers de Tunisie,* 15 (1967) 209-223, pl. I-II.

Les mosaïques funéraires d'Algérie comparées à celles de Tunisie », *XVII° corso di cultura sull'arte ravennate e bizantina* (Ravenne, 1970) 149-160.

« Études d'architecture chrétienne nord-africaine. I. Les monuments chrétiens de Carthage. II. L'architecture chrétienne en Byzacène », *Mélanges de l'École française de Rome. Antiquité,* 84 (1972) 1072-1172.

« Les recherches de l'épigraphie chrétienne en Afrique du Nord, 1962-1972 », *Ibid.* 85 (1973) 335-344.

Les églises africaines à deux absides. I. Sbeitla. II. *Inventaire des monuments — Interprétation* (Paris, 1973), dans *Bibliothèque des Écoles françaises d'Athènes et de Rome,* 218 et 218 bis.

Recherches archéologiques à Haïdra. I. *Les inscriptions chrétiennes,* avec la collab. de Fr. PRÉVOT (Rome, 1975), dans *Collection de l'École française de Rome,* 18.

DUVAL Yvette, *Le culte des martyrs en Afrique du* IVe *au* VIIe *siècle.* Thèse de doctorat d'État en histoire sous la direction de M. Marrou (Paris, 1977), 2 t. en 4 vol. de 1583 pp. dactyl., plus Bibliographie et Cartes.

FERRUA Antonio, « Il refrigerio dentro la tomba », *Civilta cattolica,* 92/2 (1941) 373-378, 457-463.

« Rileggendo i graffiti di S. Sebatiano », *Ibid.* 116/3 (1965) 428-437 ; 4, 134-141.

FÉVRIER Paul-Albert, « Martyrs, polémique et politique en Afrique (IVe-Ve s.) », *Cahiers d'histoire et de civilisation du Maghreb,* 1 (1966) 8-18.

« Remarques sur les inscriptions funéraires de Maurétanie Césarienne orientale », *Mélanges de l'École française de Rome,* 76 (1964) 105-172.

« Le formulaire des inscriptions funéraires datées de la Maurétanie orientale », *Bulletin de la Société nationale des antiquaires de France, 1962* (Paris, 1964) 152-160.

« Mosaïques funéraires chrétiennes datées d'Afrique du Nord », *Atti del VI. Congresso Internazionale di Archeologia Cristiana, Ravenna 1962* (Vatican, 1965) 432-456.

« Deux inscriptions chrétiennes de Tébessa et de Henchir Touta », *Rivista di archeologia cristiana,* 44 (1968) 177-187.

« Le culte des martyrs en Afrique et ses plus anciens monuments », *XVII° corso di cultura sull'arte ravennate e bizantina* (Ravenna, 1970) 191-215.

« Les sources épigraphiques et archéologiques et l'histoire religieuse des provinces orientales de l'Afrique antique », *XIX° corso si cultura sull'arte ravennate e bizantina* (Ravenne, 1972) 131-158.

« A propos du repas funéraire. Culte et sociabilité : In Christo Deo pax et concordia sit convivio nostro », *Cahiers archéologiques*, 26 (1977) 29-45.

« Natale Petri de cathedra », *Académie des Inscriptions et Belles-Lettres. Comptes rendus... 1977* (Paris, 1977), 514-531.

« Le culte des morts dans les communautés chrétiennes durant le IIIe siècle », *Atti del IX Congresso Internazionale di Archeologia Cristiana, Roma 1975, coll. Studi di antichità cristiana*, XXXII, 1 (Vatican, 1978 211-274.

GAUCKLER Paul, *Basiliques chrétiennes de Tunisie* (Paris, 1913).

GROSSI GONDI F., « Il refrigerium celebrato in onore dei santi apostoli Pietro e Paolo nel IV secolo ad catacumbas », *Römische Quartalschrift*, 29 (1915) 211-249.

GSELL Stéphane, *Les monuments antiques de l'Algérie*, 2 vol. (Paris, 1901).

KAUFMANN C. M., « Die Entwickelung und Bedeutung der Paxformel », *Der Katholik*, (1896) II, 385-397.

Die sepulkralen Jenseitsdenkmäler der Antike und des Urchristentums (Mainz, 1900).

KRAUTHEIMER R., « Mensa-Cœmeterium-Martyrium », *Cahiers archéologiques*, 11 (1960) 15-40.

LASSERRE, « Sur la chronologie des épitaphes des régions militaires », *Bulletin d'archéologie algérienne*, 5 (1976) 158-161.

LE BLANT Edm., *L'épigraphie chrétienne en Gaule et dans l'Afrique romaine* (Paris, 1890).

LECLERCQ Henri, « In », dans *DACL*, 7 (1926) 476-481.

« Memoria », *Ibid.* 11 (1933) 296-324.

« Mensa », *Ibid. 440-453*.

« Pax », *Ibid.* 13 (1938) 2775-2782.

LEVEAU Ph., « Une area funéraire de la nécropole occidentale de Cherchel », *Bulletin d'archéologie algérienne* 5 (1976) 73-152.

LEYNAUD A., *Les catacombes africaines. Sousse-Hadrumète*, 3e éd. (Alger, 1937).

MAREC Erwan, *Monuments chrétiens d'Hippone, ville épiscopale de saint Augustin* (Paris, 1958).

MARROU Henri-Irénée, « Survivances païennes dans les rites funéraires des donatistes », *Hommages à Joseph Bidez et à Frantz Cumont*, 2 (1949) 193-203, coll. *Latomus*.

« Mosaïques chrétiennes de Ténès », *Bulletin d'archéologie algérienne*, 1 (1962-1965) 227-223.

MAURIN L. et PEYRAS, « Uzalitana. La région de l'Ansarine dans l'antiquité », *Cahiers de Tunisie*, 19 (1971) 11-99.

MESNAGE J., *L'Afrique chrétienne. Évêchés et ruines antiques* (Paris, 1912).

MONCEAUX Paul, « Enquête sur l'épigraphie chrétienne en Afrique », *Revue archéologique*, 1903, II, 59-90, 240-256 ; 1904, I, 354-373 ; 1906, I, 177-192, 260-279, 461-475 ; 1906, II, 126-142, 279-310 ; et dans *Académie des Inscriptions et Belles-Lettres. Mémoires présentés par divers savants*, 1re série : *Sujets divers d'érudition*, 12 (1908), 1re partie, p. 10-339.

« L'inscription des martyrs de Dougga et les banquets des martyrs en Afrique », *Bulletin archéologique du comité des travaux historiques* (1908), 87-104.

NESTORI Aldo, « La catacomba di Sabratha (Tripolitania). Indagine preliminare », *Lybia antiqua*, 9-10 (1972-1973) 7-24, et 17 pl.

NUSSBAUM O., « Zum Problem der runden und sigmaförmigen Altarplatten », *Jahrbuch für Antike und Christentum*, 4, (1961) 18-43.

RABEAU G., *Le culte des saints dans l'Afrique chrétienne d'après les inscriptions et les monuments figurés* (Paris, 1903).

REEKMANS Louis, « Les cryptes des martyrs romains. État de la question », *Atti del IX Congresso Internazionale di Archeologia Christiana, Roma 1975*, coll. *Studi di antichità cristiana*, XXXII, 1 (Vatican, 275-302).
SALAMA Pierre, *Les voies romaines de l'Afrique du Nord* (Alger, 1951).
SAUMAGNE Charles, « Les basiliques cypriennes », *Revue archéologique* (1909) I, 188-202.
Les basiliques chrétiennes de Carthage (Alger, 1933).
SCHNEIDER A. M., « Mensa oleorum oder Totenspeisetische », *Römische Quartalschrift*, 34 (1927) 287-301.
TOULOTTE L., *Géographie de l'Afrique chrétienne. Proconsulaire* (Paris, 1892); *Byzacène et Tripolitaine* (Montreuil-sur-mer, 1894); *Numidie* (Paris, 1894); *Maurétanies* (Montreuil-sur-mer, 1894).
VAULTRIN J., *Les basiliques chrétiennes de Carthage. Études d'archéologie et d'histoire* (Alger, 1933).
WARD-PERKINS J.-B., « Memoria, martyr's tomb and martyr's church », *The Journal of theological studies*, 17 (1966) 20-38, et dans *Akten des VII. Internationalen Kongresses für christliche Archäologie, Trier 1965* (Vatican-Trier, 1969) 1-27.
WIELAND Fr., « Mensa und Confessio », *Veröffentlichungen aus dem kirchenhistorischen Seminar München*, II, 11 (Munich, 1906).
WOLSKI W. et BERCIU I., « Contribution au problème des tombes romaines à dispositif pour les libations funéraires », *Latomus*, 32 (1973) 370-379.
ZAMMIT C. « I triclini funebri nelle catacombe di Malta », *Rivista di archeologia christiana*, 17 (1940) 293-297.

2. *Littérature*

ANDRESEN, « Altchristliche Kritik am Tanz. Ein Ausschnitt aus dem Kampf der alten Kirche gegen heidnische Sitte », *Kirchengeschichte als Missionsgeschichte*, 1 (Munich, 1974) 344-376.
AUDOLLENT Auguste, *Carthage romaine (146 avant J.-C.-698 après J.-C.)*, dans *Bibliothèque des Écoles françaises d'Athènes et de Rome*, 84 (Paris, 1901).
BANEY Margareth Mary, *Some reflections of the Live in North Africa in the Writings of Tertullian* (Washington, 1948), dans *Patristic Studies*, 80.
BACKHUIZEN VAN DEN BRINK J.-N., « Cyprianus van Carthago », *Kerk en Erendienst*, 13 (La Haye, 1957-1958) 138-155; et dans *Mededelingen der K. Nederlandse Akademie van Wetenschappen, Afd. Letterkunde*, N. S., 21, n° 9 (Amsterdam, 1958).
BARDY G., « Saint Augustin et les médecins », *L'année théologique*, 14 (1953) 327-346.
« Cyprien », *DHGE* XIII (1956) 1148-1160.
BAUS K., *Der Kranz in Antike und Christentum*, dans *Theophaneia*, 2 (Bonn, 1940).
BEAUJEU J., « Remarques sur la datation de l'Octavius : vacances de la moisson et vacances de la vendange », *Revue de philologie, de littérature et d'histoire anciennes*, 41 (1967) 121-134.
BECK Alexandre, *Römisches Recht bei Tertullian und Cyprian. Eine Studie zur frühen Kirchengeschichte*, dans *Königsberger Gelehrten-Gesellschaft, Geisteswissenschaftliche Klasse*, 7/2 (Halle, 1930; éd. anast. Aaalen, 1967).
BEISSEL Stephan, *Entstehung der Perikopen des römischen Messbuches* (Freiburg/Br. 1907).
BERROUARD M.-Fr., « La date des Tractatus I-LIV In Iohannis Evangelium de saint Augustin », *Recherches augustiniennes*, 7 (Paris, 1971) 119-168.
BOUCHÉ-LECLERCQ A., *Manuel des institutions romaines* (Paris, 1931).

BRAUN René, *Deus christianorum. Recherches sur le vocabulaire doctrinal de Tertullien*, 2e éd. (Paris, 1977).

CABIÉ Robert, *La Pentecôte. L'évolution de la cinquantaine pascale au cours des cinq premiers siècles* (Desclée, Tournai, 1965).

La lettre du pape Innocent Ier = cf. COLLECTIONS ET ÉDITIONS, 2. ÉDITIONS.

CABROL F., « Diptyques », *DACL*, IV (1920) 1045-1170.

CAPELLE Paul, *Le texte du psautier latin en Afrique*, dans *Collectanea biblica latina*, 4 (Rome, 1913).

CECCHELLI Carlo, « Note sopra il culto delle reliquie nell'Africa romana », *Rendiconti della Pontificia Accademia Romana di Archeologia*, S. 3, 15 (1939) 125-134.

CLAESSON Gösta, *Index Tertullianeus*, 3 vol. (Paris, 1974-1975).

COURCELLE Pierre, *Recherches sur les 'Confessions' de saint Augustin*, 2e éd. (Paris, 1968).

« Fragments historiques de Paulin de Nole conservés par Grégoire de Tours », *Mélanges d'histoire du moyen âge offerts à Louis Halphen* (Paris, 1951) 145-153.

CUMONT Frantz, « La triple commémoraison des morts », *Académie des Inscriptions et Belles-Lettres. Comptes rendus... de 1918* (1918) 278-294.

Recherches sur le symbolisme funéraire des Romains (Paris, 1942).

Lux perpetua (Paris, 1949).

CUQ Ed., « Funus », dans DAREMBERG et SAGLIO, *Dictionnaire des antiquités grecques et romaines*, II/2 (1896) 1386-1409.

DEKKERS Eligius, *Tertullianus en de geschiedenis der liturgie*, dans *Catholica*, VI : *Liturgia*, 2 (Bruxelles-Amsterdam, 1947).

DELEHAYE Hippolyte, « Les premiers 'libelli miraculorum' », *Analecta bollandiana* 29 (1910) 427-434.

« Les recueils antiques des miracles des saints », *Ibid.* 43 (1925) 74-85.

« Refrigerium », *Journal des savants* (nov. 1926) 385-390.

Sanctus. Essai sur le culte des saints dans l'antiquité, dans *Subsidia hagiographica*, 17 (Bruxelles, 1927 ; réimpr. anast. 1954).

« La méthode historique et l'hagiographie », *Bulletin de la Classe des Lettres et des Sciences morales et politiques*, 5e série, 6 (Bruxelles, 1930) 218-231.

Les origines du culte des martyrs, dans *Subsidia hagiographica*, 20 (Bruxelles, 1933).

DELL'ARCHE M., *Scomparsa del cristianesimo ed espansione dell'Islam nell'Africa settentrionale* (Rome, 1967).

DE VOOGHT D. P., « Les miracles dans la vie de saint Augustin », *Revue de théologie ancienne et médiévale*, 11 (1939) 5-16.

DE WAAL A., « Todtenbestattung », dans KRAUS, *Realencyclopädie der christlichen Altertümer*, 2, 874-885.

DIDIER J.-C., « Le pédobaptisme au IVe siècle. Documents nouveaux », *Mélanges de science religieuse*, 6 (1949) 233-246.

DÖLGER Franz-Josef, ΙΧΘΥΣ. *Das Fischsymbol in frühchristlicher Zeit*, 1. Bd : *Religionsgeschichtliche und epigaphische Untersuchungen* (Rome, 1910) ; 2. Bd : *Der hl. Fisch in den antiken Religionen und im Christentum* (Münster/W., 1922) ; 3. Bd : *Tafeln* (*Ibid.*)

« Das Totengedächtnis Jesu und die antike Memoria mortuorum », *Ichtys*, 2 (1922) 549-555.

« Das Kultvergehen der Donatistin Lucilla von Karthago. Reliquienkuss vor dem Kuss der Eucharistie », *Antike und Christentum*, 3 (Münster/W. 1932) 245-256).

« Festtagskleid statt Trauerkleid », *Ibid.* 5 (1936) 66-75.

DOIGNON J., « Refrigerium et catéchèse à Vérone au IVe siècle », *Hommage à M. Renard*, 2 (Bruxelles, 1969) 220-239.

DUCHESNE L., « Le dossier du donatisme », *Mélanges d'archéologie et d'histoire*, 10 (1890) 589-650.
Histoire ancienne de l'Église, t. 1, 3e éd. (Paris, 1923), t. 2, 4e éd. 1910), t. 3, 5e éd. (1929).
DULAEY Martine, *Le rêve dans la vie et la pensée de saint Augustin* (Paris, 1973).
DUMONT Ch., « Lectio divina. La lecture et la parole de Dieu d'après saint Cyprien », *Bible et vie chrétienne*, 22 (Maredsous, 1958) 23-33.
DUQUENNE Luc, *Chronologie des lettres de saint Cyprien. Le dossier de la persécution de Dèce*, dans *Subsidia hagiographica*, 54 (Bruxelles, 1972).
FERGUSON John, « Aspects of early Christianity in North Africa », dans *Africa in Classical Antiquity* ed. by L. THOMPSON and J. FERGUSON (Ibadan Univ. Press, 1969) 182-211.
FINE Heinrich, *Die Terminologie der Jenseitsvorstellungen*, dans *Theophaneia*, 12 (Bonn, 1958).
FISCHER J. A. *Studien zum Todesgedanken in der alten Kirche*, 1 (Munich, 1955).
FRÉDOUILLE J.-Cl., *Tertullien et la conversion de la culture antique* (Paris, 1972).
FREISTEDT E., *Altchristliche Totengedächtnistage und ihre Beziehung zum Jenseitsglauben und Totenkultus der Antike*, dans *Liturgiegeschichtliche Quellen und Forschungen*, 24 (Münster/W. 1928), 114ss.
FRIDH A., *Le problème de la Passion des saintes Perpétue et Félicité*, dans *Studia graeca et latina Gothoburgensia*, 24 (Göteborg, 1968).
GAIFFIER, Baudoin de, « La lecture des Actes des martyrs dans la prière liturgique en Occident », *Analecta bollandiana*, 77 (1954).
« Réflexions sur les origines du culte des martyrs », *La Maison-Dieu*, nº 52 (1957) 19-43, et *Études critiques d'hagiographie et d'iconologie= Subsidia hagiographica*, 43 (Bruxelles, 1967) 7-30.
GLAUE P., « Die Vorlesung heiliger Schriften bei Tertullian », *Zeitschrift für neutestamentliche Wissenschaft*, 23 (1924) 141-152.
« Die Vorlesung heiliger Schriften bei Cyprian », *Ibid*. 201-213.
GODU G., « Épîtres », *DACL* V (1922) 245-344.
GOUGAUD, « La danse dans les églises », *Revue d'histoire ecclésiastique*, 15 (1914) 5-22, 219-245.
GÜLZOW H., *Cyprian und Novatian. Der Briefwechsel zwischen den Gemeinden in Rom und Karthago zur Zeit der Verfolgung des Kaisers Decius*, dans *Beiträge zur historischen Theologie*, 48 (Tübingen, 1975).
HAMMAN Aldabert, « Les repas religieux et l'agape chez saint Augustin », *Strenas Augustinianas*, I : *Theologica* (Madrid, 1969) 181-192.
HARNACK Adolf, « Über verlorene Briefe und Acktenstücke die sich aus der cyprianischen Briefsammlung ermitteln lassen », *Texte und Untersuchungen*, 25/2.
HAYWORD R. M., « Roman Africa », dans Fr. TENNEY, *An Econonimcal Survey of Ancient Rome* (Baltimore, 1938), t. 4, 3-119.
HUMMEL E. L., *The concept of Martyrdom according to St. Cyprian of Carthage*, dans *Studies in Christian Antiquities*, 9 (Washington, 1946).
JANSSEN Harry, *Kultur und Sprache. Zur Geschichte der alten Kirche im Spiegel der Sprachentwickelung von Tertullian bis Cyprian*, dans *Latinitas christianorum primaeva*, 8 (Nimègue, 1938).
KLAUSER Theodor, *Die Cathedra in Totenkult der heidnischen und christlichen Antike*, dans *Liturgiegeschichtliche Quellen und Forschungen*, 7 (Münster/W., 1927).
« Das altchristliche Totenmahl nach dem heutigen Stand der Forschung », *Theologie und Glaube*, 20 (1928) 599-608.
« Christlicher Märtyrerkult, heidnischer Heroenkult und spätjüdische Heiligenver-

ehrung », dans *Arbeitsgemeinschaft für Forschung des Landes Nordrhein-Westfalen*, 91 (Bonn, 1960).

KOCH Hugo, *Cyprianische Untersuchungen*, dans *Arbeiten zur Kirchengeschichte*, 4 (Bonn, 1926).

KOEP L., « Consecratio », *Realencyclopädie für Antike und Christentum*, III (1957) 269-283.

KUNZELMANN A., « Die Chronologie der Sermones des hl. Augustinus », *MA* II (Rome, 1930) 417-520.

LA BONNARDIÈRE Anne-Marie, *Biblia Augustiniana, Ancien Testament. Les livres historiques* (Paris, 1960).

Idem. Le livre des Proverbes (Paris, 1975).

Idem. Le livre de la Sagesse (Paris, 1970).

Idem. Nouveau Testament. Les épîtres aux Thessaloniciens, à Tite et à Philémon (Paris, 1964).

Recherches augustiniennes de chronologie (Paris, 1965).

« Les Enarrationes in Psalmos prêchées par saint Augustin à l'occasion de fêtes de martyrs ». *Recherches augustiniennes*, 7 (Paris, 1971).

LABRIOLLE, Pierre de, « Refrigerium », *Bulletin d'ancienne littérature et d'archéologie chrétiennes*, 2 (1912) 214-219.

LAMBOT Cyrille, « Les sermons de saint Augustin pour les fêtes des martyrs », *Analecta bollandiana*, 67 (1949) 249-266, et *Revue bénédictine*, 79 (1969) 82-97. — Je cite cette dernière revue.

« Les sermons de saint Augustin pour les fêtes de Pâques. I. Tradition manuscrite, *Revue des sciences religieuses*, vol. hors-série = *Mélanges Andrieu*, 263-278 ; II. « Liturgie et archéologie », *Revue des sciences religieuses*, 30, 230-240 ; et *Revue bénédictine*, 79 (1969) 148-172.

« Une série pascale de sermons de saint Augustin sur les jours de la création », *Mélanges offerts à Mlle Christine Mohrmann* (Utrecht, 1963) 213-221.

LAPEYRE G.-G., *L'ancienne Église de Carthage. Études et documents*, 1ere série : *Saint Augustin et Carthage*. 2e série : *L'Église de Carthage et le concile d'Éphèse* (Paris, 1932). NB. : L'étude intitulée : *Saint Augustin et Carthage* est aussi dans *MA* II, 91-147.

LAPOINTE Guy, *La célébration des martyrs en Afrique d'après les sermons de saint Augustin* dans *Cahiers de Communauté chrétienne*, 8 (Montréal, 1972).

LECLERCQ Henri, *L'Afrique chrétienne*, 2 vol. (Paris, 1904).

« Agape », *DACL* I (1907) 775-848.

« Depositio, Depositus », *Ibid.* IV (1920) 668-673.

« Funérailles », *Ibid.*, V (1923) 2705-2715, avec bibliographie ancienne.

« Perpétue et Félicité », *Ibid.* XIV (1939) 393-444.

« Refrigerium », *Ibid.*, XIV (1948) 2179-2190.

LE LANDAIS M., *Deux années de prédication de saint Augustin* (Paris, 1953) : réserves dans *CC* 36, VII, n. 1.

LE PROVOST M., *Étude philologique et littéraire sur saint Cyprien* (Saint-Brieuc et Paris, 1889).

LOWE E.. A., *Codices latini antiquiores*, t. 4 (Oxford, 1957).

MAIER J.-L, *L'épiscopat de l'Afrique romaine, vandale et byzantine* (Rome, Institut suisse, 1973).

MARROU H.-I., *Saint Augustin et la fin de la culture antique* (Paris, 1938).

Saint Augustin et l'augustinisme (Paris, 1955).

« La valeur historique de Victor de Vita », *Mélanges... Charles Saumagne*, dans *Les Cahiers de Tunisie*, 15 (Tunis, 1967) 205-208.

MARTIMORT A.-G., *L'Église en prière* (Paris, 1961).

MARTIN J., « Die Revelatio sancti Stephani und Verwandtes », *Historisches Jahrbuch,* 77 (1958) 419-433.

MERKX P. A. H. J., *Zur Syntaxe der Kasus und Tempora in den Traktaten des hl. Cyprian,* dans *Latinitas christianorum primaeva,* 9 (Nimègue, 1939).

MOHRMANN Chr., « Woordspeling in de brieven van St. Cyprianus », *Tijdschrift voor taal en letteren,* 27 (Tilburg, 1939) 163-175.

« Observations sur la langue et le style de Tertullien », *Nuovo Didaskaleion,* 4 (1950) 41-54, et *Études sur le latin des chrétiens,* II,coll. Storia e letteratura, 87 (Rome, 1961) 235-246.

MONCEAUX P., « Examen critique des documents relatifs au martyre de saint Cyprien », *Revue archéologique,* 1 (1901) 249-271.

Histoire littéraire de l'Afrique chrétienne, 7 vol. (Paris, 1901-1927 ; rééd. anast. Bruxelles, 1966).

« Le tombeau et les basiliques de saint Cyprien à Carthage », *Histoire littéraire de l'Afrique chrétienne,* t. 2, p. 371-386.

« Les inscriptions datées de Carthage », *Recueils et mémoires de la Société nationale des antiquaires de France* (Paris, 1904).

MORIN G., « Une liste des traités de saint Cyprien dans un sermon inédit de saint Augustin », *Bulletin d'ancienne littérature et d'archéologie chrétiennes,* 4 (1919) 16-22.

MUNIER Ch., « Cinq canons inédits du concile d'Hippone du 8 octobre 393 », *Revue de droit canonique,* 18 (1968) 16-29.

NTEDIKA Joseph, *L'évolution de la doctrine du purgatoire chez saint Augustin,* dans *Publications de l'Université de Lovanium de Léopoldville,* 20 (Paris, 1966).

L'évocation de l'au-delà dans la prière pour les morts. Étude de patristique et de liturgie latines (IVe-VIIIe siècle), dans *Recherches africaines de théologie,* 2 (Paris-Louvain, 1971).

PASCAL Carlo, *Le credenze d'oltre-tomba nelle opere letterarie dell'antichità classica,* 2e éd. corr. et augm., 2 vol. (Turin, 1923).

PELLEGRINO Michele, « Cristo e il martire nel pensiero di S. Agostino », *Rivista di storia e letteratura religiosa,* 3 (1966) 427-460.

« Le sens ecclésial du martyre dans les premiers siècles chrétiens », *Revue des sciences religieuses,* 35 (1961) 151-175.

« Chiesa e martirio in S. Agostino », *Rivista di storia e letteratura religiosa.* 1 (1964) 191-227.

PERLER Othmar, « L'église principale et les autres sanctuaires chrétiens d'Hippone-la-Royale d'après les textes de saint Augustin », *Revue des études augustiniennes,* 1 (1955) 299-343.

Les voyages de saint Augustin (Paris, 1969).

PINELL J., « Vestigis del lucernari a Occident », *Liturgica,* 1 (Montserrat, 1966) 91-149.

POQUE Suzanne, « Les lectures liturgiques de l'octave pascale d'après les traités de saint Augustin sur la 1re Épître de Jean », *Revue bénédictine,* 74 (1964) 217-241.

« L'exégèse augustinienne de Proverbes 23, 1-2, *Revue bénédictine,* 78 (1968) 117-127.

« Spectacles et festins offerts par Augustin d'Hippone pour les fêtes des martyrs », *Pallas,* 15 (1968) 103-125.

QUASTEN Johannes, « Die Reform des Martyrerkultes durch Augustinus », *Theologie und Glaube,* 25 (Paderborn, 1933) 318-331.

« Vetus superstitio et nova religio. The problem of the Refrigerium in the ancient Church of North Africa », *Harvard Theological Review,* 33 (1940) 235«266.

Initiation aux Pères de l'Église trad. par J. LAPORTE (Paris, 1958), t. 2.

REITZENSTEIN R., *Die Nachrichten über den Tod Cyprians* (Heidelberg, 1913).

RÉVEILLAUD M., *Saint Cyprien, L'oraison dominicale*. Texte, traduction, introduction et notes (Paris, 1964).

RING Th. G., *Auctoritas bei Tertullian, Cyprian und Ambrosius* (Würzburg, 1975).

ROETZER Wunibald, *Des hl. Augustinus Schriften als liturgie-geschichtliche Quelle* (Munich, 1930).

RONDET H., « Sur la chronologie des Enarrationes in Psalmos de saint Augustin », *Bulletin de littérature ecclésiastique* (1960) 111-127, 258-286 ; (1964) 110-136 ; (1967) 180-202 ; (1970) 174-200 ; (1974) 161-168 ; (1976) 99-118, *à suivre*.

RUSH A.C., *Dead and Burial in Christian Antiquity*, dans *Studies in Christian Antiquities*, 1 (Washington, The Cath. Univ. Of America Press, 1941).

SAGE M. M., *Cyprian*, dans *Patristic Monograph Series*, 1 (Cambridge, Mass., Philadelphia Patristic Foundation, 1975).

SAINTYVES P., *Essais de folklore biblique. Magie, mythes et miracles dans l'Ancien et le Nouveau Testament* (Paris, 1922).

SALMON P., *Le lectionnaire de Luxeuil (Paris, ms. lat. 9427). Édition et étude comparative*, dans *Collectanea biblica latina*, 7 (Vatican, 1944).

SAUER J., « Der Kirchenbau Nordafrikas in den Tagen des hl. Augustinus », dans *Aurelius Augustinus. Festschrift der Görresgesellschaft zum 1500. Todestag des hl. Augustinus* (Cologne, 1930). 243-300.

SAUMAGNE Charles, « La persécution de Dèce à Carthage d'après la correspondance de saint Cyprien », *Bulletin de la société nationale des antiquaires de France* (1959) 23-42 ; et *Byzantion*, 32 (Bruxelles, 1962) 1-29.

Saint Cyprien, évêque de Carthage, « Pape » d'Afrique (248-258). Contribution à l'étude des persécutions de Dèce et de Valérien, dans *Études d'antiquités africaines* (Paris, CNRS, 1975).

SAXER Victor, « Victor titre d'honneur ou nom propre ? », *Rivista di archeologia cristiana*, 44 (1968) 209-218.

Vie liturgique et quotidienne à Carthage vers le milieu du IIIe *siècle. Le témoignage de saint Cyprien et de ses contemporains d'Afrique*, dans *Studi di antichità cristiana*, 29 (Vatican, 1969).

« La date de la Lettre 1 (66) de Cyprien au clergé et au peuple de Furni », *Revue des études augustiniennes*, t. 23 (1977) 56-62.

« Mort et culte des morts à partir de l'archéologie et de la liturgie dans l'œuvre de saint Augustin », *Augustinianum*, 18 (1978) 219-228.

Cyprien, Unité de l'Église, coll. *Les Pères dans la foi* (DDB, Paris, 1979).

Saints anciens d'Afrique du Nord (Rome, Typographie Vaticane, 1979).

SCHNEIDER A. M., *Refrigerium, I : Nach literarischen Quellen und Inschriften* (Fribourg/Br., 1928).

SCHRIJNEN J. et MOHRMANN Chr., *Studien zur Syntax der Briefe des hl. Cyprian*, dans *Latinitas christianorum primaeva*, 5-6, 2 vol. (Nimègue, 1936).

SIMONETTI Manlio, « Sulla paternità del Quod idola dii non sint », *Maia*, 3 (1950) 265-288.

SINISCALCO Paolo, « Massimiliano, un obiettore di coscienza del tardo impero », *Historica, Philosophica, Politica*, 8 (Torino, 1974).

SODEN H. von, *Die Cyprianische Briefsammlung* (Leipzig, 1904).

« Das lateinische Neue Testament in Afrika zur Zeit Cyprians », dans *Texte und Untersuchungen*, III/3 (Leipzig, 1904).

STÄGER Lorenz, *Das Leben im römischen Afrika im Spiegel der Schriften Tertullians* (Zürich, 1973).

STRACK H. et BILLERBECK P., *Das Evangelium nach Matthäus erläutert aus Talmud und Mischna*, 2; éd. (Munich, 1956).

STRUNK G., *Kunst und Glaube in der lateinischen Heiligenlegende*, coll. *Medium Aevum*, 12 (Munich, 1970).

STUIBER A., *Refrigerium interim. Die Vorstellung vom Zwischenzustand und die frühchristliche Grabeskunst*, dans *Theophaneia*, 11 (Bonn, 1957).
SULLIVAN D. D., *The Life of the North African as revealed in the Works of St. Cyprian* (Washington, 1933).
THANI ANGAYAM X. S., *The Carthaginian Clergy. A short documental Chronology of St. Cyprian's Life und Writings together with a Study of the carthaginian Clergy during the Period 248-258* (Wembley, 1960).
URNER H., *Die ausserbilblische Lesung im christlichen Gottesdienst. Ihre Vorgeschichte bis zur Zeit Augustins*, dans *Veröffentlichungen der Evangelischen Gesellschaft für Liturgieforschung*, 6 (Gœtingue, 1952).
VAN DAMME D., *Pseudo Cyprian Adversus Judaeos. Gegen die Judenchristen, die älteste lateinische Predigt* (Fribourg/S., 1969).
VAN DER LEEUW G., « Refrigerium », *Mnemosyne*, 3/3 (1935-1936) 125-148.
VANDERLINDEN S., « Revelatio sancti Stephani (BHL 7850-6) », *Revue des études byzantines*, 4 (1946) 178-217.
VAN DER MEER Fr., *Augustin pasteur d'âmes* (Colmar-Paris, 1959).
VREBRAKEN Pierre-Patrick, *Études critiques sur les sermons authentiques de saint Augustin*, dans *Instrumenta patristica*, 12 (Steenbrugge-la Haye, 1976).
Vies SS. = *Vies des saints et bienheureux*, t. 1-3 par les RR. PP. CHAUSSIN et BAUDOT, t. 4-9 par les RR. PP. Bénédictins de Paris, t. 10-12 par le R. P. Jacques DUBOIS (Paris, 1935-1956).
VILLETTE L., *Foi et sacrement. Du Nouveau Testament à saint Augustin* (Paris, 1959).
VOGEL Cyrille, « Le repas sacré au poisson chez les chrétiens », dans *Eucharisties d'Orient et d'Occident, I* = *Lex orandi*, 46 (Paris, 1970), et antérieurement dans *Revue des sciences religieuses*, 40 (1966) 1-26.
« L'environnement cultuel du défunt durant la période paléochrétienne », dans *Biblioteca delle « Ephemerides liturgicae », Subsidia*, 1 (Rome, 1975) 381-413.
WASZINK J. H., « Pompa diaboli », *Vigiliae christianae*, 1 (1945) 13«41.
WATSON E. W., *The Style and Language of St. Cyprian*, dans *Studia biblica et ecclesiastica*, 3 (Oxford, 1896).
WILMART André, « Le morceau final du sermon 317 de saint Augustin pour la fête de saint Étienne », *Revue bénédictine*, 44 (1932) 201-206.
ZARB Seraphinus, « Chronologia Enarrationum S. Augustini in Psalmos », *Angelicum*, 12 (1935) 52-81, 245-261 ; 13 (1936) 93-108, 252-283 ; 14 (1937) 516-537 ; 15 (1938) 382-408 ; 16 (1939) 267-294 ; 24 (1947) 47-69, 265-284 ; 25 (1948) 37-44.
ZWINGGI Anton, « Die fortlaufende Schriftlesung im Gottesdienst bei Augustinus », *Archiv für Liturgiewissenschaft*, 12 (1970) 85-129.

INTRODUCTION

L'étude que je présente au public est un complément aux recherches que suscita le IXe Congrès International d'Archéologie Chrétienne, qui se tint à Rome en septembre 1975 [1].

Parmi les monuments pré-constantiniens qui firent l'objet de ses préoccupations, les monuments funéraires tinrent une place de choix. Non seulement le sous-sol de la ville et de la campagne de Rome avait livré nombre de cimetières et de catacombes pré-constantiniens, et l'iconographie, l'épigraphie, la typologie funéraires s'en étaient trouvées considérablement enrichies, mais d'autres provinces de l'Empire avaient fourni de semblables moissons archéologiques. Le moment semblait venu, d'abord de faire l'inventaire de cette documentation, ensuite d'en essayer une interprétation spécifiquement archéologique. Une méthode d'interprétation a été ainsi élaborée, dont la règle essentielle fut de se tenir aussi près que possible des monuments, et qui n'est pas le moindre mérite de ceux qui l'ont tentée. Il faut la signaler à l'attention, non seulement des spécialistes, mais de tous ceux qui s'intéressent à l'antiquité chrétienne [2].

Cette recherche prenait d'ailleurs rang dans une série d'études sur la topographie, l'épigraphie, l'iconographie et la typologie funéraires, en particulier de l'Afrique du Nord [3], mais la répartition, la chronologie de ces monuments, ainsi que les pratiques du culte qu'ils

---

1. *Atti del IX Congresso Internazionale di Archeologia Cristiana, Roma, 21-28 settembre 1975*, dans *Studi di antichità cristiana*, t. 32, 2 vol. (Rome, P.I.A.C., 1978).

2. P.-A. FÉVRIER, « Le culte des morts dans les communautés chrétiennes durant le IIIe siècle », *Atti* cités, p. 211-274; Louis REEKMANS, « Les cryptes des martyrs romains », *Ibid.* p. 275-303.

3. P.-A. FÉVRIER, « Le formulaire des inscriptions funéraires » ; ID., « Mosaïques funéraires chrétiennes » ; ID., « Le culte des martyrs en Arfrique » ; *ID.*, « A propos du repas funéraire » ; ID., « Natale Petri de cathedra ».

avaient abritées, en étaient singulièrement éclairées. De même voyons-nous mieux dans quel contexte social ces rites s'inséraient, quelle mentalité religieuse ils traduisaient.

Pour conséquente qu'elle soit dans son dessein, pour efficace qu'elle se révèle dans ses résultats, la démarche archéologique qui a pour but l'étude du culte des morts et des martyrs et plus tard de leurs restes, ne révèle, la plupart du temps, qu'un cadre; quant aux pratiques elles-mêmes, elle peut en suggérer le contenu, en découvrir le nom, rarement en permettre la reconstitution. Si l'archéologue faisait abstraction de tout ce que sa formation littéraire et historique lui a fait connaître comme textes sur le sujet, il est à craindre que beaucoup de monuments funéraires lui poseraient plus de problèmes qu'ils ne lui permettraient d'en résoudre.

C'est en ce sens que je crois utile une autre approche du problème des rites funéraires, celle que rendent possible les textes. Cette deuxième approche est l'objet du présent travail.

A la suite d'une intervention que j'avais faite en ce sens au Congrès de 1975[4], une conférence m'avait été demandée par l'Université Catholique de Lublin en Pologne en juin 1976. Mon étude porta sur les témoignages littéraires du culte des martyrs en Afrique au cours des premiers siècles. Je ne sais ni quand ni comment le texte en pourra être publié en Pologne. C'est pourquoi j'ai cru utile de la publier en France. Dans ce but, la perspective a été élargie aux précédents et aux prolongements du culte des martyrs, à savoir celui des morts et des reliques, à tous les aspects de ces divers cultes, aussi bien privés que publics, chrétiens et non-chrétiens, dans la mesure où ils étaient pratiqués par des chrétiens. Ces remaniements ont bénéficié de nombreuses observations et suggestions dont je suis heureux de remercier ici leurs auteurs. L'élargissement n'a pas donné seulement plus d'unité à l'exposé en permettant un parallèle continu du culte dont firent l'objet dans l'Afrique ancienne morts, martyrs et reliques, mais encore il souligne mieux à la fois la commune origine et l'évolution différente de ces rites.

Je dois à mes lecteurs quelques éclaircissements sur mon propos. Dans une étude consacrée au « formulaire des inscriptions funéraires datées de la Maurétanie Césarienne orientale », j'ai relevé cet aveu

4. V. SAXER, dans *Atti IX. C.I.A.C. 1975, t. 1*, p. 313-315.

significatif d'un archéologue : « Il y a une étude à faire sur les coutumes funéraires... en Afrique du Nord, car tout n'a pas encore été dit. Il reste à considérer les textes dans leur ordre chronologique »[5]. Cette phrase, Paul-Albert Février la prononçait, il est vrai, à propos des textes épigraphiques, et il la disait en 1962. Elle était et reste vraie aussi des textes littéraires dont il sera question ici. Je ne me priverai sans doute pas de comparer les textes littéraires avec les monuments archéologiques et leurs inscriptions. Mais mon objectif propre reste l'exploration des sources *littéraires*.

Trois auteurs dominent l'histoire littéraire de l'Afrique chrétienne : Tertullien, Cyprien et Augustin[6]. Leurs œuvres sont d'une grande importance pour l'histoire du culte chrétien en général et du culte funéraire en particulier. Chacun d'entre eux a eu son historien en ce qui concerne le culte chrétien[7]. Je rattacherai à leur témoignage les autres textes qui leur sont voisins ou contemporains. Pour chacun de ces auteurs et des périodes qu'ils déterminent, l'exposé repose sur un inventaire et une chronologie des textes. Je les voudrais aussi précis et complets que possible. Si des textes m'ont échappé, ce n'est pas faute d'avoir lu et relu les auteurs. Je prie mes lecteurs d'user d'indulgence à mon égard et de me signaler ceux qui manquent à l'appel.

Mais avant d'examiner ces auteurs, il convient de faire plusieurs remarques préalables. Une première concerne les rapports entre culte païen et chrétien des morts, d'une part, et culte chrétien des morts, des martyrs et des reliques, de l'autre. A ce double point de vue, il faut rappeler que le culte chrétien est en voie de constitution, au même titre, d'ailleurs, que se constitue un comportement chrétien non-cultuel. En d'autres termes, sur le point particulier qui nous occupe, le culte chrétien prend ses caractéristiques propres qui permettent de le distinguer des pratiques similaires des non-chrétiens; le christianisme prend conscience de son originalité par rapport au milieu dans lequel il vit, avant d'agir sur lui comme un ferment qui le

5. P.-A. Février, « Le formulaire des inscriptions funéraires », p. 158.

6. Pour une vue générale des auteurs et de leur place dans l'histoire littéraire africaine, cf. P. Monceaux, *Histoire littéraire de l'Afrique chrétienne*, t. 1, p. 177-461; t. 2, p. 201-368; t. 7, en entier.

7. E. Dekkers, *Tertullianus en de geschiedenis der liturgie*, p. 234-235; V. Saxer, *Vie liturgique et quotidienne à Carthage*, p. 303-324; W. Roetzer, *Des hl. Augustinus Schriften als liturgiegeschichtliche Quelle*, p. 54-70.

transforme. L'analyse fera apparaître ainsi plusieurs aspects de ce culte ou, plus exactement, plusieurs niveaux de sédimentation : car, dans le culte des morts, surtout des martyrs, voire des reliques, sont venus confluer, à des profondeurs diverses, des pratiques d'origine, de signification et de valeur différentes.

Peut-être n'est-il pas superflu, en second lieu, que je dise un mot de l'objet de mon étude. Je parle, en effet, de culte des morts comme de culte des martyrs ou des reliques. Appliquer le terme de culte aux rites funéraires communs en comparaison de ceux qui sont réservés aux martyrs et à leurs restes, n'est pas plus surprenant que d'appeler culte la vénération rendue aux martyrs en comparaison de l'adoration due à Dieu. Dans chaque cas, l'attitude du fidèle peut traduire un culte : il suffit de spécifier celui-ci par son objet. Augustin s'est heurté à la difficulté à propos du culte de Dieu et des martyrs : il l'a résolue de la manière classique que l'on sait, en distinguant le culte de latrie réservé à Dieu de celui que l'on appellera plus tard culte de dulie et qu'il ne voit aucun inconvénient à rendre aux martyrs. D'autres après lui n'ont pas eu de scrupules à suivre son exemple en étendant l'emploi du mot aux rites funéraires communs. Aussi bien, non seulement le culte des martyrs est-il sorti du culte des morts, mais encore, dans ceux-ci comme dans ceux-là, bien qu'à des degrés divers et de manière différente, l'Église rend-elle honneur, en dernière analyse, à l'œuvre de Dieu dans ses fils.

J'ajouterai un dernier mot sur un sujet que je ne traiterai pas. Je laisserai le plus souvent de côté, en effet, tout exposé sur les idées religieuses ou théologiques qui sont sous-jacentes à ces pratiques ou parfois exprimées à leur propos. Il suffit ici que je renvoie aux ouvrages qui en traitent[8].

Ces préliminaires nous ouvrent l'accès aux trois auteurs africains autour desquels s'articulera la matière de mon enquête. A chacun est demandé son témoignage sur les rites et pratiques du culte que leurs contemporains rendaient à leurs morts, à leurs martyrs et aux restes qu'ils en avaient conservés.

---

8. H. Fine, *Die Terminologie der Jenseitsvorstellungen ;* V. Saxer, *Vie liturgique,* p. 266-284 ; J. Ntedika, *L'évolution de la doctrine du purgatoire chez saint Augustin ;* id, *L'évocation de l'au-delà dans la prière pour les morts.* Sur le concept de la mort chez Tertullien, qu'il me soit permis de signaler l'excellente thèse de S. Vicastillo Montañes, *Tertuliano y la muerte del hombre.* Tesis leida en la Facultad de Filosofia de la Universidad Complutense de Madrid, 1976.

Première partie

LA PÉRIODE PRIMITIVE DES IIe ET IIIe SIÈCLES TERTULLIEN ET CYPRIEN

Tertullien et Cyprien appartiennent à cette période primitive du christianisme, voire à ce siècle de son histoire, qui furent marqués par la persécution. Si l'on ajoute à leur témoignage, qui constitue l'essentiel de notre information sur notre sujet, celui de quelques textes isolés : je pense aux Actes des martyrs, on arrive à élargir la période de l'an 180 avec les *Acta Scilitanorum* jusqu'à l'an 295 avec les *Acta Maximiliani*.

Je ne tiendrai pas compte, en revanche, sinon de manière exceptionnelle, du petit livre de Minucius Félix, l'*Octavius :* si les discussions sur la date de sa composition n'excluent point la possibilité de le faire figurer dans cette partie de mon étude, soit avant Tertullien, soit entre celui-ci et Cyprien, selon la solution à laquelle on se range, le lieu de son origine, lui, ne permet apparemment point de le classer parmi les ouvrages africains [1].

Pendant cette époque, les martyrs se multiplient, mais ne reçoivent pas encore de culte spécifique; à plus forte raison ne pensait-on pas à entourer leurs restes d'une vénération différente de celle qu'on accorde au commun des mortels. C'est dans cette perspective qu'il convient d'examiner l'un après l'autre le témoignage de Tertullien et de Cyprien.

---

1. J. Beaujeu, « Remarques sur la datation de l'Octavius : vacances de la moisson et vacances de la vendange ».

Chapitre premier

TERTULLIEN ET LES RITES FUNÉRAIRES

Quand on fait l'inventaire [1] et la mise en ordre chronologique [2] des textes dans lesquels Tertullien parle du culte des morts, on s'aperçoit qu'ils ne révèlent aucun progrès dans leur contenu l'un par rapport à l'autre. Ainsi *Apol*. 37, 2, sur l'hostilité des païens envers les chrétiens même dans la mort, rend un son analogue à *Scap*. 3, 1, reprochant aux païens leurs sévices ou leurs revendications à l'endroit des cimetières chrétiens. De même en est-il d'*Exh. cast*. 11, de *Cor*. 3, 3, de *Monog*. 10, 4, sur les offrandes anniversaires des chrétiens pour leurs défunts; ou encore des diverses déclarations de l'apologiste sur l'usage chrétien de l'encens : *Apol*. 42, 7; *Cor* 11, 3; *Idol*. 11, 2. Enfin, son hostilité envers les « nécrothytes » en *Spect*. 13, 2-5, explique ses diatribes contre les repas et autres usages funéraires païens en *Res. mort*. 1, 1; *Cor*. 10, 1-5; *Idol*. 12, 2. Pour cette raison, il est permis de penser que les textes de Tertullien sont à considérer comme un tout global et homogène, ne comportant pas de trace d'évolution interne, sur les usages funéraires de son temps.

Cette première constatation n'empêche pas de distinguer dans l'ensemble de son témoignage plusieurs lignes de force, deux parallèles et opposées, une autre commune. Les usages funéraires que connaît Tertullien sont en effet de trois sortes : les païens qu'il

---

1. L'inventaire des textes a été fait à l'aide du répertoire du vocabulaire de Tertullien, dressé par G. Claesson, *Index Tertillianeus*.

2. Pour la chronologie des œuvres de Tertullien, je me suis tenu à celles, convergentes, de deux ouvrages récents : R. Braun, *Deus christianorum*, « Excursus I. La chronologie des œuvres de Tertullien », p. 563-577, « Compléments », p. 721; J.-Cl. Frédouille, *Tertullien et la conversion de la culture antique*, « Annexe. Chronologie des œuvres de Tertullien », p. 487-488.

critique en raison de leur théologie sous-jacente et pour lesquels, à cause de cela, il entre parfois dans le détail ; d'autres, neutres, communs aux païens et aux chrétiens ; d'autres enfin proprement chrétiens, sur lesquels il est d'ordinaire discret en raison du caractère occasionnel de son témoignage.

Je considérerai successivement ces trois séries, avant d'examiner dans quelle mesure elles ont pu, non seulement coexister, mais encore ou s'exclure ou s'accorder dans le déroulement concret du rituel funéraire carthaginois pendant les premières années du IIIe siècle.

I. La critique du culte funéraire païen

Si le témoignage de Tertullien sur les usages funéraires de ses contemporains païens est essentiellement négatif, ce n'est pas pour leur spiritualisme élementaire dont l'apologiste est lui-même très proche, c'est en raison de leurs attaches idolâtriques qu'il critique résolument. C'est pourquoi, avant les rites, il convient d'examiner la conception de la mort qu'ils supposent.

1. *La théologie païenne de la mort*

Tertullien reproche d'abord aux païens les inconséquences qu'il décèle entre leur conception de la mort et leur culte funéraire. Qu'il suffise d'un exemple tiré du *De testimonio animae*. Selon lui, païens et chrétiens se rencontrent dans une commune espérance en la vie future ; mais ils se séparent, non seulement dans leur manière de l'exprimer concrètement, mais encore dans les raisons grâce auxquelles ils la justifient. Voici comment il pose le problème, en présence de son contradicteur païen :

> Nous ne rougissons pas de nous rencontrer avec toi dans notre espérance. D'une part, en effet, quand tu évoques le souvenir d'un mort, tu le dis « malheureux », non parce qu'il a été arraché aux biens de la vie, mais parce qu'il a été assigné en jugement et soumis à la peine. D'autre part, en d'autres circonstances, tu dis les morts « en sécurité ». Tu reconnais à la fois que la vie est une épreuve et la mort un bienfait. Tu les dis en sécurité lorsque, aux portes de la ville, auprès des

> tombeaux, tu organises pour ton propre compte banquets et soupers fins, et que tu en reviens plutôt gai... Tu dis les morts malheureux, quand tu parles de toi-même et que tu es loin d'eux. Mais quand ils sont pour ainsi dire présents et attablés avec toi pour un repas commun, tu ne peux déplorer leur sort. Tu te dois, en réalité, de louer ceux qui te donnent l'occasion de mener grande vie. Mais pourquoi appeler malheureux celui qui ne sent rien ? Pourquoi donc le maudire comme s'il sentait quelque chose ? Quand tu en fais mémoire sous le coup de quelque injustice, tu fais des vœux pour que la terre lui soit pesante, et ses cendres tourmentées aux enfers. Tu réagis pareillement en bonne part, quand tu te crois obligé envers lui, tu souhaites à ses os et à ses cendres le rafraîchissement et le « repos paisible » dans l'au-delà (*Test. an.* 4, 3-6, p. 179, 15-32).

Mais l'accusation la plus grave que Tertullien puisse porter contre le culte funéraire païen est son caractère idolâtrique. Il affirme qu'aux yeux des païens eux-mêmes « les dieux et les morts sont la même chose », que « leurs idoles se trouvent dans la même condition », que leur vénération est pareillement idolâtrique, que les chrétiens « s'abstiennent de l'une et de l'autre » (*Spect.* 13, 2-5, p. 329, 5-19). Je reviens sur chacun de ces points.

Que « les dieux et les morts soient la même chose » (p. 239, 9), Tertullien pense le prouver par la théorie de l'evhémérisme : pour lui comme pour Evhémère de Messine († 330 av. J.C.), les dieux du paganisme sont des hommes divinisés, ancêtres mythiques, fondateurs de cités ou importateurs de cultures étrangères ; leurs descendants et concitoyens ont commencé par leur rendre les honneurs communs à tous les morts, mais au nom du clan ou de la ville. Certes, au contraire de Minucius Félix [3], Tertullien ne prononce jamais le nom du philosophe sicilien, mais il expose sa théorie dans l'*Apologétique* et la met à la base de sa polémique contre les spectacles, la couronne, voire toutes les autres attaches de la culture antique avec le paganisme [4].

---

3. MIN. FEL. *Oct.* 21 : Ob merita aut munera deos habitos Euhemerius exsequitur, et eorum natales, patriam, sepulcra dinumerat et per prouincias monstrat, Dictaei Iouis et Apollinis Delphici et Phariae Isidis et Cereris Eleusinae (p. 29, 10-13).

4. *Apol.* 10-12 : cf. J. P. WALTZING, *Tertullien, Apologétique*, fasc. 24, p. 55-56. — *Spect.* 6, 2-4 ; 13, 2-5 : cf. E. CASTORINA, *Q. S. Fl. Tertulliani De spectaculis*, p. LXXIX-LXXXII. — *Cor.* 7-10 : cf. J. FONTAINE, *Tertullien, De corona*, p. 19 etc. — *Idol.* 3ss.

Inversement, les morts sont identifiés aux dieux dans la pratique cultuelle. C'est un lieu commun de l'apologétique chrétienne du IIe siècle que Tertullien prend à son compte et développe en plusieurs endroits.

Il le fait dans le traité *Ad nationes :*

> Que faites-vous donc pour honorer vos dieux que vous n'offriez également à vos morts ? (*Nat.* I, 10, 26, p. 26, 30-31).
>
> Vous construisez des temples aux dieux, des temples aussi aux morts ; des autels pour les dieux, des autels aussi pour les morts ; vous inscrivez les mêmes formules de dédicaces dans leurs inscriptions ; vous donnez la même forme à leurs statues, selon l'âge, la profession et les occupations de chacun (*Ibid.* 27, p. 26, 32- p. 27, 2).
>
> Il n'y a donc rien d'étonnant que vous offriez aux morts les mêmes sacrifices qu'aux dieux et leur brûliez les mêmes parfums (*Ibid.* 28, p. 27, 4-6).
>
> Qui excusera cet outrage de mettre les morts au rang des dieux ? (*Ibid.* 29, p. 27, 7-8).

On retrouve le thème, quelquefois avec les mêmes termes, dans l'*Apologétique :*

> Pour honorer vos dieux, que faites-vous que vous ne fassiez aussi pour vos morts ? A eux aussi des temples, à eux aussi des autels, même attitude et mêmes insignes dans les statues des uns et des autres : le mort devenu dieu garde son âge, sa profession, son occupation. Quelle différence y a-t-il entre le repas funèbre et le banquet de Jupiter, entre le vase à libations et la coupe du sacrifice, entre l'embaumeur et l'haruspice ? En effet, l'haruspice remplit aussi des fonctions auprès des morts (*Apol.* 13, 7, p. 111, 27-32).

Ainsi, en particulier, représente-t-on les dieux et les morts par des images ou par des idoles. Tertullien met ainsi sur le même pied statues des divinités et portraits des ancêtres. Aussi bien, selon Evhémère, les unes et les autres ont en réalité la même fonction originelle. « Bien que l'idole ne soit rien » en elle-même qu'un morceau de bois, de pierre ou de métal, du fait du rite qui l'a consacrée au culte des dieux ou des morts, elle a été accaparée par le démon qui en a fait son siège : *dei autem nationum daemonia* (*Idol.* 20, 4, p. 1121, 18-19), dit Tertullien, en citant le Ps 95,5, dans sa version africaine. Aussi, tout acte cultuel païen « s'adresse aux démons qui siègent dans les consécrations d'idoles, qu'il s'agisse des images des morts ou des dieux » (*Spect.* 13, 2, p. 327, 6-8).

La consécration idolâtrique est célébrée particulièrement dans le culte funéraire : « A leur tour, les morts deviennent des idoles du fait de la tenue et de la parure propres à la consécration » dont ils sont revêtus, une fois exposés sur le lit mortuaire (*Cor.* 10, 2, p. 1053, 7-9). Si donc le culte des dieux est idolâtrique au premier chef, celui des morts est « une deuxième variété d'idolâtrie » (*Ibid.* 9). C'est pourquoi, conclut Tertullien, « étant donné que les deux espèces d'idoles se trouvent dans la même condition — car les morts et les dieux, c'est tout un —, (nous autres, chrétiens,) nous nous abstenons de l'une et de l'autre idolâtrie » (*Spect.* 13, 3, p. 239, 8-10). Il répète ainsi une réflexion qu'il avait faite quelques lignes auparavant : *bis idolis renuntiamus* (*Ibid.* 1, p. 239, 4) et par laquelle il se référait à la renonciation baptismale [5]. Il entend ainsi affirmer que « l'anti-idolâtrie » des chrétiens n'est pas seulement le fait des meilleurs [6], mais qu'elle est encore une partie intégrante de l'engagement chrétien.

Cette divinisation des morts fait de la conception païenne de la condition des morts dans l'au-delà une véritable théologie, aux antipodes de la théologie chrétienne.

2. *Les rites funéraires païens*

On ne s'étonne donc pas que Tertullien applique ces principes à quelques rites particuliers.

a) *La couronne mortuaire*

Il en est ainsi d'abord de la couronne mortuaire, aussi bien celle que porte le mort lui-même pendant les funérailles que celle dont est ornée son image ou sa tombe : « Car c'est aussi un privilège des morts, que de porter la couronne » (*Cor.* 10, 2, p. 1057, 7-9).

---

5. Cf. *infra*, p. 42, note 14.
6. Le contraire est affirmé par L. STÄGER, *Das Leben im römischen Afrika*, p. 22 : « Gute Christen halten sich von Totenopfern und —mahlzeiten fern (*Spect.* 13, 4) ».

Déjà avant de consacrer un traité spécial à cet ornement, Tertullien avait, à plusieurs reprises, pris position contre lui : *Apol.* 42, 6, où il ne s'agit pas de couronne mortuaire; *Spect.* 11, 2; 12, 6, où il est question de la couronne sacerdotale et de celle des divinités. Mais c'est surtout dans le *De corona* qu'il s'est expliqué sur les raisons des chrétiens de ne pas en user.

Dans le traité sur la couronne, Tertullien veut démontrer son caractère contraire à la nature des choses, traditionnellement idolâtrique chez les anciens et foncièrement lié à la civilisation païenne elle-même. Il reconnaît avoir puisé l'essentiel de sa documentation historique dans l'ouvrage d'un auteur du IIe siècle, le *De coronis* de Claudius Saturninus [7]. Mais son propre traité est essentiellement polémique, déjà fortement enclin au montanisme en 211, absolu dans ses thèses [8].

De l'usage païen existent de nombreux exemples littéraires, monumentaux, épigraphiques [9]. Je ne veux en retenir ici que cette inscription africaine provenant de Sour el Gozlan, l'antique Auzia, et qui semble dater du IIIe siècle. Le vétéran L. Cassius Restutus avait été décurion de sa ville. Par testament il avait fixé et financé la célébration de son anniversaire et celui de sa femme Clodia Luciosa. Il y avait prévu une distribution d'argent aux décurions et à leurs greffiers et des jeux pour la ville. Les mêmes jours avant la troisième heure, devaient avoir lieu l'aspersion, l'onction et le couronnement des statues du mari et de la femme et deux cierges devaient brûler devant elles. Les héritiers, chargés de l'exécution du testament, firent ériger le monument sur lequel avaient été gravées ces dispositions [10].

C'est contre de tels usages que polémique Tertullien. Selon lui, la seule couronne qui convienne à un chrétien est celle d'épines du Christ (*Cor.* 9, 2), en d'autres termes celle du martyre, qui est

---

7. Sur cet auteur, cf. PAULY-WYSSOWA, *Realenc. f. class. Altertumswiss.*, t. 3 (Stuttgart, 1899), col. 2865-2866. Pour les références de Tertullien à Claudius Saturninus, cf. *Cor.* 7, 7; 10, 9; 12, 1; 13, 8.

8. Cf. en comparaison MIN. FEL. *Oct.* 12 : (objection païenne) Coronas etiam sepulcris denegatis (p. 17, 8); 38, 2 : (réponse chrétienne) Nec mortuos coronamus.. At enim nos exsequias adornamus eadem tranquillitate qua uiuimus, nec adnectimus arescentem coronam, sed a Deo aeternis floribus uiuidam sustinemus (p. 54, 6-11).

9. K. BAUS, *Der Kranz in Antike und Christentum*, qui est l'ouvrage fondamental sur l'usage antique de la couronne.

10. *CIL* VII 9052.

donnée à sa fidélité [11]. Les païens, au contraire, couronnent leurs idoles, les images de leurs ancêtres, leurs morts eux-mêmes :

> Qu'y a-t-il de plus indigne de Dieu, que ce qui est digne de l'idole? Mais qu'y a-t-il de plus digne de l'idole, que ce qui l'est aussi du mort? Car c'est aussi un privilège des morts, que d'être couronnés, puisqu'aussi bien ils deviennent eux-mêmes aussitôt des idoles à la fois par leur toilette et la parure de leur consécration. Ce qui est pour nous une seconde variété d'idolâtrie (*Cor.* 10, 1-2, p. 1053, 5-9).

La consécration du mort par la couronne, comme elle fait du mort une idole, transforme la couronne en idolothyte [12]. En quoi consiste la consécration, Tertullien l'explique plus loin :

> Si déjà une simple parole peut polluer la création — ainsi que l'apôtre l'enseigne : « Si quelqu'un dit : c'est un idolothyte, ne le touche pas » (1 Cor 10, 28) —, à plus forte raison est-elle contaminée par une danse dans l'habit, selon le rite et avec l'apparat propres aux idolothytes. C'est pourquoi la couronne devient un idolothyte.
>
> Celui-ci, en effet, est immolé aux idoles comme à ses auteurs selon un rite, dans un habit et avec un apparat (déterminés). Or, si son usage est à tel point propriété particulière des idoles qu'il exclue de la communion ses usagers, c'est parce qu'on ne le trouve pas attesté parmi les biens propres de Dieu. C'est pourquoi l'apôtre s'écrie : « Fuyez l'idolâtrie » (1 Cor. 10, 14), assurément pleine et entière (*Cor.* 10, 5-6, p. 1054, 31-40) [13].

Tertullien insiste donc sur le fait que le costume, le rite et la solennité liturgiques sont les mêmes dans le culte des dieux et dans celui des morts. Mais il insiste encore plus sur l'aggravation que constitue, en comparaison de la simple parole évoquée par l'apôtre, la participation à la danse sacrée. Que celle-ci ait été une *saltatio militaris* ou une manifestation du culte de Vénus-Astarté, je ne crois pas que le texte de Tertullien permette d'en décider, ni surtout que, dans ce cas, elle ait appartenu au cérémonial funéraire.

---

11. Sur la couronne des martyrs, cf. K. BAUS, *Der Kranz in Antike und Christentum*, p. 180-190, avec une seule citation de Tertullien : *Scorp.* 6, 2, alors qu'il y a aussi *Cor.* 9, 2.
12. J. FONTAINE, *Tertullien, De corona*, p. 124-125.
13. E. DEKKERS, *Tertullianus*, p. 180-185, pour la formule baptismale.

En somme, dans l'esprit de Tertullien, la couronne semble être l'un des ingrédients essentiels du culte païen, non seulement des dieux, mais aussi des morts, et comporter toujours une profession de foi idôlatrique au moins implicite. C'est pourquoi, le port de la couronne, même mortuaire, lui paraît incompatible avec une mort chrétienne.

b) *La pompe funèbre*

Le mot *pompa* intervient très souvent chez Tertullien, lorsqu'il fait allusion à la formule baptismale par laquelle le chrétien « renonce au démon, à ses pompes et à ses anges ». Il désigne alors toutes les solennités du culte païen des idoles, même si, à l'origine, il visait proprement « la pompe des jeux du cirque »[14].

De ces solennités, Tertullien dénonce le caractère idolâtrique selon le procédé qui lui est habituel, en les considérant comme fondamentalement liées au culte pour ainsi dire jumeau des dieux et des morts. Il dit en effet :

> Dès l'origine, les jeux ont été considérés comme doubles, sacrés et funèbres, selon qu'ils s'adressent aux dieux des païens ou aux morts. Mais quant à leur idolâtrie, ils ne diffèrent en rien à nos yeux, quel que soit le nom ou le titre dont on les couvre, du moment qu'ils sont pour les mêmes esprits auxquels nous renonçons.
>
> Que ce soit en l'honneur des morts, que ce soit en l'honneur des dieux (peu importe); de toute façon, ils se font en l'honneur des morts en tant qu'ils sont dieux. Des deux cultes, la condition est la même, l'idolâtrie la même, la même aussi notre renonciation à l'idôlatrie (*Spect.* 6, 3-4, p. 233, 11-17).

Il est intéressant de relever les rapports concrets que Tertullien établit entre les jeux et le culte des morts. Certains jeux, note-t-il, sont créés par disposition testamentaire[15] et prévoient des repas

14. J.H. WASZINK, « Pompa diaboli », pour le sens de l'expression. Après avoir examiné les études antérieures à la sienne, Waszink dégage des textes de Tertullien lui-même le sens de la formule. Celle-ci ne désigne jamais des êtres personnels, mais toujours des objets ou des actes cultuels, liés à l'origine à « la pompe des jeux du cirque ».

15. L'inscription de Sour el Goslan, en mémoire de L. Cassius Restutus et de sa femme Clodia Luciosa, prévoit effectivement la célébration annuelle de jeux au profit de la ville. Cf. *supra*, n. 10.

sacrificiels en souvenir des morts (*Spect.* 6, 3, p. 233, 8-10). D'autres, portant le nom de *munus* pour la raison qu'ils sont considérés comme de pieux devoirs envers eux, sont d'institution ancienne et de réputation universelle. Ils avaient pour but, à l'origine, de remplacer les sacrifices humains, étant comme eux destinés à rendre les âmes des morts propices aux vivants par l'effusion du sang (*Ibid.* 12, 2-3, p. 238, 5-12). En passant, Tertullien définit la pompe au sens de procession (*Spect.* 7, 2, p. 233, 5). Il décrit celle-ci à plusieurs reprises et se paie même le luxe chaque fois de l'évoquer stylistiquement par des « processions » de mots suivant une heureuse image de J. H. Waszink (*Spect.* 12, 6, p. 239, 27-29; *Cor.* 13, 7, p. 1062, 45-49; *Idol.* 18, 7-8, p. 1120, 23-29) [16]. Les condamnations de Tertullien atteignent ainsi l'ensemble de la vie publique de son temps, aussi bien religieuse que profane, mais sans viser directement la pompe des funérailles.

Celle-ci n'est mentionnée expressément qu'une fois, semble-t-il, et cela dans un sens analogique. En *Cult. fem.* 1, 3, il range en effet les artifices de la toilette féminine dans « le bagage de la femme condamnée et morte, constitué, peut-on dire, pour la pompe de ses funérailles » [17]. La mort dont il est question est celle de l'âme; la pompe funéraire ne peut être, elle aussi, que spirituelle. Il n'empêche que l'image n'aurait aucun sens, si elle ne prenait appui sur la réalité des funérailles du corps. C'est pourquoi, on peut penser que Tertullien évoque ici la solennité des cortèges funéraires de son temps. Implicitement, il les englobe dans sa réprobation des pompes diaboliques, dans la mesure où, comme la pompe du cirque, celle des funérailles supposait, dans le convoi mortuaire, les portraits des ancêtres, la parure du mort lui-même semblable à celle d'une idole, la célébration d'un sacrifice.

Certains participants du cortège mortuaire sont nommés. Il en est ainsi des joueurs de flûte et de trompette. Tertullien mentionne ces deux instruments de musique à propos des jeux scéniques et des rites funéraires. Conformément à son analyse du culte païen, il met ces deux manifestations sur le même pied d'idolâtrie et englobe dans leur commune réprobation tout ce qui contribue à leur pompe (*Spect.* 12,

16. J.H. WASZINK, « Pompa diaboli », p. 36.
17. Trad. de M. TURCAN, *Tertullien, La toilette des femmes*, p. 47.

2, p. 236, 7). Il s'agit bien de cortège dans les deux cas : l'un est ouvert par l'ordonnateur des pompes funèbres, l'autre par l'haruspice. Un autre texte ne place pas la trompette dans une cérémonie funéraire, mais dans une parade militaire. Il oppose la *tuba aeneatoris* à la *tuba angeli*. La première ne doit pas déranger le mort dans son repos, c'est la seconde qui le réveillera de son dernier sommeil (*Cor*. 11, 3, p. 1056, 22). La trompette de l'ange est celle dont l'apôtre Paul parle à deux reprises (1 Cor 15, 52 ; 1 Thess 4, 16). Mais l'autre est celle du soldat qui a fini par porter le nom de son instrument. Quel air en joue-t-il ? Pour la parade militaire, il s'agit peut-être d'une sonnerie aux morts, et pour le cortège qui conduit le défunt à sa dernière demeure, d'une marche funèbre ; mais je ne vois pas sur quel texte de Tertullien, ni même d'un autre auteur, appuyer cette exégèse. Par contre, ces sonneries semblent avoir eu au départ une fonction apotropaïque [18] : mais était-elle encore perçue au temps de Tertullien ?

c) *Les employés des pompes funèbres*

Dans le cortège figurent aussi les employés des pompes funèbres. Tertullien en nomme trois : le *dissignator*, le *pollinctor*, le *uespillo*.

Le *dissignator* est l'ordonnateur des pompes funèbres, nommé à propos du trompette. A lui revient l'organisation du cortège qui accompagne le mort au lieu de sa déposition. Il est comparé à l'haruspice dont la fonction était d'examiner les entrailles des victimes du sacrifice pour en tirer des présages. La raison de cette mise en parallèle est toujours dans la commune origine des rites sacrificiels et funéraires : *una condicio, una idolatria* (*Spect*. 6, 4, p. 233, 16). Aussi l'apologiste croit-il pouvoir pousser le parallélisme : les processions sacrificielles et les pompes funèbres se font avec le même « apparat » ; de part et d'autre, de l'encens et du sang des sacrifices, musique de flûtes et de trompettes, cortège processionnel sous la conduite, d'une part, du *dissignator*, de l'autre, du haruspice : *inter tibias et tubas itur, duobus inquinatissimis arbitris funerum et sacrorum, dissignatore et haruspice* (*Spect*. 10, 2, p. 236, 7-9). Je note en passant l'accumulation des harmonies imitatives dans les cinq premiers mots de la citation : elle semble de tradition

18. DAREMBERG-SAGLIO, *Dict. d. ant. gr. et rom.* IX (1917) 527.

surtout chez les poètes quand ils nomment la trompette [19]. Mais je souligne l'ironie amère dont Tertullien a chargé son invective : comme la profession de *dissignator* était exercée par des gens de condition inférieure, c'est sur cette anomalie que porte la pointe polémique, à savoir que d'aussi solennelles cérémonies puissent être confiées à la direction de gens d'aussi bas étage [20].

A l'ordonnateur sont joints les exécutants. Le *pollinctor* est l'embaumeur. Il paraît dans l'*Apologeticum* et le *Scorpiace,* chaque fois dans une perspective polémique différente. Dans le premier traité, il est une nouvelle fois comparé à l'haruspice. J'ai cité ce texte dans le paragraphe de la théologie païenne de la mort. Il suffit donc ici de rappeler que dans son souci d'équiparer le culte des morts à celui des dieux, Tertullien signale trois ressemblances rituelles : 1) le repas funèbre = le banquet de Jupiter, 2) le vase à libations = la coupe du sacrifice, 3) l'embaumeur = l'haruspice. Il ajoute que l'haruspice lui-même peut remplir accessoirement des fonctions auprès des morts : *Quo differt ab epulo Iouis silicernium, a simpulo obba, ab haruspice pollinctor? Nam et haruspex mortuis apparet* (*Apol.* 13, 7, p. 111, 27-32).

La fonction du *pollinctor* était d'embaumer les morts *(pollingere)* et de prendre l'empreinte de leur visage pour en faire le masque de cire ou *imago* à exposer dans la galerie des ancêtres. Mais au lieu de rendre aux morts les derniers devoirs, il les traite en victimes, fouillant dans leurs entrailles comme l'haruspice dans celles des poulets [21]. C'est un thème littéraire, cher aux auteurs anciens [22] comme à certaine littérature contemporaine. De toute façon, en l'égalant à l'haruspice, son travail le met au service de l'idolâtrie. De plus, si Tertullien rapproche, d'une part, le *dissignator* de l'*haruspex,* de l'autre, l'*haruspex* du *pollinctor,* on conviendra qu'il n'avait pas en meilleure estime l'ordonnateur des pompes funèbres que l'exécuteur des basses œuvres.

Dans le *Scorpiace,* Tertullien n'en a plus contre les païens, il s'en prend aux gnostiques. Non seulement ceux-ci contestaient le bien-fondé du martyre, mais ils le comparaient encore à un massacre. Dans le

19. A. REINACH, « Tuba », en DAREMBERG-SAGLIO, *op. cit.* IX, 528, avec citation d'Ennius et de Virgile.
20. E. CASTORINA, *Q.S. Fl. Tertulliani De spectaculis,* p. 219-220, note 8.
21. J.P. WALTZING, *Tertullien, Apologétique,* fasc. 24, p. 67.
22. MARTIAL. *Epigr.* 1, 48, l'attribue au *uespillo :* Nuper erat medicus, nunc est uespillo Diaulus,/Quod uespillo facit, fecerat et medicus.

passage où intervient le *pollinctor,* Tertullien fait momentanément sien le raisonnement de ses adversaires en disant :

> Si notre Dieu, lui aussi, exigeait le martyre comme un moyen d'obtenir des victimes à son usage personnel, qui lui reprocherait une religion de mort, des rites de deuil, l'autel comme bûcher, le prêtre comme croque-mort, et n'estimerait pas davantage le bonheur de celui qui aurait été mangé par son Dieu ? (*Scorp.* 7, 7, p. 1082, 7-11).

Dans ma traduction de *pollinctor,* j'ai préféré ici le mot croque-mort à celui d'embaumeur, non seulement parce que, pour les anciens, il pouvait avoir ces deux sens, mais surtout parce que, pour un moderne, il se prête mieux au double sens polémique qui est le sien dans la tirade de Tertullien. Ici encore le *pollinctor* est présenté comme un boucher, chargé de débiter les viandes dont se nourrirait la divinité.

Reste le témoignage du *De pallio* qui met en scène le *uespillo*. Faisant l'apologie de son manteau de philosophe, Tertullien montre en quelle décadence était tombée la toge, vêtement du citoyen romain. N'importe qui porte n'importe quoi, les usages vestimentaires ne sont plus respectés. Aussi voit-on

> les affranchis se vêtir comme des chevaliers, les bagnards comme des nobles, les esclaves comme des gens de naissance libre, les hommes des bois comme des citadins, les civils comme des militaires : le croque-mort *(uespillo)*, le souteneur, l'entraîneur sont vêtus comme toi (*Pall.* 4, 8, p. 745, 95-98)[23].

Le *uespillo* qui s'habille comme un citoyen, c'est le croque-mort des pauvres qui les enterre le soir à la sauvette. Malgré sa clientèle et à ses dépens, il s'est enrichi et fait figure de parvenu.

Dans cette charge contre les métiers funéraires, Tertullien est l'héritier d'une double tradition. D'une part, celle des apologistes chrétiens du IIe siècle, voire des philosophes evhéméristes, qui font la critique du culte païen en mettant à nu son idolâtrie foncière. D'autre part, c'est l'héritage des moralistes et des satiristes romains qui, de Plaute aux poètes et philosophes du Ier siècle, montrent les gens des pompes

23. *Subuerbustos,* gebrandmaarkten, marqués au fer rouge. Cf. A. GERLO, *Q. S. Fl. Tertullianus, De pallio,* p. 150-152. Aujourd'hui la flétrissure est morale, par exemple le fait d'avoir un casier judiciaire chargé. J'ai essayé de la rendre par le mot bagnard.

funèbres préoccupés de s'enrichir aux dépens de leurs clients morts et vivants et trace de la société du Haut-Empire une peinture de mœurs très peu flatteuse[24].

d) *Les offrandes et repas funéraires*

Au contraire des jeux et de la couronne, auxquels Tertullien consacra des traités spéciaux, il n'a jamais parlé *ex professo* des offrandes faites aux morts et des repas pris en souvenir d'eux. Il fait cependant un certain nombre d'allusions à ces usages, en les présentant chaque fois comme païens, parfois comme idolâtriques, jamais comme chrétiens. Bien plus, il renouvelle à leur encontre les mêmes accusations portées contre la couronne et les spectacles en montrant quels sont leurs équivalents dans le culte des dieux. En raison du caractère occasionnel de son témoignage, celui-ci n'est pas d'une clarté évidente sur leur consistance exacte. Le problème est, en effet, de savoir en quoi ils consistent à ses yeux, si en particulier offrandes et repas sont liés en un même acte cultuel. Pour clarifier la question, j'examine d'abord les textes dans lesquels il est parlé de *parentare — parentatio*. Voici en quels textes :

Nat. 2, 14, 14 : Athenienses... inter mortuos parentant (p. 69, 22-24).
Test. an. 4, 4 : si quando extra portam cum obsoniis et matteis tibi potius parentans (p. 179, 20-21).
Spect. 6, 3 : priuatorum memoriis legatariae editiones parentant (p. 233, 9-10).
— 12, 4 : Quod ergo mortuis litabatur, utique parentationi deputabatur (p. 238, 15-16).
— — — : quoniam et idolatria parentationis est species (*ibid*. 17-18).
— 13, 4 : non sacrificamus, non parentamus, neque de sacrificio et parentato edimus (p. 239, 12-13).
— 13, 5 : ab idolothytis et necrothytis uoluptatibus abstinemus (*ibid*. 16-17).

---

24. SENEC. *Benef*. 6, 38, 4, accuse les *libitinarii*, l'employé chargé des funérailles publiques, de captation d'héritage. — PETRON. 38, 14, les montre dînant comme des rois. — MARTIAL. : cf. supra note 22. — SUETON. *Domit*. 17, rapporte que le cadavre de Domitien fut jeté dans la fosse commune par les *uespillones*. Il y a donc une tradition satirique solide à leur sujet. Sur les métiers funéraires, cf. E. CUQ, « Funus », 1388 : *pollinctor ;* 1390 : *uespillo tubicines, tibicines ;* 1398 : *pollinctor, libitinarius, dissignator, uespillo,* etc.

Ux. 1, 6, 1 : pleraeque gentilium feminarum memoriae carissimorum maritorum parentant (p. 380, 4-5).
Res. mort. 1, 2 : existimans nihil superesse post mortem, et tamen defunctis parentat (p. 921, 4-5).
Exh. cast. 12, 3 : relictis filiis forsitan, qui illi parentent (p. 1032, 24-25).

Il résulte de ces allusions que *parentatio* et *parentare* figurent seuls dans le vocabulaire de Tertullien, à l'exclusion de *parentalia*. Il s'agit d'un rite païen, qui n'est jamais présenté comme chrétien. Bien plus, à son propos, Tertullien reprend l'argumentation critique qui lui est familière pour en dénoncer le caractère foncièrement idolâtrique. En effet, seuls les païens le pratiquent. Ainsi les Athéniens en mémoire d'Esculape et de sa mère (*Nat.* 2, 14, 14). De même, l'interlocuteur païen de *Test. an.* 4, 3 ; ou le « vulgaire » auquel le geste est reproché en *Res. mort.* 1, 2 ; ou le testateur de *Spect.* 6, 3 ; ou enfin les femmes païennes, que l'apologiste loue de rester veuves, non de vénérer la mémoire de leur mari de cette façon (*Ux.* 1, 6, 1). Aussi, les usages chrétiens peuvent-ils être distingués des païens : nous, dit-il au nom de ses coreligionnaires, *non sacrificamus, non parentamus* (*Spect.* 13, 4).

Seul *Exh. cast.* 12, 3, donne lieu à discussion. Dans ce passage, c'est en effet un chrétien qui est présenté « sans entraves dans les persécutions, constant dans son témoignage, prompt à partager ses biens, réservé dans leur acquisition ». Pourquoi, dès lors, Tertullien ajoute-t-il : « Finalement, il mourra tranquille, ayant peut-être laissé des fils, qui puissent lui faire la *parentatio » ?* Outre le caractère exceptionnel du texte, on note son intention polémique : le chrétien en question est un veuf auquel est reproché son remariage et qui le justifie de toutes sortes de raisons « colorées » : *scio quibus causationibus coloremus insatiabilem carnis concupiscentiam* (*Ibid.* 1, p. 1031, 1-2). Ce même chrétien prétend pratiquer toutes les vertus sans s'astreindre à la chasteté complète : peut-il encore passer pour chrétien ? Pour un peu, la profession baptismale de son temps équivaudrait à une profession monastique d'aujourd'hui. Cependant, à y regarder de près, l'histoire de ce chrétien n'est pas un fait que Tertullien rapporte, c'est une supposition qu'il avance : *postremo securus morietur, relictis filiis forsitan, qui illi parentent*. Le *forsitan* indique le caractère supposé de l'ablatif absolu et de la subordonnée qu'il gouverne. Je ne pense donc pas que ce texte change l'impression générale qui se dégage des autres : les chrétiens ne faisaient pas d'offrandes ou de repas funéraires au temps de Tertullien et si, d'aventure, ils en faisaient, ils passaient pour païens.

La *parentatio* est un acte adressé aux morts : *defunctis parentat* (*Res. mort.* 1, 2). Les Athéniens l'accomplissent pour Esculape et sa mère *inter mortuos* (*Nat.* 2, 14, 14). Seuls les goinfres la détournent de sa destination normale à leur propre avantage : *tibi potius parentans (quam mortuis)* (*Test. an* 4, 4). En principe, la *parentatio* est aux morts ce que le sacrifice est aux dieux. C'est pourquoi, la *parentatio inter mortuos* est-elle faite par les Athéniens pour des hommes divinisés, le rite, funéraire à l'origine, étant devenu sacrificiel. C'est pourquoi, surtout, les chrétiens s'abstiennent soigneusement de cet acte comme du sacrifice : *non sacrificamus, non parentamus* (*Spect.* 13, 4, p. 239, 12), car, dit Tertullien en inversant la formule, « l'idolâtrie est une espèce de *parentatio* » (*Ibid.* 12, 4, p. 238, 17).

En quoi consiste la *parentatio ?* Les indications de Tertullien permettent d'en distinguer différents éléments ou mieux différentes espèces. Rappelons pour commencer qu'elle est l'équivalent du sacrifice. Le parallélisme entre les deux actes cultuels, souligné par Tertullien, vaut la peine qu'on s'y arrête. Il repose sur l'evhémérisme qui est à la base de la théologie païenne : si « les dieux et les morts sont la même chose » (*Spect.* 13, 3, p. 239, 9), « il n'y a rien d'étonnant que (les païens) offr(ent) aux morts les mêmes sacrifices qu'aux dieux » (*Nat.* 1, 10, 28, p. 27, 4-5). Dans un cadre monumental, iconographique, processionnel analogue, se déroulent des cérémonies semblables. C'est pourquoi, on note une continuelle ambivalence du vocabulaire, du rituel, des ustensiles, du personnel, et des actes cultuels. En *Nat.* 1, 10, 28, le sacrifice également offert aux dieux et aux morts est celui de parfums. En *Spect.* 12, 4, c'est à propos des jeux du crique au cours desquels des hommes sont opposés aux bêtes, qu'est affirmée l'équivalence : *quod ergo mortuis litabatur, utique parentationi deputabatur* (p. 238, 15-16). Ce qui, en *Res. mort.* 1, 3 : *sacrificat an insultat, cum crematis cremat* (p. 921, 11), est brûlé en l'honneur des morts, n'est pas précisé : parfum, encens, ce peut être l'un ou l'autre, ou l'un et l'autre. Dans *Apol.* 13, 7, au contraire, c'est entre le repas funéraire et le repas sacrificiel que l'identité est affirmée : le *silicernium* est rapproché de l'*epulum Iouis,* le *simpulum* de l'*obba,* le *pollinctor* de l'*haruspex*[25] ;

25. Cf. *supra,* p. 38, la traduction du texte.

ici, comme on le voit, le parallélisme des cérémonies a pour corollaire celui de la vaisselle sacrée et du personnel liturgique. Bref, dans les deux cas, l'action cultuelle est accomplie dans l'intérêt de son destinataire, dieu ou défunt : *deis sacrificare, mortuis parentare*.

Elle s'exprime d'un autre côté par une participation de celui qui l'accomplit. Deux textes entrent dans quelques détails de cette participation.

Le premier décrit la *parentatio* du païen offerte à ses morts. Elle se fait « aux portes de la ville avec banquets et soupers fins », *extra portam cum obsoniis et matteis*. C'est un *conuiuium* auquel les morts sont « pour ainsi dire présents et attablés avec lui pour un repas commun », *in conuiuio eorum quasi praesentibus et conrecumbentibus*. Lui-même y « mène grande vie », *lautius uiuis,* et en revient plutôt gai, *dilutior redis*. On peut donc penser que les libations y furent nombreuses et pas seulement à l'usage des morts. Tertullien a en effet soin de noter que notre hôte a organisé le festin « plutôt à son propre profit » qu'au bénéfice des morts, *tibi potius parentans* (*Test. an*. 4, 4-5, p. 179, 2-22, 2-2).

Le deuxième texte détaille l'attitude du chrétien vis-à-vis de ces repas.

> Nous n'offrons ni sacrifices ni *parentatio*. Bien plus, nous ne mangeons ni du repas sacrificiel ni du repas funéraire, car nous ne pouvons partager le souper de Dieu et celui du démon.
>
> Si donc nous gardons purs de ces contaminations notre bouche et notre ventre, combien plus en tenons-nous éloignés nos organes même les plus petits, comme les yeux et les oreilles. Car les offrandes consacrées aux idoles et aux morts, si elles ne passent point par nos intestins, sont digérées par notre esprit et notre âme. Or, la pureté de ceux-ci importe plus à Dieu que la propreté de ceux-là (*Spect*. 13, 4-5, p. 239, 12-19).

En ce texte, Tertullien justifie l'attitude négative des chrétiens de son temps vis-à-vis des repas sacrés et funéraires. Il le fait à partir de l'Écriture, à savoir de 1 Cor 8-10 et de Mt 15, 1 et 17-20. Mais ce que l'apôtre dit des « idolothytes », l'apologiste l'étend aux « nécrothytes », conformément au principe fondamental du caractère également idolâtrique du culte des dieux et des morts. Comme l'apôtre aussi, il admet que la participation aux repas sacrés et funéraires puisse être interprétée comme un acte d'idolâtrie de la part de gens faibles ou malintentionnés, bien qu'en elle-même, étant donné que l'idole n'est rien, l'action n'ait aucune valeur religieuse. C'est dans la mentalité de l'époque qu'elle avait cette valeur. C'est pourquoi, comme Paul, il recommande l'abstention.

Il faut préciser la portée de l'interdit. Il exclut la participation active des chrétiens à toute espèce de repas de communion au sens où l'entendaient et pratiquaient les contemporains. Mais excluait-il leur présence passive comme spectateurs ? Pour répondre à la question, il faut citer un passage du *De idolatria* où sont indiquées les conditions et les limites de leur présence à un acte cultuel païen :

> Puissions-nous éviter de regarder ce qu'il nous est interdit d'accomplir. Cependant, comme le Mauvais plonge le monde dans l'idolâtrie, il est permis d'assister à certains actes auxquels nous ne pouvons nous soustraire en raison de nos devoirs envers un homme, non à cause de nos obligations envers une idole. Parfaitement, appelé au sacerdoce et au sacrifice, je n'irai pas, car c'est proprement un honneur rendu aux idoles : ni par mes conseils, ni par mon argent, ni d'une autre façon, je ne contribuerai à leur culte. Si je réponds à une invitation au sacrifice, je prends part à l'idôlatrie. Si c'est une autre raison qui me lie au sacrificateur, je ne serai que spectateur du sacrifice (*Idol*. 16, 4-5, p. 1117, 1-9).

Quoi qu'il en soit, il résulte clairement de *Test. an*. 4, 4, et de *Spect*. 13, 4-5, que la *parentatio* peut être un repas en l'honneur des morts, par lequel on entrait en communion avec eux. En d'autres endroits, en revanche, elle n'est présentée que comme une offrande qui leur est faite : c'est le cas des premières phrases du *De resurrectione mortuorum :*

> C'est la ferme confiance des chrétiens que la résurrection des morts. Nous avons cette foi, la vérité nous y oblige, Dieu nous ouvre l'accès à la vérité.
>
> Le vulgaire s'en moque. Il estime que rien ne survit après la mort. Pourtant il offre des aliments aux morts, et cela à très grands frais, conformément aux usages païens *(pro moribus eorum)*, selon le calendrier des repas funéraires *(pro tempore esculentorum)*, comme s'ils pouvaient désirer quelque chose, ceux à qui on refuse toute conscience.
>
> A mon tour, je me ris bien du vulgaire, de ce qu'il rôtisse atrocement les cadavres et les nourrissent ensuite gloutonnement, les honorant et les offensant avec le même feu (*Res. mort*. 1, 1-3, p. 921, 2-10).

Bref, il semble bien que l'usage que Tertullien critique n'ait pas été suivi partout d'une manière uniforme, puisque la *parentatio* peut recouvrir des rites aussi différents que les combats humains contre les fauves, les offrandes de parfums et d'aliments et les repas proprement dits. Mais de toutes ces manières, c'est le mort que l'on prétend, non seulement honorer, mais encore nourrir et apaiser; c'est avec lui qu'on veut entretenir des relations d'amitié en signe d'une sociabilité qu'on croyait devoir durer par-delà la mort.

e) *La crémation des morts*

Il reste un rite que Tertullien condamne, non en raison de son caractère idolâtrique, mais parce qu'il lui paraît contraire à la croyance chrétienne en la résurrection des corps : c'est celui de la crémation des corps en vue de leur sépulture.

Pour désigner ce rite, Tertullien n'emploie jamais le substantif *crematio,* mais connaît l'adjectif *cremator* et le verbe *cremare*. Le verbe, en particulier, se rencontre treize fois dans ses écrits, dont cinq dans des citations scripturaires[26]. Il a le sens de brûler sans spécification religieuse en *Mart*. 4, 4, et 6, 1; *Marc*. 4, 23, 9, et 4, 29, 12. Il est en relation avec les sacrifices et autres rites païens en *Nat*. 1, 10, 47; avec l'interdit mosaïque de Deut. 12, 20, en *Scorp*. 2, 6, et 2, 21; avec le feu du jugement dernier en *Cor*. 11, 3 : *cui Christus merita ignis indulsit* (p. 1057, 24); en *Prax*. 1, 6 : *igni inextinguibili cremabuntur* (p. 1057, 23-24); en *Marc*. 5, 16, 2, où paraît *crematoris dei* (p. 711, 13). Il s'applique, par contre, à la crémation des cadavres en *An*. 44, 1, en *Res. mort*. 1, 3, et en *Cor*. 11, 3. Le texte de *Scap*. 4, 8, semble désigner le supplice du feu infligé aux martyrs.

Il ressort de ces textes, qu'au témoignage de Tertullien, l'usage de la crémation funéraire est païen et n'a pas été adopté par les chrétiens. Ils le considéraient comme incompatible avec la foi en la résurrection.

Bref, la critique des usages funéraires païens chez Tertullien se fonde essentiellement sur le monothéisme chrétien, accessoirement ou plutôt occasionnellement sur la croyance en la résurrection. Dans

---

26. *Marc* 4, 23, 9; 4, 29, 12; *Scorp*. 2, 6 et 21 ; *Prax*. 1, 6.

la défense de l'une et l'autre position, il met une égale fermeté, sinon une égale constance. Cette différence d'attitude tient au fait qu'à ses yeux le danger de la contagion polythéiste était universel et permanent à son époque, alors que, sur les conceptions de la vie d'outre-tombe, les différences étaient beaucoup moins fondamentales et n'excluaient pas une possibilité d'accord entre les deux adversaires.

II. Le témoignage sur les rites funéraires neutres

Sur un certain nombre de rites funéraires, Tertullien ne porte pas de jugement : non seulement il ne porte contre eux aucune exclusive, mais il est encore prêt à admettre que les chrétiens les pratiquent. C'est sans doute, qu'à ses yeux, ils n'ont aucune signification proprement religieuse, ou du moins ne comportent aucun risque de contamination idolâtrique.

1. *La toilette des morts*

Le témoignage de Tertullien peut être invoqué en faveur de deux actes de la toilette funéraire, le lavage des corps et leur embaumement, et en faveur de l'usage funéraire de l'encens.

Tertullien parle du lavage des morts à propos du bain des vivants. Les païens reprochaient aux chrétiens de faire bande à part dans l'usage de ce dernier. Tertullien répond en distinguant dans l'usage superstitions païennes et pratiques hygiéniques. Car pour ses besoins personnels, dit-il, il se règle sur les dernières et non sur les premières :

> Si je ne fréquente pas tes cérémonies, fait-il observer au païen, je n'en suis pas moins homme ce jour-là aussi. Je ne vais pas au bain dès l'aube aux Saturnales, pour ne pas perdre et la nuit et le jour. Je prends un bain pourtant à l'heure convenable et hygiénique, pour conserver la chaleur et la couleur. J'aurai bien le temps de geler et de pâlir au sortir du bain quand je serai mort (*rigere et pallere post lauacrum mortuus possum*) (*Apol*. 42, 4, p. 157, 15-19).

La finale atteste donc le lavage du cadavre parmi les rites de la toilette funéraire. Cela ressort parfaitement des expressions employées : « rigidité et pâleur » cadavériques « après le bain mortuaire ». Tertullien connaît l'usage chez les chrétiens. On peut considérer qu'il le croit aussi hygiénique pour les morts que pour les vivants.

Cette toilette comportait-elle aussi l'onction du mort ? Minucius Félix l'affirme pour sa part : *reseruatis unguenta funeribus (Oct.* 12, p. 7, 8)[27]. Un seul passage de Tertullien me paraît se rapporter explicitement au même rite chez les chrétiens, deux autres pourraient le laisser supposer. En effet, à propos des tombeaux dans lesquels les morts sont couchés comme en réserve en vue de la résurrection, Tertullien dit que « les corps sont traités avec les épices de la sépulture », *corpora medicata condimentis sepulturae* (*Res. mort.* 27, 5, p. 956, 21). L'image, plus médicale que culinaire, est unique chez Tertullien. Il faut donc la rapprocher d'expressions analogues. Cicéron, lui aussi, l'emploie en faisant allusion aux coutumes égyptiennes : *condiunt Aegyptii mortuos* (*Tuscul.* 1, 108). Il n'est donc pas impossible que Tertullien se réfère à son tour à l'embaumement.

Parmi « les condiments de la sépulture », faut-il ranger l'encens ? Il en est question par deux fois à propos des morts, pour opposer l'usage qu'en font les païens et les chrétiens. Dans l'*Apologétique*, Tertullien affirme que les chrétiens n'en achètent pas, mais il sous-entend qu'ils n'en achètent pas pour les dieux. Il continue en effet :

> Si les Arabies s'en plaignent, sachent les Sabéens que les chrétiens achètent leurs marchandises en plus grande quantité et à plus grand prix pour la sépulture de leurs morts que (les païens) pour les fumigations à leurs dieux (*Apol.* 42, 7, p. 157, 28-30).

Le deuxième passage est tiré du traité sur l'idolâtrie :

> Qu'ils voient si les mêmes marchandises — je veux dire l'encens et les autres ingrédients du culte païen —, qui servent chez eux aux sacrifices en l'honneur de leurs idoles, ont aussi

---

27. Le commentaire de ce passage de l'*Octavius* dans l'édition de Gottfried Lumper (*PL* 3, 283) comporte plusieurs citations d'auteurs anciens. Elles montrent à quel point, dans la mentalité antique, l'usage des parfums et des couronnes pour les morts était lié ; et aussi comment l'attitude chrétienne à l'endroit du couronnement des morts a varié du IIe au IVe siècle. Cf. PROPERT. *Eleg.* III, 16, 21-30 ; JUSTIN. *Apol.* 2 (*PG*, 365a) ; PRUDENT. *Cathem.* X, 169-172 (*CSEL* 61, 63).

chez les hommes un usage médicinal et chez nous (chrétiens), par-dessus le marché, un emploi funéraire (*Idol.* 11, 2, p. 1110, 20-23).

On remarque que Tertullien ne précise pas l'usage funéraire de l'encens : *christianis sepeliendis,* dit-il dans le premier texte; *ad solacia sepulturae,* dans le second. On peut relever aussi que celui-là laisse entendre un emploi massif de l'encens, qui n'a rien de comparable aux quelques grains qui suffisent à la participation individuelle au sacrifice. Mais, par ailleurs, l'usage chrétien est-il comparable aux fumigations païennes ou à l'emploi médicinal ? Dans la première hypothèse, est-il brûlé à proximité des corps pour assainir l'atmosphère à la manière du papier d'Arménie ? Dans la deuxième, est-il appliqué comme résineux sur le corps lui-même pour en retarder la décomposition ? L'une et l'autre explication ont été données[28], mais je ne vois pas que l'une soit préférable à l'autre ni exclusive de l'autre.

Il resterait à tenir compte des textes où il est question de l'embaumeur et qui ont été examinés à propos des métiers funéraires. Or, celui de *pollinctor* a été rangé par Tertullien dans la catégorie des métiers liés à l'idolâtrie. Il n'y a donc pas lieu d'en tenir compte dans l'examen des rites qui ne lui en paraissent pas infectés. Le fait que l'apologiste réagisse différemment vis-à-vis de l'embaumeur et des produits dont il use, ne signifie-t-il pas, après tout, qu'il y a un usage chrétien de l'embaumement ?

2. *Les rites de sépulture*

Conduit au cimetière, le mort y est brûlé ou enterré, suivant l'un des deux rites en vigueur durant l'antiquité. Tertullien connaît les deux. Mais le premier lui paraît contraire au christianisme, et le second seul lui convenir. Autour du rite de l'inhumation s'est formé tout un vocabulaire dont Tertullien a usé pour son propre compte. Il faut en examiner les différents termes.

a) *L'action*

Pour désigner le rite de l'inhumation, Tertullien recourt à différentes expressions : *deponere, tumulare, humare, sepelire.*

28. E. CUQ, « Funus », p. 1388 ; *DACL* IV (1921) 2719, V (1922) 9.

Sur les trente-six emplois répertoriés du verbe *deponere* et de son dérivé *depositum*, trois sont dans un contexte de mort, mais aucun ne s'applique à la déposition du cadavre :

Carn. Chr. 5, 1 : in praesepe deponi an in monumento recondi (p. 880, 6).
Scorp. 6, 10 : proprie enim martyribus nihil iam reputari potest, quibus in lauacro ipsa uita deponitur (p. 1080, 14).
Prax. 25, 2 : Pater, in tuis manibus depono spiritum meum (citation de Lc 24, 46. — p. 1195, 16).

Il en est de même du verbe *tumulare*, employé au sens figuré en *An.* 33, 4 : *(anima) in hominis corpore tumulata* (p. 833, 31). L'expression a une forte résonance platonicienne, mais se réfère au rite de l'inhumation. En revanche, le substantif *tumulatio* ne se rencontre pas chez Tertullien.

Quand au couple *humare-humatio*, il est d'un usage légèrement plus fréquent. Selon *Apol.* 39, 6, l'Église de Carthage prend à cœur d'utiliser les fonds de la caisse commune « pour nourrir et inhumer les pauvres » (p. 151, 27). Dans le même sens propre, le mot est en *Res. mort.* 18, 12, lorsqu'à propos de « l'inhumation de Sarah », est cité Gen 23, 4. En *Ux.* 1, 4, 5, le verbe a une signification transposée, puisqu'il s'agit d'« inhumer la concupiscence » (p. 377, 28).

Reste *An.* 57, 2, dans lequel le mot *humatio* est dit des âmes, lorsqu'une « prompte inhumation les porte au terme » de leur voyage d'outre-tombe (p. 865, 6-7). Cette traduction a besoin d'un commentaire, car il est évident que même Tertullien, je pense, ne prétendait pas inhumer les âmes, mais les corps. Waszink souligne les correspondances entre le texte de Tertullien et la littérature grecque à laquelle il se réfère : *iusta aetate sopitas* correspond à ἄωροι ; *proba morte disiunctas*, à βιαιοθάνατοι ; *prompta humatione dispunctas*, à ἄταφοι [29]. Tertullien oppose donc les morts ayant quitté cette vie en des conditions normales à ceux dont le décès a été prématuré, violent ou privé de sépulture. De ceux-ci, les anciens croyaient qu'on pouvait les évoquer par des pratiques de magie ; Tertullien rétorque qu'une littérature bien connue (*publica litteratura*) le rapporte même (*etiam*) de ceux-là. D'où cette insistance dans la gradation d'une

29. J. H. Waszink, *Tertulliani De anima*, p. 576.

séquence tripartite : *animas* 1) *etiam iusta aetate sopitas,* 2) *etiam proba morte disiunctas,* 3) *etiam prompta humatione dispunctas.* L'anaphore triple d'*etiam,* les allitérations *proba... disiunctas — prompta... dispunctas,* dénotent la recherche de l'effet littéraire comme d'une arme polémique. C'est pourquoi, je pense qu'il faut laisser au mot *humatio* son sens matériel, mais en l'entendant de l'inhumation du corps qui facilite la fixation de l'âme. Telle est, du moins, l'opinion païenne à laquelle Tertullien fait allusion.

Le verbe *sepelire* est abondamment représenté dans l'usage de Tertullien. C'est pour lui le terme propre de l'ensevelissement, si bien qu'il se prête, à l'occasion, à des transpositions au figuré. Dans tous les cas, il peut désigner le sujet ou l'acte de l'ensevelissement. Il en est de même du substantif *sepultura* qui, en outre, peut se présenter avec le sens local qui sera étudié à part.

Seul le participe passé du verbe *sepelire* peut se rapporter au sujet. Dans *Nat.* 1, 9, 8, et 2, 17, 4; *Apol.* 10, 4, et 25, 3, *sepulti,* appliqué aux dieux païens, paraît dans un topos de la polémique anti-païenne de Tertullien, quand il voit dans les dieux des héros divinisés. En *An.* 56, 2, le mot figure deux fois sous la forme négative *insepultus,* pour exprimer la croyance antique du sort malheureux dans l'au-delà de ceux qui étaient privés de sépulture. La loi romaine punissait de cette peine certaines catégories de criminels, coupables de haute trahison. La coutume l'avait parfois étendue aux chrétiens dans le but d'empêcher le culte des martyrs après leur mort. C'est dans ce contexte qu'on lit l'expression *sepultura puniri* en *An.* 33, 5 [30]. De son côté, *Res. mort.* 1, 2 VAR., évoque les rites païens en l'honneur des morts auprès de leur sépulture. Dans les autres cas, au contraire, le verbe passif se rencontre en un sens chrétien. Il peut se trouver alors dans des allusions (*Iei.* 16, 1) ou dans des citations scripturaires (*Marc.* 3, 8, 5; *Res. mort.* 48, 7; *Prax.* 2, 1, et 16, 7). Les dernières concernent aussi la sépulture du Christ, souvent dans les termes mêmes de la profession de foi paulinienne de 1 Cor 15, 3-5. Le sens figuré du mot dans *Apol.* 9, 13, et *Iei.* 14, 3, se rattache, lui aussi, au sujet de l'ensevelissement. Il ressort de ces textes que, pour Tertullien, les *sepulti* sont mis en terre.

L'acte de l'ensevelissement est exprimé indifféremment par le verbe *sepelire* ou le substantif *sepultura.* Il y avantage à examiner ces

---

30. *Ibid.* p. 397.

deux termes ensemble, d'autant plus qu'ils sont souvent joints dans les textes.

Je commence par un exemple dans lequel le sens du mot est plus proche de l'action subie qu'exercée, de l'état que de l'action. Dans *An.* 43, 11, en effet, est opposé l'état du corps avant la naissance au temps de sa formation à celui qui est le sien après la mort au temps de sa sépulture : *ut testationem plasticae et sepulturae* (p. 847, 74).

Les rites de la sépulture païenne sont parfois évoqués. Dans un cas, le verbe *sepelire* se rapporte plus précisément à la sépulture rituelle d'Osiris : *Marc.* 1, 13, 5. Dans quelques autres, l'évocation des funérailles païennes est dévolue au substantif. A propos de celles de Patrocle, Tertullien soulève le problème de la *cessatio sepulturae (An.* 33, 5*)*, privation à laquelle il oppose la *cura sepulturae*[31].

Mais la plupart du temps, Tertullien emploie ces mots dans un sens chrétien. Ils peuvent alors désigner la sépulture du Christ[32]. Un autre texte y fait une allusion indirecte à propos de la « sépulture du Père » dans la polémique patripassienne (*Prax.* 16, 7)[33]. Le couple se retrouve en de nombreuses allusions ou citations bibliques[34].

Dans ce même contexte, il arrive que ces mots renvoient aux rites de la sépulture chrétienne. *Res. mort.* 27, 5, commentant les *cellae promae* de l'ancienne version d'Is 26, 20, les interprète comme des tombes : c'est d'elles que les hommes sortiront pour la résurrection, quand aura passé « la dernière colère de Dieu ». Dans l'intervalle, leurs corps sont enfermés dans les tombeaux, « traités avec les épices de la sépulture ». Ce mot semble désigner ici l'ensemble des rites qui conduisent le mort à sa dernière demeure.

b) *Le lieu*

Le mot *sepultura* forme charnière entre l'action et le lieu de la sépulture. Il lui arrive en effet de ne pas désigner l'acte rituel de celle-ci, mais le lieu où elle s'accomplit, c'est-à-dire le sépulcre. De ce sens local les exemples sont assez nombreux chez Tertullien.

---

31. *Ibid.*

32. *Sepelire : Marc.* 3, 19, 9; *An.* 55, 2; *Carn. Chr.* 5, 1; 5, 3; 5, 5. — *Sepultura : Marc.* 3, 19, 8; 4, 21, 11; *An.* 17, 13; *Iud* 10, 15.

33. Quanto magis (Pater) nec morietur nec sepelietur (p. 1182, 59-60).

34. *Iei.* 16, 1 : Nbres, 11, 4, et 13, 22ss. — *Monog.* 7, 8 : Lc 9, 60; Lev 21, 11. — *Marc.* 4, 23, 10 : Lc 9, 60. — *An.* 17, 13 : Lc 22, 20; Mt 26, 27-29. — *Iud.* 10, 2 : Deut 21, 22-23; 10, 15 : Is 53, 8-10; 10, 16 : Is 57, 2.

Ainsi quand il fait allusion à des faits historiques. Lorsqu'on creusa les fondations de l'Odéon de Carthage, il signale qu'on trouva de « nombreuses sépultures anciennes » (*Res. mort.* 42, 8, p. 977, 36)[35]. Dans le libelle adressé au proconsul Scapula, il parle des sévices exercés par les païens contre les cimetières chrétiens. Il appelle ceux-ci « les champs de nos sépultures » (*Scap.* 3, 1, p. 1129, 3-4). Quand il parle de la sépulture du Christ, il lui arrive de l'entendre de son tombeau. Deux fois, c'est à propos d'Is 57, 2 : *sepultura eius ablata est de medio eius.* Il interprète ainsi de la résurrection du Christ l'expression *auferre sepulturam* (*Marc.* 4, 43, 2; *Iud.* 10, 10, p. 661, 5-6, 1379, 126). Il est vrai qu'on peut l'interpréter dans nos traductions modernes de l'inutilité de cette sépulture après la résurrection du Christ. Mais voici des exemples plus probants. Quand il argumente sur la réalité de cette résurrection, il dit du corps mortel du Seigneur : *quod cecidit in morte, quod iacuit in sepultura, hoc et resurrexit (Res. mort.* 48, 7, p. 988, 28-29). Le même sens intervient dans ses controverses sur d'autres sujets. Rappelant le fait de la survie de certaines fonctions vitales chez le mort, il les localise « dans les sépultures » : *crementa unguium et comarum in sepulturis* (*An.* 51, 2, p. 857, 9). Recommandant le jeûne, il promet à la résurrection des avantages à ceux qui l'auront pratiqué et n'hésite pas à menacer les autres de sanctions : *citius resuscitabitur caro leuior, diutius in sepultura durabit caro aridior* (*Iei,* 17, 7, p. 1276, 7). Enfin, pour désigner les tombes décrépites, le terme revient aussi à plusieurs reprises. En *Res. mort.* 30, 9, il s'agit d'une sépulture en train de vieillir : *senescentis sepulturae* (p. 160, 42), ce qui renvoie à la vision d'Ézéchiel 37. En *Res. mort.* 32, 3, et 57, 8, le vieillissement est arrivé à son terme : *senium sepulturae* (p. 962, 16, et 1005, 33). Il peut donc y avoir des cas, dans lesquels Tertullien entend le mot *sepultura* au sens de *sepulchrum*. En définitive, de ce mot polyvalent, le sens précis est déterminé par le contexte.

Pour d'autres mots, le sens local est habituellement sans ambiguïté. Celui de *bustum* désignait à l'origine le lieu où l'on brûlait et ensevelissait les cadavres. Déjà dans la langue classique il pouvait s'employer, soit pour le tombeau, soit pour les restes du cadavre[36].

---

35. L. STÄGER, *Das Leben im römischen Afrika,* p. 20, note 1.
36. CIC. *Tuscul.* 5, 101; STAT. *Theb* 12, 247.

C'est, semble-t-il, dans le sens de tombeau que Tertullien l'employait. En *An.* 57, 10, il est en effet question de l'usage des Celtes de consulter les oracles près des tombeaux de leurs héros, *apud uirorum fortium busta* (p. 867, 66-67). *Test. an.* 4, 4, (p. 179, 22), fait allusion aux libations funéraires que les contemporains de Tertullien faisaient au même endroit : *ad busta recedis aut a bustis dilutior redis.* En *Cor.* 12, 4, où J. Fontaine découvre l'antithèse entre triomphe militaire et soir de bataille[37], il est question de la couronne de lauriers du vainqueur, et Tertullien s'interroge à ce propos en une triple interrogation, dont la gradation semble suggérer la traduction de *bustis* par tombes :

> Cette couronne est-elle faite de feuilles ou de cadavres? ornée de lemnisques ou de tombes (*bustis*)? arrosée de parfums ou de pleurs des épouses? (*Cor.* 12, 4, p. 1059, 28-30).

Capulum a été rarement employé par Tertullien. Dans le langage courant, il faut distinguer *capulus,* le manche, de *capulum,* désignant le lit mortuaire, le brancard sur lequel on porte le mort, le cercueil ou la tombe[38]. En ce dernier sens, il se trouve trois fois chez Tertullien. En *Res. mort.* 7, 8, il signifie le corps du défunt; en 38, 1, de même; en 32, 3, il paraît devoir se distinguer de *sepulchrum* et de *sepultura* qui s'y lisent aussi, mais le sens des mots y est de toute façon très voisin.

Tumulus est lui aussi une rareté chez Tertullien. En *Nat.* 2, 17, 5, il intervient comme une conjecture de Godefroy pour *sepulchrum,* mais ne peut être retenu. Il figure au contraire dans *Apol.* 25, 7 : *omni Capitolio tumulum (Iouis) praeponere* (p. 136, 32) a l'air d'un cliché de la polémique anti-païenne de Tertullien. Il en est apparemment de même de cette autre expression : *ubi ciuitates exurendae quae iam in tumulis?* Elle se trouve identique en *Marc.* 3, 23, 7, et en *Iud.* 13, 29 (p. 541, 20-21, et 1391, 138), avec cette différence qu'il s'agit, cette fois-ci, de polémique anti-juive. Dans les deux textes le mot est employé au sens figuré. *Spect.* 12, 3 (p. 238, 11), nous l'offre, lui, au sens propre.

Quand à *monumentum,* il se rencontre une dizaine de fois chez Tertullien. Je ne tiens pas compte des textes de *Nat.* 2, 12, 39, qui

37. J. FONTAINE, *Tertullien, De corona,* p. 152.
38. *TILL* 3, 382-384.

est lacuneux (p. 69, 19), et d'*An*. 53, 4, pour lequel la référence de l'*Index Tertullianeus* est fausse[39]. Par contre, en *Apol*. 18, 8 (p. 119, 38), le mot est encore très près de son sens étymologique et désigne les livres conservés dans le Sérapéum d'Alexandrie. Le plus souvent cependant, il recouvre le sens de monument funéraire, soit que Tertullien mette en parallèle, à propos du culte païen des dieux et des morts, les *templa* et les *monumenta (Spect*. 13, 4, p. 239, 11), soit que, parlant de la résurrection des morts, il cite en la condensant la parole évangélique de Jean, 5, 28-29 : *(mortuos) de monumentis procedere (Res. mort*. 27, 5; 37, 8; 37, 9, p. 956, 22; 970, 34, 37, 38, 42), soit qu'il traite du tombeau du Christ (*Prax*. 16, 6, p. 1182, 54; *Iud*. 13, 14, p. 1387, 81). Une fois enfin (*Iei*. 16, 1, p. 1274, 28), par suite d'un jeu de mots sur Nbres, 13, 34, il emploie le terme au sens transposé : *monumenta concupiscentiae, ubi sepultus est populus carnis auidissimus*.

Le mot *sepulchrum* est de beaucoup le plus commun chez notre auteur qui l'emploie près d'une trentaine de fois. Il peut désigner les tombeaux païens (*Nat*. 2, 7, 9; 2, 17, 5; *An*. 49, 10), faire allusion au culte ou aux superstitions liés aux tombes (*Apol*. 10, 4; *Test. an*. 4, 10; *An*. 49, 10). Mais le mot nomme plus souvent les tombeaux des justes. Il apparaît alors fréquemment dans les citations ou allusions bibliques (*Res. mort*. 18, 12; 19, 4; 27, 4 *bis;* 31, 6 et 9; 32, 3 et 7; 53, 3), entre autres à propos du tombeau du Christ (*Apol*. 21, 20 et 21; 23, 13; *Marc*. 2, 27, 2; 4, 42, 7; 4, 43, 2 *bis; Res. mort*. 37, 6). Son sens peut être parfois figuré (*Res. mort*. 19, 4; 22, 11; 30, 2).

Quant au mot *area,* il a déjà été évoqué à propos de *sepultura*. J'y reviens en raison de son sens spécifique. Il sert en effet à désigner un espace découvert non bâti ou occupé partiellement par des bâtiments. Il peut alors désigner, particulièrement en langage épigraphique, un champ de sépultures. En un deuxième sens, il convient aussi à l'aire à battre le blé[40]. Tertullien connaît ces deux sens, mais c'est dans le second qu'il emploie le plus fréquemment le mot et souvent d'ailleurs par allusion à des textes scripturaires[41]. Une seule fois, il emploie le

39. G. Claesson, *Index Tertullianeus,* p. 968, donne le passage comme témoin de *monumentum,* alors que le texte porte *momentum*.
40. *TLL* 1, 496-499. Cf. aussi M. M. Baney, *Some reflections,* p. 2-3.
41. Mt 3, 12; Lc 3, 17; Os 13, 2-3; Is 40, 15, cités en *Paen*. 4, 3, *Praescr*. 3, 9, *Scorp*. 10, 2, *Fug*. 1, 4 et 2, 6, *Iud*. 1, 3.

mot dans le sens cémétérial : *de areis sepulturarum nostrarum (Scap.* 3, 1, p. 1129, 3). Il est alors précisé par un complément et donne lieu à un jeu avec le sens d'aire à battre le blé. Cette particularité donne à penser que le sens cémétérial du mot est d'un usage récent chez les chrétiens.

III. Le témoignage sur le culte chrétien des morts

Avant d'examiner chez Tertullien le vocabulaire rituel relatif à la mort des chrétiens, je crois utile de relever quelques expressions qui dénotent chez lui une certaine conception de la mort, en même temps qu'elles semblent refléter un certain usage chrétien. Il sera plus facile par la suite de voir quels sont les rites funéraires chrétiens sur lesquels Tertullien nous a informés.

1. *Une conception chrétienne de la mort*

La conception paléochrétienne de la mort, celle de Tertullien en particulier, a fait l'objet de plusieurs études importantes[42]. Il ne semble pourtant pas que tous les termes servant à l'exprimer aient reçu un traitement égal. Si les analyses consacrées à *requies-requiescere,* à *refrigerium-refrigerare* sont exhaustives, d'autres paraissent plus sommaires. Je voudrais revenir sur celles-ci en ce qui concerne Tertullien.

Il est souvent question chez lui de la mort comme d'un sommeil. Je mets à part les nombreuses citations scripturaires, qui montrent à quelle source Tertullien a surtout puisé : *Pat.* 9, 1; *Marc.* 3, 8, 7; *Res. mort.* 24, 3 et 4; 41, 6 et 7; 48, 3 et 9; *Monog.* 11, 10 et 11. Les plus fréquentes sont celles de 1 Cor 15, 12-18, et de 1 Thess 4, 13-17, à propos de la mort et de la résurrection du chrétien. Dans ces passages, Paul parle de ceux qui sont « morts dans le Christ », qui « dorment dans » ou « par le Christ », ou qui « dorment dans la paix ». La mort y est comparée à un sommeil avant la résurrection qui est le réveil définitif. C'est pourquoi, Tertullien emploie le mot dans le

42. A. M. Schneider, *Refrigerium ;* A. Stuiber, *Refrigerium interim ;* A. C. Rush, *Dead and Burial,* p. 1-87 ; H. Fine, *Die Terminologie der Jenseitsvorstellungen,* p. 135-196.

même sens eschatologique, même en dehors de toute citation biblique. Il le fait sans scrupule en traitant, soit de la mort du Christ : *Christi dormituri in mortem (An.* 43, 10, p. 847, 63); *domino per patientiam uelut dormiente (Bapt.* 12, 7, p. 288, 41); soit de la mort du chrétien : *cum in pace dormisset (An.* 51, 6, p. 857, 33-35); *in aethere dormitio nostra? ... immo in paradiso* (*Ibid.* 55, 4, p. 862, 25, 27); *de quorum (= sanctorum) dormitione... simul et tempora resurrectionis exponit (Res. mort.* 24, 3, p. 951, 8-9); *annuis diebus dormitionis suae* (*Monog.* 10, 4, p. 1245, 25). On le voit, Tertullien ne se préoccupe pas de localiser le lieu de ce sommeil eschatologique. Mais il en vient à considérer le sommeil corporel comme une initiation au sommeil eschatologique dans l'attente de la résurrection finale : *discis mori et uiuere, discis uigilare dum dormis* (*An.* 43, 12, p. 848, 88-89)[43].

De même associe-t-il parfois l'image du sommeil à celle de la paix. Il le fait explicitement, quand il rapporte l'*exemplum* d'une morte carthaginoise et qu'il qualifie sa mort de « sommeil dans la paix », *cum in pace dormisset* (*An.* 51, 6, p. 857, 34-35). En deux autres endroits, si l'expression *in pace* est employée sans le mot *dormire* ou un autre de même sens, elle l'est, au contraire, avec le verbe *praemittere*. Ainsi en est-il dans le traité exhortant un jeune veuf à la chasteté :

> Je ne doute pas, frère, qu'après t'avoir fait précéder par ta femme dans la paix, *post uxorem in pace praemissam,* tu ne te sois tourné vers le recueillement de l'esprit, pour méditer sur ton veuvage (*Exh. cast.* 1, 1, p. 1015, 2-4).

Dans le traité sur la monogamie, ce n'est plus un conseil qu'il donne, mais une polémique qu'il engage, pour détourner du remariage, non plus un veuf, mais cette fois-ci une veuve. Le mariage sans entente de cette dernière a été rompu par la mort du conjoint. Peut-elle vraiment contracter une seconde union, sous prétexte que le défunt l'a précédée « dans la paix » ? Le texte dit :

> Je demande donc à cette femme : « Dis-moi, sœur, est-ce en paix que tu as laissé partir ton époux, *in pace praemisisti uirum*

43. A.C. Rush, *Dead and Burial,* p. 16, citant *An.* 51, 6, *Monog.* 10, 4 ; H. Fine, *Die Terminologie der Jenseitsvorstellungen,* p. 81-82, avec *An.* 55, 4, *Res. mort.* 24, 3-4, *Pat.* 9, 1, *Monog.* 10, 1.

> *tuum ?* » Que répondra-t-elle ? — « Dans la discorde » ? Elle lui est donc d'autant plus liée qu'elle est en procès avec lui devant Dieu. Elle ne peut se séparer de lui tant qu'elle est liée à lui. Mais est-ce dans la paix ? Qu'elle reste donc en paix avec lui : c'est nécessaire, puisqu'elle ne peut plus le répudier, ni même se remarier, si elle avait pu le répudier (*Monog.* 10, 3, p. 1242-1243, 18-23).

On aura noté le jeu sous-jacent à l'expression *praemittere in pace.* Pour cette femme en capacité sinon en instance de divorce, il y a contradiction entre la séparation matrimoniale qui ne va jamais sans griefs réciproques ni sans litiges, et la séparation imposée par la mort qui suppose une réconciliation si le départ doit se faire dans la paix. C'est pourquoi, conclut paradoxalement Tertullien, loin de libérer la veuve pour un deuxième mariage, la mort du mari la lie à lui pour toujours. Le raisonnement de Tertullien est caractéristique de sa dialectique montaniste. Quoi qu'il en soit de sa valeur logique, il est appuyé sur une prémisse de fait, à savoir que la mort d'un chrétien est accompagné d'un rite de paix.

Les mêmes expressions, *dormire, dormire in pace, in somno pacis, praecedere* ou *praemittere in pace, fidelis in pace,* ou simplement l'invocation *in pace,* sont fréquemment attestées aussi par les inscriptions chrétiennes, spécialement africaines, et constituent même parfois un critère de leur caractère chrétien[44]. Mais aucune d'entre elles ne peut être considérée comme contemporaine de Tertullien[45], ni servir par conséquent à démontrer leur caractère traditionnel au temps de l'apologiste, à plus forte raison leur emploi dans la liturgie de son temps. Ces conclusions doivent être tirées, si faire se peut, des textes de Tertullien eux-mêmes. Celui qui va le

---

44. *ILCV*, t. 3, p. 480-484 ; *TLL* 5/1, 2034 ; *DACL* VII (1926) 476-481, XIII (1938) 2779-2780.

45. Dom H. Leclercq rapporte sans se prononcer à fond sur sa date, l'inscription fragmentaire trouvée en 1799 dans les jardins de Sainte-Pudentienne à Rome et qu'il vaux mieux consulter, plutôt que dans son édition (*DACL* XIII, 2776), dans celle de J.-B. DE ROSSI, *ICUR* I, 8. Cf. aussi H. FINE, *Die Terminologie der Jenseitsvorstellungen,* p. 203, note 236. L'interprétation et la datation qu'en a données G. Marini ont été à juste titre réfutées par De Rossi. L'inscription n'est pas de l'an 168, car il n'y a jamais eu de consuls T. Junius Montanus et L. Vettius Paullus cette année-là. S'il y a une date consulaire dans la dernière ligne de l'inscription, il faut corriger avec De Rossi *(Mo)ntano et* … en *(Valenti)niano et* …, ce qui la reporte du IIe au IVe siècle.

plus fortement en ce sens pourrait être, à mon avis, le texte cité du *De monogamia*.

Quoi qu'il en soit, ce vocabulaire nouveau traduit un langage nouveau, exprimant la foi en la résurrection et la certitude, pour le chrétien fidèle, d'une résurrection bienheureuse.

2. *Le vocabulaire et le rituel funéraires chrétiens*

Tertullien est loin d'utiliser tous les termes du rituel funéraire de son temps. Il en est ainsi même du rituel proprement chrétien. C'est que, en présence de la mort, l'attitude du chrétien est aux antipodes de celle du païen. Car le deuil du chrétien, ce n'est pas qu'un frère soit mort, mais que le Christ soit absent. Aussi, « ceux qui nous ont précédés (auprès de lui) ne doivent pas être pleurés, mais regrettés », *non est lugendus qui antecedit, sed plane desiderandus* (*Pat.* 9, 3, p. 309, 12). Même dans ce cas, le regret doit être tempéré par la patience : « pourquoi un deuil sans retenue pour la mort de celui qu'il faudra suivre sans tarder ? » (*Ibid.* 14). En fonction de ce critère sont admis les rites jugés conformes à la foi en la résurrection.

a) *Les rites de la déposition*

Parmi les nombreux emplois de *componere-compositio*[46], il y en a un dont le sens funéraire peut prêter à discussion chez Tertullien. Celui-ci rapporte le cas d'une femme, élevée dans la foi depuis sa naissance (*uernaculam ecclesiae*), morte à la fleur de l'âge (*forma et aetate integra*), après un seul et court mariage. Sa sépulture donna lieu à un miracle que Tertullien raconte comme preuve de la survie après la mort. Dans le récit de la sépulture gît une difficulté sur le lieu, le moment et donc la nature de la prière du prêtre à l'occasion des obsèques. Aussi le texte doit-il être donné en latin :

> Cum in pace dormisset et morante adhuc sepultura interim oratione presbyteri componeretur, ad primum halitum orationis manus a lateribus dimotas in habitum supplicem conformasse rursumque condita pace situi suo reddidisse (*An.* 51, 6, p. 857-858, 34-38).

---

46. *TLL* 3, 2111-2133 ; G. CLAESSON, *Index Tertullianeus*, p. 249.

J. H. Waszink note que *cum in pace dormisset* est une des plus anciennes attestations d'une formule qui deviendra courante [47]. Pour la suite, tout le monde est d'accord qu'il s'agit des funérailles de la jeune morte, mais les divergences naissent quand il faut localiser d'une manière précise le moment du miracle, la défunte prenant part aux gestes de la prière. Les gestes sont univoques : la morte détache ses mains de ses côtés et les tient dans l'attitude de la prière, *in habitum supplicem,* c'est-à-dire qu'elle prend l'attitude de l'orante, si abondamment illustrée par l'art chrétien [48] ; la prière finie, elle remet ses mains dans leur position primitive. Le deuxième geste est celui de la paix : *condita pace*. Le mot *pax* ne paraît pas désigner autre chose ici que le baiser de paix que Tertullien montre lié à la prière commune [49] ; le baiser de paix est inséparable de cette prière : *quae oratio cum diuortio sancti osculi integra?* ici, il semble même conclusif de la prière : *osculum pacis quod est signaculum orationis (Or.* 18, 3 et 1, p. 267, 6-7, et 2-3). J. H. Waszink interprète l'expression *condere pacem* comme équivalente de la tournure développée *condere (= claudere) orationem pace*. Si on l'admet, on en conclura que la morte a pris part au baiser de paix. Mais quelle est la prière liée au baiser de paix ? Dans le même passage du *De oratione,* Tertullien l'appelle *oratio commendabilior* et désigne l'oraison dominicale qu'il a précédemment commentée (*Ibid*. 2-8). Est-ce la même prière qui est en cause dans le *De anima ?*

Théodore Klauser a résolu péremptoirement la difficulté en éclairant Tertullien par Augustin, *An*. 51, 6, par *Conf.* 9, 12, 32. Il supposait, en effet, que Carthage et Rome suivaient les mêmes usages funéraires à deux siècles d'intervalle. En conséquence, il identifia l'*oratio presbyteri* avec une messe des funérailles [50]. Il a entraîné dans son sillage la plupart de ses émules [51]. Le télescopage des sources semblait pouvoir s'autoriser, au moins implicitement, de considérations philologiques. Dans *componere,* l'affaiblissement sémantique du préfixe *cum* a pu être

47. Cf. *supra*, p. 64.
48. *DACL* XII (1936) 2291-2322.
49. E. DEKKERS, *Tertullianus*, p. 59-60.
50. Th. KLAUSER, *Die Cathedra*, p. 127-128.
51. E. DEKKERS, *Tertullianus*, p. 239 ; J.-H. WASZINK, *Q. S. Fl. Tertulliani De anima*, p. 531-533 ; C. VOGEL, « L'environnement cultuel », p. 400-401, et note 50, garde une prudente réserve.

tel que, dans un cas comme le nôtre, le verbe composé devenait synonyme du verbe simple et désignait la déposition dans la tombe. Effectivement, il existe deux séries d'exemples de ce mot, la première où *componere* signifie la déposition dans le sépulcre, la seconde, l'exposition sur le lit mortuaire. Le *Thesaurus* a rangé notre verbe d'*An.* 51, 6, dans la première série[52]. Waszink penche vers une solution de compromis : pour garder l'hypothèse de Klauser, il suppose que le verbe désignerait un rite chrétien semblable à celui des païens plaçant le mort sur un brancard destiné à brûler avec lui dans l'incinération ; il évoquerait donc un cercueil avec lequel la morte aurait été introduite dans la tombe. Je ne vois pas très bien quelle documentation archéologique peut venir au secours de cette solution de finesse. De toute façon, Waszink reconnaît qu'il y a une arrière-pensée fondamentale dans l'explication de Klauser : placer la prière au cimetière plutôt qu'à la maison mortuaire, c'était donner au miracle une bien plus grande publicité. En fonction de quoi, Tertullien aurait organisé son récit.

Il s'agit donc de savoir où et quand le prêtre prononça la prière sur la jeune morte de Carthage. Deux possibilités se présentent, suivant le sens qu'on donne à *componeretur :* ou bien ce terme désigne la mise au tombeau et alors *morante sepultura* nous transporte devant le tombeau ouvert sur lequel s'est faite la prière — c'est la solution de Klauser qui identifie la prière avec l'eucharistie — ; ou bien *componi* s'entend de la toilette mortuaire et de l'exposition du cadavre sur le lit de parade et alors la prière a eu lieu dans la maison de la défunte. Comme les exemples existent de l'un et l'autre usage, notre membre de phrase, considéré en lui-même, reste ambigu, même son contexte immédiat ne pouvant suffisamment l'éclairer. Si, au contraire, nous le remettons dans son contexte général, une solution paraît possible.

Je concède volontiers que le but de Tertullien était de prouver la possibilité de la survie par des miracles. Je l'ai moi-même observé pour commencer. Ceci dit, il faut mettre l'expression dans les habitudes de parler et d'écrire de Tertullien.

Du point de vue philologique, les mots *componere-compositio* peuvent désigner les soins de la toilette et du vêtement. On ne s'étonne donc pas de les trouver avec ce sens dans le petit livre que Tertullien consacra à la toilette féminine : *Cult. fem.* 2, 4, 1 ; 2, 9, 1 ; 2, 11, 2. Il y signifie

52. *TLL* 3. 2116.

les ajustements de la toilette. Le verbe se retrouve aussi avec ce sens, mais une seule autre fois, si mes relevés sont exacts, quand il est question de la tenue du pénitent : *concineratum cum dedecore et horrore compositum (Pud.* 13, 7, p. 1304, 26). On aura remarqué que dans tous ces passages la *compositio* ne désigne pas seulement une certaine tenue de la toilette, mais comporte une non moins certaine connotation morale de retenue.

Il faut pareillement remettre dans son contexte l'expression *cum oratione componeretur*. La survie de l'âme dont Tertullien disserte dans le chapitre 51 du *De anima* doit être entendue d'une manière matérielle : *portio mortis cum animae portione remanebit (An.* 51, 5, p. 857, 30-31). Il cite deux exemples à l'appui de sa thèse. Le premier est précisément celui de notre jeune morte. Le deuxième concerne un cadavre déjà enseveli, qui fit place, dans le tombeau, à un second destiné à y être déposé. Ce deuxième exemple est expressément distingué du premier : *Est et illa relatio apud nostros (An.* 51, 7, p. 858, 38). Il est aussi expressément localisé : *in coemeterio* (*Ibid.* 39). Si cette localisation concernait le premier exemple, on pourrait penser qu'elle vaut encore pour le second ; mais elle se rapporte à celui-ci et n'a sans doute aucun effet rétroactif sur celui-là. Au contraire, tout porte à croire, s'il faut se fier aux habitudes stylistiques de Tertullien, que le premier récit n'a pas le cimetière pour théâtre, mais qu'il s'est passé ailleurs. Je suppose dès lors que c'est à la maison mortuaire.

A cet examen du témoignage de Tertullien, je pourrais ajouter une confirmation grâce aux textes d'Augustin. Mais j'examinerai celui-là en son temps et renvoie le lecteur à l'examen du témoignage des *Confessions*.

Dans ces conditions, il faut revenir à l'expression *oratione componi*. Waszink signale l'ablatif comme absolu, sans lien avec le verbe, c'est-à-dire sans lien causal ou instrumental, si j'entends bien [53]. Je n'en suis cependant pas si sûr. Elle pourrait fort bien exprimer la « toilette spirituelle » de la morte et suggérer qu'elle s'était faite par le moyen de la prière. Puisqu'il ne s'agit pas de la prière eucharistique, il faut croire que des prières accompagnaient les soins donnés au mort après son décès. Le Notre Père pouvait fort bien en avoir fait partie.

---

53. J. H. WASZINK, *Q. S. Fl. Tertulliani De anima*, p. 532.

b) *Le souvenir des morts*

Appliqué à un défunt, le mot *memoria* exprime le souvenir que l'on garde de lui, sans se charger d'aucune connotation monumentale ou cultuelle : il ne désigne ni monument funéraire, ni commémoraison liturgique, ni même le souvenir exprimé par la prière ; il n'a encore que le sens général de souvenir des morts. Pour indiquer les occasions précises et les moyens particuliers auxquels ce souvenir était lié, Tertullien se sert d'un vocabulaire différent, dans lequel *natalicium, dies natalis* ou *annuus* sont les termes techniques du jour, et *oblationes annuae,* celui du moyen de la commémoraison.

Natalicium est un hapax chez Tertullien. Il se lit au pluriel dans son *De corona*. Il y désigne les occasions auxquelles on faisait, une fois par an, des offrandes aux morts. En quoi ces offrandes consistaient, je le dirai plus loin. On lit : *oblationes pro defunctis, pro nataliciis, annua die facimus (Cor.* 3, 3, p. 1043, 23). Le sens de *natalicium* ressortira plus clairement des autres textes où il est question des offrandes et qui seront examinées à propos d'*annuus dies*.

En attendant, il est bon de comparer ce mot, unique chez Tertullien, avec l'usage qu'en ont fait ses prédécesseurs et successeurs. Avant lui l'emploient les auteurs profanes, habituellement comme adjectif, pour désigner ce qui se rapporte à la naissance d'un homme [54], exceptionnellement comme substantif, pour signifier la fête elle-même de l'anniversaire de cette naissance [55]. L'usage postérieur à Tertullien est ecclésiastique. On y constate un double renversement : d'une part, le substantif prévaut sur l'adjectif, mais sans l'exclure ; de l'autre, il désigne l'anniversaire de la mort et non plus de la naissance du chrétien. Cet usage est spécifique de la liturgie des martyrs. Nous le verrons reflété par Augustin, affirmé par le Calendrier de Carthage en Afrique [56], attesté par Paulin de Nole, et seulement par lui, semble-t-il, en Italie, et par les sacramentaires romains [57]. Il est significatif qu'en dehors de ce domaine, il n'ait trouvé aucune application. Nous sommes en droit de conclure que Tertullien a été le premier témoin de cet usage chrétien.

Le mot *natalis* se trouve habituellement chez Tertullien comme

54. CIC. *Divin.* II, 42, 89 ; 43, 91. - MART. *Epigr.* 7, 86 ; 8, 64. - IUVEN. *Sat.* 11, 84. - PETRON. *Satyricon* 136. - PERSIUS 1, 16.
55. CIC. *Phil.* II, 6, 15.
56. Cf. *infra* p. 172.
57. Cf. *infra* p. 172, note 5.

adjectif. Au sens propre il désigne la naissance de l'homme et peut être mis en rapport avec les richesses et les dignités qu'elle apporte aux grands : *Mart.* 6, 2 ; *Apol.* 6, 2 ; *Cult. fem.* 2, 9, 4. Au figuré, il lui arrive de signifier l'origine des choses : *Pall.* 2, 5, ou des sentiments : *Pat.* 5, 5 ; *Marc.* 1, 10, 1. Je reviendrai dans un instant sur un dernier usage de *natalis* adjectif. Comme substantif, au contraire, il a toujours un sens cultuel. En *Bapt.* 20, 5, il est question du *lauacrum noui natalis* (p. 295, 29). Ailleurs il a le sens d'anniversaire : *natale idoli (Idol.* 10, 4, p. 1109, 9). Il ne se rencontre pas en ce sens pour l'anniversaire des morts.

S'il est vrai que le substantif *natale* s'est éloigné de son sens étymologique pour devenir synonyme d'anniversaire — évolution dont Tertullien lui-même est le témoin —, le même écrivain fournit aussi une réponse à une question que posait le P. Delehaye au sujet de l'anniversaire : pourquoi les chrétiens ont-ils remplacé celui de la naissance par celui de la mort ? Comme témoin de l'explication mystique, selon laquelle la mort est pour le chrétien la véritable naissance, le bollandiste citait Pierre Chrysologue[58]. Tertullien le précède de beaucoup dans cette voie. On lit en effet sous sa plume : (*phoenix*) *natali fine decedens atque succedens (Res. mort.* 13, 2, p. 936, 8) La légende du phénix renaissant de ses cendres et pour lequel la fin est une naissance (*natali fine)* sert à l'apologiste comme terme de comparaison avec la résurrection. Le mot *natalis,* dit du phénix, sous-entend donc en même temps que, par la mort, le chrétien renaît, lui aussi, à une nouvelle vie. Nous saisissons peut-être ici l'effort de Tertullien d'expliquer la raison d'être de l'usage chrétien qui a transféré le sens du mot de la naissance à la mort corporelles, cette dernière étant considérée comme la naissance à la vie éternelle.

Reste à examiner l'expression *annuus dies*. L'usage des célébrations annuelles est commun à toute l'antiquité. Tertullien connaît des célébrations païennes de cette espèce. Il les désigne génériquement en *Idol.* 14, 7 :

> Ni le dimanche ni la pentecôte, même s'ils les connaissaient, (les païens) ne les célébreraient avec nous ; ils auraient trop peur de paraître chrétiens. Quant à nous, si nous ne voulons nous faire passer pour païens, n'ayons crainte (de les célébrer). S'il faut faire quelque concession à la chair, tu n'as pas seulement tes propres jours de fête, mais beaucoup plus. Car pour les païens

58. H. DELEHAYE, *Les origines du culte des martyrs,* p. 35.

tout anniversaire est jour de fête (*annuus dies quisque festus est*) ; pour toi, même chaque huitième jour (*Idol.* 14, 7, p. 1115, 3-8).

Sont donc clairement opposées les célébrations annuelles des païens au dimanche et à la pentecôte des chrétiens[59]. Parmi les anniversaires païens, Tertullien signale en particulier les cérémonies de prières qui se faisaient pour l'empereur au début de chaque année et auxquelles les soldats prenaient part, d'abord à la chapelle du camp, ensuite au capitole (*Cor.* 12, 3). Il nomme aussi les usages particuliers de certaines colonies, prévoyant des supplications annuelles de deuil (*Iei.* 14, 2). Il ne cite toutes ces solennités que, soit pour les repousser, soit pour s'en prévaloir en faveur d'une fête chrétienne.

Aussi parle-t-il plus volontiers des célébrations annuelles des chrétiens. On ne s'étonne point que dans cette catégorie il range la fête de Pâques en bonne place (*Iei.* 14, 2). Mais surtout, à trois reprises, il argumente en faveur de l'anniversaire des morts.

J'ai déjà cité le premier texte de *Cor.* 3, 3, en traitant du *natalicium*[60] : j'avais alors noté que le mot y était précisé par l'expression *annuus dies*. Le même adjectif *annuus,* associé à *oblatio,* revient dans « L'exhortation à la chasteté ». Il dit en effet au jeune veuf auquel il déconseille le remariage :

> En cas de remariage, deux épouses entourent un même mari, l'une par l'esprit, l'autre par la chair. Tu ne pourras haïr la première, tu lui dois même une affection d'autant plus religieuse qu'elle est déjà auprès du Seigneur, tu dis des prières pour son âme, tu fais des offrandes annuelles pour elle (*Exh. cast.* 11, 1, p. 1031, 4-8).

Dans le traité sur la monogamie, la situation est inverse, l'épouse étant veuve et priant pour son mari défunt :

> En effet, dit Tertullien, elle prie pour son âme, elle demande pour lui le rafraîchissement provisoire et la participation à la première résurrection, elle offre aux jours annuels de sa dormition (*Monog.* 10, 4, p. 1243, 23-25)[61].

59. *Ethnicis* opposé à *nobiscum* ou *tibi*.

60. Cf. *supra*, p. 69.

61. Sur l'expression *refrigerium interim,* cf. A. Stuiber, *Refrigerium interim*. Sur elle et sur *prima resurrectio,* cf. H. Fine, *Die Terminologie der Jenseitsvorstellungen,* p. 163-173, en particulier 169. Le *refrigerium interim* est l'état des âmes justes entre la mort et la résurrection : la *prima ressurectio,* la résurrection des corps ; la *secunda* l'admission des justes au paradis après le jugement dernier. Finé note que le mot *refrigerium* paraît déjà faire partie des prières liturgiques pour les morts au temps de Tertullien.

Ce dernier texte est particulièrement éclairant sur les anniversaires mortuaires. Non seulement sa manière de parler se rencontre avec celle de l'*Exhortatio castitatis,* puisque *offert annuis diebus* est égal à *oblationes annuas ;* mais encore elle n'est pas bien différente de celle du *De corona,* où on lit *oblationes annua die facimus;* bien plus, le *pro nataliciis* de ce dernier traité équivaut aux *dies annui* ou aux *oblationes annuae* des deux autres et est précisé par eux comme une célébration annuelle pour les morts à l'occasion de l'anniversaire de leur décès.

Il reste à préciser de quelle offrande annuelle il s'agit. C'est celle de l'eucharistie. Sur les presque cent emplois du verbe *offerre* et les treize du substantif *oblatio,* il faut retenir une dizaine de textes dans lequels ces mots ont ce sens[62]. *Offerre-oblatio* peuvent y être construits de manière absolue : *Ux.* 2, 8, 6; *Exh. cast.* 7, 3; *Virg. vel.* 9, 1; ou au contraire être déterminés par un complément : *Praescr.* 40, 4; *Cult. fem.* 2, 9, 2; 2, 11, 2. C'est dans l'une ou l'autre de ces deux catégories qu'il faut ranger les textes dans lesquels l'offrande est faite pour les morts. Les voici :

Cor. 3, 3 : Oblationes pro defunctis, pro nataliciis, annua die facimus (p. 1043, 22-23).

Exh. cast. 11, 2 : Stabis ergo ad dominum cum tot uxoribus, quot in oratione commemoras, et offerres pro duabus, et commendabis duas illas per sacerdotem de monogamia ordinatum aut etiam de uirginitate sancitum (p. 1031, 8-12).

Monog. 10, 4 : offert annuis diebus dormitionis suae (p. 1243, 25).

Pour confirmer le sens eucharistique de l'offrande en ces trois textes, il faut faire une double observation. Tout d'abord — sauf *Monog.* 10, 4, où toute allusion à un contexte cultuel fait défaut —, dans les deux autres l'offrande est placée dans un environnement évidemment liturgique : en *Cor.* 3, 3, sont énumérées tous les actes du culte chrétien auxquels, du fait de son baptême, le néophyte peut prendre part; en *Exh. cast.* 11, 2, Tertullien objecte au candidat au remariage les prières privées et publiques qu'il fait en mémoire de sa première épouse, ces dernières assurées par l'évêque en personne au sein de l'assemblée des fidèles. La deuxième observation concerne les offrandes funéraires avec lesquelles on a voulu parfois identifier celles en question dans nos trois

62. P. de Labriolle, « Tertullien était-il prêtre ? Observation », *Bulletin d'ancienne littérature et d'archéologie chrétiennes* 3 (1913) 174-177; *DACL* XII (1935) 28; E. Dekkers, *Tertullianus,* p. 239-240; G. Claesson, *Index Tertullianeus,* p. 1087-1088, 1074, note 59.

textes. Ces offrandes funéraires sont toujours présentées par Tertullien comme païennes et interdites aux chrétiens : ce n'est pas au moment où il fait la surenchère montaniste du christianisme qu'il pourrait attribuer aux chrétiens une coutume qui leur est interdite. On en conclura que le couple *offerre-oblatio,* même employé absolument, a valeur technique pour signifier l'eucharistie. Ce sens ne présente pas de difficulté, quand les mots sont précisés par un complément approprié.

3. *La théologie et le culte des martyrs*

a) *La théologie du martyre*

Le sens du mot martyr chez Tertullien est encore celui de l'étymologie. Notre auteur donne en effet ce nom aux chrétiens qui ont achevé leur témoignage par l'effusion de leur sang aussi bien qu'à ceux qui n'en sont qu'aux premiers pas de leur confession. Ce dernier sens est en particulier celui du mot dans le traité *Ad martyras* que Tertullien écrivit en 197/198 et dans lequel il s'adressait aux confesseurs emprisonnés : il leur donne le beau titre de *martyres designati* (*Mart.* 1, 1, p. 3, 2). C'est avec la même acception qu'il se retrouve en d'autres passages : *Praescr.* 3, 5 ; 4, 5 ; *Ux.* 2, 4, 2 ; *Marc.* 4, 10, 12 ; *Fug.* 12, 5 ; *Pud.* 22, 1 ; 22, 3 bis ; 22, 6 bis ; 22, 9. C'est, au contraire, le martyr achevé, couronné, vénéré, qui paraît, lorsqu'il est montré « victorieux », « couronné », « les palmes à la main » (*Scorp.* 1, 5 ; 12, 9, p. 1070, 14, 1093, 22-28 ; *Spect.* 29, 3, p. 251, 16).

Aussi bien ce dernier sens est-il déjà prégnant de la théologie du martyre que Tertullien a contribué à ébaucher à partir d'Apoc 6, 9-11 :

> Lorsque fut ouvert le cinquième sceau, j'aperçus sous l'autel les âmes de ceux qui furent égorgés pour la Parole de Dieu (τὰς ψυχὰς τῶν ἐφαγμένων διὰ τὸν λογὸν τοῦ θεοῦ) et le témoignage qu'ils avaient rendu (καὶ διὰ τὴν μαρτυρίαν ἥν εἰχεν). Ils se mirent à crier de toutes leurs forces : « Jusques à quand, Maître saint et vrai, tarderas-tu à faire justice, à tirer vengeance de notre sang sur les habitants de la terre ? » Alors on leur donna à chacun une robe blanche en leur disant de patienter encore un peu, le temps que fussent au complet leurs compagnons de service et leurs frères qui doivent être mis à mort comme eux.

Ce texte est utilisé par Tertullien à plusieurs reprises : *Or.* 5, 3 ; *An.* 8, 5 ; 9, 8 ; 55, 4 ; *Res. mort.* 25, 1 ; 38, 4 ; *Scorp.* 12, 9. En *Or.* 5, 2-3, le verset de l'Apocalypse est pour lui l'équivalent de la demande du Notre

Père : Que ton règne vienne. Car le règne définitif de Dieu sera inauguré par le jugement dernier, la punition des persécuteurs et la vengeance des martyrs. Le *De anima,* en revanche, se préoccupe de l'utiliser en vue de démontrer la corporéité et l'invisibilité de l'âme. Mais c'est une invisibilité relative, puisque « Jean, transporté en l'esprit de Dieu, a vu les âmes des martyrs » (*An*. 8, 5, p. 791, 31-32). La relativité s'explique par la double nature de l'homme, à la fois « intérieur » et « extérieur », mais un. Chaque nature a ses yeux, ses oreilles et ses autres organes. Ainsi s'explique que « le riche aux enfers ait une langue, le pauvre un doigt, Abraham un sein » et que « dans ces mêmes réalités il faille ranger les âmes des martyrs sous l'autel » (*An*. 9, 8, p. 794, 68-70). Quand il s'agit de localiser l'autel, Tertullien se demande :

> Est-ce dans l'éther (des philosophes) qu'il faut placer notre dernier sommeil ?… Pas du tout, mais au paradis. C'est là qu'ont émigré déjà, depuis les enfers, les patriarches et les prophètes à la suite du Seigneur ressuscité. Sinon, comment Jean aurait-il pu avoir la révélation spirituelle du paradis comme d'une région placée sous l'autel, où il n'a vu nulle autre âme que celle des martyrs ? (*An*. 55, 4, p. 862, 25-31).

Expliquant ailleurs la suite des temps qui précèdent le jugement dernier selon l'Apocalypse, il rappelle que, pour que puisse être exaucée la prière des martyrs dont les âmes sont placées sous l'autel, il faut, qu'au préalable, soit vidée jusqu'à la lie la coupe des sept fléaux, détruite pour son châtiment la cité de prostitution, déclarée la guerre à l'Église par l'Antéchrist et son faux prophète (*Res. mort*. 25, 1, p. 953, 2-3). Continuant sa démonstration par la résurrection de la chair, Tertullien s'ingénie à montrer que celle-ci aurait pu s'appliquer à la rigueur à la seule âme, encore que corporelle. Qui pourrait douter que Dieu n'eût pu le faire ?

> Ils connaissent Dieu très mal, en effet, ceux qui ne savent pas qu'il peut faire ce à quoi ils ne songent pas. Toutefois ils savent qu'il le peut, s'ils connaissent le livre de Jean. Il y a mis sous les yeux du voyant les âmes des martyrs qui, seules jusqu'à présent, reposent sous l'autel. De même pourrait-il révéler à nos yeux ceux qui, non encore revêtus de chair, vont ressusciter (*Res. mort*. 38, 4, p. 971, 11-15).

De tous ces textes se dégage l'ébauche d'une théologie du martyre : la mort violente pour la foi, en témoignage de fidélité à l'engagement au Christ, mérite au martyr l'entrée immédiate au paradis auprès du Seigneur ; leurs âmes y jouissent déjà du bonheur définitif, en attendant que leurs corps y soient associés par la résurrection[63].

b) *Le culte des martyrs*

Dans quelle mesure cette théologie du martyre a-t-elle entraîné le culte des martyrs dans la pratique de l'Église de Carthage au temps de Tertullien ?

Un premier élément de réponse est dans la statistique martyrologique qui peut être dressée à partir des œuvres de Tertullien. Il cite les martyrs du Nouveau Testament, Pierre, Paul, Jacques, Jean, les apôtres, Antipas[64].

Il parle aussi du philosophe Justin : *Iustinus philosophus et martyr (Val.* 5, 1, p. 756, 11). Il est intéressant de noter qu'il connaît l'apologiste, dont il utilise les ouvrages, comme martyr; plus intéressant encore de souligner que lui, le Carthaginois, il connaît comme tel un Romain qui ne figure pas dans les annales martyrologiques de l'Église romaine, pas plus que de l'Église de Carthage[65]. Comment dès lors cette connaissance est-elle parvenue jusqu'à lui ? Harnack disait qu'elle « lui était arrivée, avec les œuvres (de Justin), par le canal d'une tradition ecclésiastique »[66]. Quelle était la nature exacte de cette tradition ? Qu'elle eût été cultuelle, et que le qualificatif de martyr que Tertullien lui donne eût été un titre de culte, je ne le crois pas, en raison de l'absence de toute attestation cultuelle contemporaine. Cette tradition me semble avoir été littéraire, comme Harnack lui-même paraît le suggérer : *mit den Werken*. Elle vise apparemment à renforcer l'autorité du philosophe par le prestige du martyr. Quant à l'origine de cette tradition littéraire, elle pourrait être romaine. L'*Aduersus haereses* du pseudo-Tertullien, en effet, qualifie lui aussi Justin de martyr (*Haer*. 7, 1, p. 1409, 10). S'il est vrai que ce traité doive être attribué au pape Zéphyrin (198/199-217), nous tiendrions là, sinon l'intermédiaire entre Rome et Tertullien, du moins un témoin de cette tradition romaine à laquelle Tertullien aurait parallèlement puisé. Quoi qu'il en soit, Justin

---

63. H. FINE, *Die Terminologie der Jenseitsvorstellungen*, p. 224-231.
64. *Scorp*. 12, 1 et 7, p. 1092, 9-10, et 1093, 12-13.
65. H. DELEHAYE, *Les origines du culte des martyrs*, p. 262-263, 400-401.
66. A. HARNACK, « Tertullians Bibliothek kirchlicher Schriftsteller », p. 321, note 1.

ne peut être rangé parmi les martyrs dont Carthage célébrait les fastes au temps de Tertullien.

Des martyrs africains, Tertullien en connaît quatre. Mavilius d'Hadrumète (act. Sousse, Tun.) est cité dans le pamphlet adressé au proconsul Scapula. Un des prédécesseurs du magistrat l'avait condamné aux bêtes : *cum Adrumeticum Mauilium idem Caecilius (Capella) ad bestias damnasset (Scap.* 3, 5, p. 1129, 32-33). Un Rutilius, qui s'était d'abord soustrait à la persécution, voire aux recherches, et qui avait été livré finalement aux flammes, est mentionné dans *Fug.* 5, 3 : *Rutilius sanctissimus martyr, cum totiens fugisset de loco in locum, etiam periculum, ut putabat, nummis redemisset, ... datus ignibus ... passiones ... retulit* (p. 1142, 25-30). Quant à Pristinus, son martyre est contesté par Tertullien : mais la contestation vient de Tertullien montaniste et porte sur un martyr apparemment catholique; il lui reproche d'être un rénégat : *ille Pristinus uester non christianus martyr ... in ipsa negatione discessit (Iei.* 12, 3, p. 1271, 30-32, 9).

Mais le cas le plus intéressant est celui de Perpétue. Le *De anima* la cite en raison de ses visions. Celles-ci sont invoquées comme preuve de la visibilité relative des âmes dans un texte que j'ai cité précédemment[67] et que suit ici le passage se référant aux visions de Perpétue :

> Comment Perpétue, la courageuse martyre, aurait-elle pu avoir, à l'approche du jour de sa passion, la révélation du paradis et n'y apercevoir que les seuls martyrs, sinon parce que cette épée de feu, gardienne du paradis, n'en cède l'entrée à nul autre qu'à ceux qui sont morts dans le Christ et non en Adam? (*An.* 55, 4, p. 862-863, 32-35).

Tertullien connaît donc la *Passio Perpetuae*. Je m'explique. L'allusion qu'il y fait dans la citation ne permet pas de conclure quelle recension, parmi celles qui nous sont parvenues, il avait déjà entre les mains. Pour le savoir, ce n'est pas le *De anima,* mais la *Passio* qu'il faut examiner.

La critique du *De anima* est décevante. Selon une opinion à laquelle Dom Henri Leclercq avait donné de la publicité, en *An.* 55, 4, Tertullien confondrait les visions de Perpétue et de Saturus, se réfèrerait inconsciemment aux chapitres 4, 8, et 11, 5-9, voire 13, 10 b, de la *Passio,* et donnerait ainsi la preuve que cette dernière existait déjà de son temps

67. Cf. *supra,* p. 74.

sous sa forme actuelle[68]. En fait, l'opinion est appuyée sur une lecture du texte de Tertullien, qui n'a pas été retenue dans les éditions critiques[69]. Cette base textuelle venant à manquer, l'opinion elle-même ne tient plus. Il me semble donc suffisant d'interpréter le passage de Tertullien dans la même ligne que les autres qui s'inspirent d'Apoc. 6, 9[70]. Cela me paraît d'autant plus vraisemblable que ce texte scripturaire précisément est immédiatement suivi en *An.* 55, 4, par le renvoi à la *Passio Perpetuae*. Cela veut dire, si je lis bien Tertullien, que les martyrs de ce passage du *De anima* ne sont autres que ceux vus par Jean dans l'Apocalypse, c'est-à-dire les martyrs en général et non les compagnons de Perpétue. Dans ces conditions, les *candidati* eux-mêmes de la *Passio Perpetuae,* 4, 8, ne sont pas les martyrs de Carthage, mais ceux de l'Apocalypse, en sorte que le récit hagiographique lui aussi se rapporte implicitement à Apoc 6, 9, ou un autre lieu parallèle. Le seul indice positif qu'il faut retenir du *De anima,* est celui de sa date, 208-211, à laquelle Tertullien connaissait, à l'état brut ou incorporée à la compilation de la *Passio,* la vision, faite par Perpétue, du pasteur et des martyrs vêtus de blanc.

Que nous dit donc d'elle-même la *Passio Perpetuae ?* Retenons tout de suite un autre indice chronologique. Les martyrs sont morts le 7 mars 203. La date résulte de divers indices externes et internes à la *Passio* et est aujourd'hui généralement reçue. Il en est de même de l'idée qu'on se fait des recensions dans lesquelles le récit de leur martyre nous est parvenu : *BHL* 6633 est le texte original dont dépendent la traduction grecque *BHG* 1482 et les Actes abrégés *BHL* 6634-6636[71]. C'est donc, selon toute vraisemblance, à cette version originale que Tertullien s'est référé.

---

68. *DACL* XIV (1939) 427, qui cite pour s'en inspirer P. de LABRIOLLE, « Tertullien auteur du prologue et de la conclusion de la Passion de Perpétue », *Bulletin d'ancienne littérature et d'archéologie chrétiennes* 3 (1913) 126-132 ; ID., *La crise montaniste* (Paris, 1913), p. 345-353 ; C. VAN BEEK, *Passio SS. Perpetuae et Felicitatis,* p. 92-96. Cf. aussi J. H. WASZINK, *Q. S. Fl. Tertulliani De anima,* p. 561-562.

69. La lecture d'H. Leclercq : *solos illic commartyres suos uidit* est celle de l'édition de Gelenius (Bâle, 1550), alors que le *Corpus christianorum* a retenu celle du codex Agobardinus, Paris, *Latin 1622,* fol. 162, du IXe siècle : *solos illic martyres uidit.*

70. Cf. *supra,* p. 74. Parmi les citations bibliques d'*An.* 55, 4, il faut ajouter Gen 3, 24, à Apoc 6, 9.

71. C. VAN BEEK, *Passio SS. Perpetuae et Felicitatis,* p. 84-91, 104-105; A. FRIDH, *Le problème de la Passion des saintes Perpétue et Félicité,* p. 80-83.

Mais sous quelle forme l'a-t-il connue ? Ses éléments étaient-ils encore à l'état brut ou déjà réunis en une compilation unique, voire dans la compilation actuelle ? En admettant cette dernière hypothèse, à quel titre l'a-t-il connue : comme auteur ou comme lecteur ? Si c'est comme lecteur, était-ce par ses lectures privées ou pour l'avoir entendu lire à la réunion liturgique de l'anniversaire ? Dans ce dernier cas, nous tiendrions une preuve du culte que l'Église de Carthage rendait en son temps aux martyrs du 7 mars 203. On conviendra que cet enchaînement de suppositions ne vaut pas une preuve. Il a du moins l'intérêt de poser la question sous ses divers aspects.

On sait que la *Passio Perpetuae* est faite d'éléments de diverses provenances : 1) les visions de Perpétue (ch. 3-10) et de Saturus (ch. 11-13), qui sont de la propre main de chaque martyr ; 2) le récit du martyre lui-même, l'introduction et la conclusion du tout (ch. 1-2, 14-22), qui sont du compilateur. Celui-ci « n'est pas identifiable à Tertullien, mais a pu être son contemporain et son compatriote » et doit être un personnage cultivé de l'Église de Carthage, quelque peu enclin aux idées pré-montanistes sur la prophétie et le martyre[72]. Il est donc déjà possible de répondre à une des questions précédentes : Tertullien a connu la *Passio,* non comme auteur, mais comme lecteur.

Il ressort du prologue et de l'épilogue de celle-ci que le compilateur la destinait à la lecture publique et sans doute liturgique. Il compare, en effet, aux livres saints canoniques les écrits hagiographiques. Bien plus, il appelle ces derniers *instrumentum ecclesiae,* titre que Tertullien, de son côté, donne à la Bible. En outre, il affirme expressément que « leur lecture célébrera la gloire de Dieu » et servira « à l'édification de l'Église »[73]. Dès lors, je ne pense pas qu'on puisse sérieusement mettre en doute que l'Église de Carthage ait effectivement utilisé ce texte au cours de la synaxe de la fête, et cela probablement dès l'époque où il a été rédigé. Comme Tertullien se réfère aux visions de Perpétue en

72. A. FRIDH, *Le problème de la Passion des saintes Perpétue et Félicité,* p. 45.

73. *Passio Perpetuae*, 2 : ad instrumentum ecclesiae deputamus ... et ad gloriam Dei lectione celebramus ; ... et qui nunc cognoscitis per auditum, communionem habeatis cum sanctis martyribus et per illos cum D. I. C. (J. A. ROBINSON, *The Passion of St. Perpetua,* p. 62) ; fin : « utique et haec minora ueteribus exempla in aedificationem ecclesiae legere debet (*Ibid.*, p. 94). Cf. A. HARNACK, « Tertullians Bibliothek », p. 304-305. Sur la lecture liturgique de l'Écriture, cf. P. GLAUE, « Die Vorlesung heiliger Schriften bei Tertullian » ; V. SAXER, *Saints anciens d'Afrique du Nord,* p. 39-57.

208-211, c'est donc vraisemblablement dans la compilation *BHL* 6633 qu'il les a entendues lire pendant l'office. Aussi pensé-je répondre aussi aux autres questions et pouvoir affirmer l'existence du culte de ces martyrs dans les dix ans qui suivirent leur mort. Il me semble devoir préciser que ce culte ne me paraît alors attesté que dans la ville de Carthage.

Je voudrais ajouter un mot au sujet d'un autre texte hagiographique qui me paraît se trouver dans une situation analogue : les *Acta martyrum Scilitanorum*. Les indices de leur usage cultuel sont plus ténus, il est vrai, mais sortent, je crois, renforcés de la comparaison de ce texte avec celui qui concerne Perpétue. Certains détails rédactionnels donnent à penser que les *Acta* étaient aussi destinés à la lecture liturgique[74]. Si, comme il semble, ils appartenaient déjà à leur rédaction primitive, on en conclura que l'usage de cette lecture existait en Afrique, ou du moins à Carthage, dès la fin du IIᵉ siècle.

Même si l'anniversaire des martyrs ne comportait à Carthage au temps de Tertullien aucune autre solennité que la lecture de leur Passion, il est évident que ce seul détail contribuait à faire de cet anniversaire une fête communautaire, à laquelle les envolées lyriques du prologue et de l'épilogue de la *Passio Perpetuae* non moins que la sobre éloquence des *Acta Scilitanorum* suffisaient à donner un ton triomphal.

Il reste à considérer un dernier de texte de Tertullien à propos des martyrs. Il dit en effet que « la Sagesse est chantée par des hymnes aux décès, car on chante le décès des martyrs » (*Scorp*. 7, 2, p. 1081, 5-6). J'avais autrefois interprété ce texte de leurs funérailles en le rapprochant du passage des Actes du martyre de Cyprien qui raconte ses obsèques[75]. Je remets en question mon interprétation, car le texte de Tertullien est en réalité une citation biblique : Σοφία έν ἐξόδοις ὑμνεῖται (Prov 1, 20).

---

74. Indication de la date : Praesente bis et Condiano conss. XVI. Kal. Aug. Écho des coutumes liturgiques, l'acclamation des martyrs à l'écoute de leur condamnation : Deo gratias. Preuve d'un usage liturgique effectif, la doxologie finale : et regnant cum Patre et Filio et Spiritu sancto per omnia saecula saeculorum. Amen. Enfin, confirmation du fait que cette lecture existait sans doute déjà au temps de Cyprien, citation presque textuelle des *Acta Scilitanorum* dans une réponse de Cyprien au cours de son propre interrogatoire. Réponse de Speratus à Saturninus : « Dans une si juste cause, point n'est besoin de réflexion ». Réponse de Cyprien à Maximus Galerius : « Dans une si juste cause, toute réflexion est superflue ». Cf. J. A. ROBINSON, *Ibid.* Appendice : The Acts of the Scillitan martyrs, p. 116; pour les *Acta Cypriani*, cf. *CSEL* 3/3, p. cxii, 20-21; V. SAXER, *Saints anciens d'Afrique du Nord*, p. 31-34.

75. V. SAXER, *Vie liturgique*, p. 304.

Tertullien comprend le mot ἔξόδος, non en son sens obvie ici de sortie ou de rue, mais au sens figuré de décès. Si donc la mort des martyrs est chantée, Tertullien ne dit pas que ce soit à l'occasion de leurs funérailles comme elles se célébraient en son temps, il découvre le fait dans le verset des Proverbes. Le texte de *Scorp*. 7, 2, est donc à rayer du dossier des coutumes liturgiques de son temps.

*
* *

Pour établir le bilan de cette enquête, je crois utile de faire le relevé des citations de Tertullien qui se trouvent dans mon exposé et qui concernent les croyances et le culte funéraires. Je les distingue, d'une part selon des traités d'où elles proviennent, d'autre part selon le témoignage qu'elles portent sur le culte en indiquant des idées ou des rites païens, neutres, chrétiens. Cette statistique suppose évidemment qu'aucun texte important ne m'ait échappé. J'espère qu'il en est ainsi.

Dans ce tableau, deux premières constatations peuvent se faire, qui sont majeures. Horizontalement, *Res. mort.* avec 22 citations, *An.* avec 19, laissent loin derrière eux même leurs suivants les plus proches. Verticalement, les témoignages se concentrent massivement dans les colonnes extérieures, un petit dixième restant pour la colonne médiane. Ces faits visualisent l'hétérogénéité des cultes funéraires païen et chrétien, sans réussir à masquer l'existence entre eux d'une frange intermédiaire neutre. J'y ajoute une constatation mineure : le nombre des témoignages sur les rites chrétiens est supérieur d'un bon dixième à celui qui concerne les rites païens. Comment peuvent s'expliquer ces faits ?

Le témoignage de Tertullien sur les rites païens est, non seulement celui d'un étranger, mais d'un adversaire : il nous informe, parce qu'il critique ; et pour critiquer, il s'est tout d'abord informé. Un exemple de cette information suffit : pour écrire son *De corona,* il a consulté et utilisé, voire cité, le *De coronis* de Claudius Saturninus. Une contre-épreuve de sa documentation pourrait se trouver dans bon nombre d'études actuelles sur les institutions cultuelles païennes : les citations de Tertullien y sont toujours en bonne place. Ce souci de l'exactitude n'exclut pourtant pas les procédés de la polémique : il suffit de se souvenir de la manière dont il traite les employés des

TRAITÉS	RITES PAIENS	RITES NEUTRES	RITES CHRÉTIENS	TOTAUX
An.	7	1	11	19
Apol.	4	2	2	8
Bapt.			1	1
Carn. Chr.			2	2
Cor.	7		2	9
Cult. fem.	1			1
Exh. cast.	1		3	4
Fug.			2	2
Idol.	5	1		6
Iei.	1	2	3	6
Iud.	1		4	5
Marc.	1		10	11
Mart.			1	1
Monog.			6	6
Nat.	8			8
Or.			1	1
Pall.	1			1
Pat.			2	2
Prax.			3	3
Pud.			5	5
Res. mort.	4	6	12	22
Scap.			2	2
Scorp.	1		4	5
Spect.	12			12
Test. an.	5			5
Ux.	1	1		2
Val.			1	1
TOTAL	60	13	77	150

pompes funèbres, encore que, ce faisant, il aille curieusement dans le sens d'une tradition antérieure. On peut néanmoins se demander s'il ne lui est pas arrivé de charger parfois les couleurs de son tableau.

En ce qui concerne les rites chrétiens, il faut d'abord souligner le caractère à part du témoignage de l'*Apologétique*, singulièrement de son chapitre 39, où se trouve le seul exposé systématique, encore que schématisé, du culte chrétien, que nous ayons de la main de Tertullien. L'exposé prend sa place traditionnelle dans l'apologétique chrétienne du IIe siècle, comme en témoigne Justin dans les chapitres 65 à 67 de sa *Première Apologie*. Tous les autres passages de Tertullien, relatifs au culte funéraire chrétien, sont habituellement furtifs, allusifs et occasionnels.

Parmi les autres traités, deux à eux seuls accaparent près du tiers des témoignages : ce sont le *De resurrectione mortuorum* et le *De anima*. Il ne faut pas s'en étonner : les sujets qu'ils développent sont, en effet, en rapport direct avec le culte des morts dont ils expliquent les fondements. Cependant, même les citations qui en proviennent sont de caractère allusif. On a expliqué cette discrétion de Tertullien par la discipline de l'arcane[76]. L'explication vaut sans doute pour les rites funéraires dans la mesure où ils impliquaient la célébration de l'eucharistie et rappelaient l'initiation baptismale. Mais il ne semble pas qu'il faille trop presser cet argument à propos de Tertullien : non seulement les Africains de son temps ne célébraient pas l'eucharistie à l'enterrement, mais encore la terminologie et la théologie de la mort du chrétien, considérée comme une participation à la Pâque du Seigneur[77], sont complètement absentes du vocabulaire et de la pensée de notre auteur[78]. C'est pourquoi, je serais tenté de donner une autre explication du caractère allusif des déclarations de Tertullien concernant le culte chrétien des morts : il en parle à des chrétiens, ceux-ci savent fort bien de quoi il leur parle, aussi n'est-il nullement nécessaire qu'il entre avec eux en de nombreux détails, ils le comprennent à demi mot.

Une dernière remarque concerne la légère supériorité des témoignages sur les rites chrétiens en comparaison des rites païens. Cette supériorité numérique serait-elle due à un des éléments qui différencie le plus clairement le culte chrétien du culte païen des morts, à

76. P. Batiffol, *Études d'histoire et de théologie positive. Première série*, 7e éd. (Paris, 1926), p. 19-24 ; E. Dekkers, *Tertullianus*, p. 78-83.

77. A. G. Martimort, « Comment meurt un chrétien », *La Maison-Dieu*, n° 44 (1955) 9-13.

78. Chr. Mohrmann, « Pascha, passio, transitus », *Ephemerides liturgicae* 66 (1952), 37-52, et *Études sur le latin des chrétiens*, 1 = *Storia e Letteratura*, 65 (Rome, 1958) 211-222.

savoir la place à part que l'on commence à réserver parmi ces derniers aux martyrs ? Cette concomitance trahirait-elle un rapport de cause à effet ? Je n'ose répondre par l'affirmative à cette question, car en dehors de la lecture de leur passion au jour de leur anniversaire, je n'ai pas l'impression qu'ils soient déjà l'objet d'une autre mise en relief cultuelle.

Chapitre II

LE TÉMOIGNAGE DE CYPRIEN SUR LE CULTE FUNÉRAIRE ET MARTYROLOGIQUE

Considéré en lui-même, le témoignage de Cyprien, lui aussi, ne révèle pas de traces d'une évolution des rites funéraires durant son épiscopat. Tout au plus peut-on dire que ceux-ci apparaissent à travers ses écrits au fur et à mesure que les charges de son ministère lui donnent l'occasion d'intervenir à leur sujet. Par contre, comparé avec celui de Tertullien, le témoignage de Cyprien montre, dans le rituel funéraire, un équilibre différent de ses composantes, en même temps que l'apparition d'éléments nouveaux, sans que cette apparition dans les textes puisse être considérée comme synonyme de création dans les faits.

Pour Cyprien, en effet, on distingue déjà mieux entre culte des morts et culte des martyrs. J'ai fait l'analyse de l'un et l'autre il y a dix ans [1]. C'est sur ce travail, mis à jour, que j'appuie mon exposé d'aujourd'hui. Mais avant de l'entreprendre, je voudrais esquisser brièvement en quelles occasions Cyprien s'exprima sur ce double culte.

I. Chronologie cyprianique

A plusieurs reprises, Cyprien eut à rappeler les préceptes chrétiens et les règlements ecclésiastiques qui devaient inspirer aux fidèles, particulièrement en temps de persécution, leurs sentiments et leur attitude en présence de la mort.

1. V. Saxer, *Vie liturgique*, p. 274-324.

1. *Cyprianica*

Dès 248-250, Cyprien avait constitué dans les *Testimonia ad Quirinum* deux dossiers de textes bibliques, l'un sur la mort, l'autre sur le martyre [2]. Mais ils nous renseignent sur la conception que se faisait Cyprien de l'une et de l'autre, plutôt que sur les rites funéraires et martyrologiques de son Église.

La correspondance de l'évêque pendant la persécution de Dèce, au contraire, contient sur les deux sortes de rites d'utiles renseignements : ce sont les *Lettres* 8 du clergé de Rome à celui de Carthage, 12 à 14 de Cyprien au clergé et aux confesseurs de sa propre ville [3].

La peste de 252 lui donna l'occasion de joindre l'exemple à l'exhortation. Son biographe Pontius raconte de lui qu'il se dépensa sans compter, sans faire acception de personne ni de religion, organisant les secours pour les survivants, procurant aux morts la sépulture. Sous son impulsion,

> le bien se faisait, avec une surabondance de bonnes œuvres, à l'égard de tous, et pas seulement envers ses frères dans la foi (PONTIUS, *Vita Cypriani,* 10, p. c, 19-21).

Pour la compréhension exacte de ce texte, il faut remarquer l'usage que fait le biographe de deux textes scripturaires. D'une part, il cite implicitement Gal 6, 10, mais en renversant le précepte paulinien qui s'énonce : « Pratiquons le bien à l'égard de tous et surtout à l'égard de nos frères dans la foi ». D'autre part, il compare l'action de Cyprien à celle de Tobit ensevelissant les morts (Tob 2, 3-8). En s'excusant de trouver l'exemple de son héros supérieur au biblique et en renversant, pour le prouver, la citation paulinienne, Pontius suggère que Cyprien se préoccupait de faire ensevelir aussi bien les païens que les chrétiens.

En ce temps d'épreuves, ses exhortations ne manquèrent pas non plus (PONTIUS, *Ibid.* 9, p. XCIX, 19ss.). Il est probable que son *De mortalitate* en conserve quelques-unes [4]. En tout cas, le traité fut

---

2. Mort : *Quir.* III, 17 et 58. — Martyre : *Quir.* III, 6, 10-11, 16-20, 26-27.
3. L. DUQUENNE, *Chronologie des lettres,* p. 64-75. Les lettres en question se suivent après le 20 janv. et en mars-avril 250 dans l'ordre suivant : 8, 14, 13, 12.
4. P. MONCEAUX, *Histoire littéraire de l'Afrique chrétienne*, t. 2, p. 303-304.

composé pendant que l'épidémie continuait ses ravages : *praesentis mortalitatis* (*Mort.* 1, p. 17, 2-3), *in praesenti mortalitate* (*Ibid.* 17, p. 25, 278). Le stoïcisme chrétien s'y épanouit en espérance de la résurrection. Du même coup s'entrevoient certains traits des coutumes funéraires chrétiennes : comparé aux autres traités cyprianiques, le *De mortalitate* est celui qui a fourni les renseignements les plus nombreux sur ce sujet.

De nouvelles menaces de persécution lui inspirent la lettre aux chrétiens de Thibar au temps de la persécution de Gallus : c'est l'Épître 58. Luc Duquenne la montre contemporaine de l'*Ep.* 57, elle-même adressée à Corneille et qui doit être antérieure à la mort du pape (été 253)[5]. La *Lettre* 58 est une belle exhortation au martyre[6].

Quant à la *Lettre* 1 qui est rangée parmi les écrits disciplinaires et généralement datée d'avant la persécution de Dèce, j'ai tâché de préciser, par le moyen de l'analyse littéraire et de son objet, les circonstances historiques dans lesquelles elle vit le jour, au concile de Pâques 257[7]. Elle rappelle la législation ecclésiastique africaine sur le droit des morts aux suffrages de l'Église.

La dernière persécution dicta à Cyprien quelques écrits importants pour notre sujet. D'abord, à l'avis de son dernier éditeur, l'exhortation au martyre *Ad Fortunatum*. Le destinataire serait à identifier avec l'évêque de ce nom qui résidait à Thuccabor (Toukabeur, Tun.)[8]. Cyprien écrivit aussi quelques lettres, les dernières du recueil qu'on en a constitué. Il y a celle qu'il envoya aux confesseurs numides et qui lui valut de leur part des réponses aussi touchantes que maladroites : ces *Lettres* 76, 77-79, jettent une vive lumière sur le niveau culturel moyen des collègues africains de l'évêque de Carthage. L'une d'elles a, en outre, un intérêt bibliographique. En effet, la *Lettre* 77, 2 (p. 834, 18-19) nous informe que, dès la fin de 257, circulait parmi les condamnés aux mines de Numidie un exemplaire du procès verbal de la comparution de Cyprien devant le proconsul Paternus *(acta proconsulis)*, le 30 août 257. L'aggravation de la persécution pendant l'été 258 nous vaut les deux dernières

---

5. L. DUQUENNE, *Chronologie des lettres*, p. 38.
6. V. SAXER, *Vie liturgique*, p. 270-273 ; *Saints anciens d'Afrique du Nord*, p. 66-67, 72-82.
7. V. SAXER, « La date de la Lettre 1 ».
8. *Sent. epp.* 17, p. 444, 1-6.

épîtres cyprianiques : *Ep*. 80, 1 (p. 839-840), nous informant sur les dispositions des nouveaux édits impériaux contre les chrétiens et sur la mort récente, le 6 août 258, du pape Sixte II; *Ep*. 81 (p. 841, 6-9), dans laquelle Cyprien déclare sa volonté de mourir à Carthage au milieu de son peuple et prend congé de ses diocésains avant le martyre.

2. *Pseudo-Cyprianica*

Il reste à examiner le cas de trois écrits qui ont été parfois attribués à Cyprien, mais à tort. Je m'y arrête en raison de l'usage erroné qui en a parfois été fait.

Le *De laude martyrii* est une exhortation au martyre qui est dans le genre et assez proche par l'inspiration de celles de Cyprien. On l'a datée de 253, parfois même attribuée à Pontius, le diacre et biographe de Cyprien [9].

Par contre, il faut écarter de notre documentation l'*Epistola ad Turasium* publiée à la suite de la correspondance de saint Cyprien dans l'édition des Mauristes et parmi ses œuvres douteuses dans celle de Hartel. Elle paraît avoir pour auteur, Celestius, le disciple de Pélage [10]. Elle relève en réalité du genre littéraire bien connu des lettres de condoléances.

Quant au traité *De duplici martyrio,* il est encore cité dans certains manuels d'archéologie comme un texte de l'antiquité, voire utilisé comme tel en des études d'histoire religieuse [11]. Il faut le bannir, non seulement du dossier cyprianique, mais encore de la littérature africaine antique : ce n'est qu'un habile pastiche scolaire, dû à la plume d'Érasme et passé indûment sous le nom de Cyprien [12].

Quels sont les informations que nous donnent les textes authentiques sur le culte des morts et des martyrs en Afrique au temps de Cyprien ?

---

9. H. KOCH, *Cyprianische Untersuchungen*, p. 334-357.
10. *CPL* 64.
11. P. TESTINI, *Le catacombe*, p. 45 ; A.C. RUSH, *Dead and Burial*, p. 148.
12. Fr. LEZIUS, « Der Verfasser des pseudo-cyprianischen Traktates 'De duplici martyrio'. Ein Beitrag zur Charakteristik des Erasmus », *Neue Jahrbücher für deutsche Theologie*, 4 (1895) 95-110, 184-243.

II. Le culte des morts

Les soins à donner aux morts figurent parmi les œuvres de miséricorde. Cyprien a donné l'exemple de leur pratique au cours de l'épidémie de 252. Il y exhorte ses fidèles dans les mêmes circonstances (*Mort*. 10, p. 21-22, 151-165). Pourtant, c'est à l'occasion de la persécution de Dèce que sa correspondance se fait plus précise.

1. *Les funérailles des morts*

a) *Cura corporum*

Une première lettre émane du clergé de Rome. Les Romains font la leçon aux Carthaginois et, à travers eux, à leur évêque qui s'est soustrait à la persécution on ne sait où dès les premiers temps de 250. Ils recommandent à leurs correspondants de s'occuper de tous dans les difficultés du moment :

> Le plus grave concerne les martyrs et les autres défunts. S'ils ne sont pas ensevelis, un grand péril menace ceux à qui en incombe le devoir. Aussi, quiconque parmi vous aura saisi toutes les occasions d'accomplir cette bonne œuvre, sera, nous en sommes persuadés, jugé bon serviteur. De la sorte, pour avoir été fidèle en de petites choses, il sera établi sur dix cités (cf. Lc 19, 17). Fasse donc Dieu qui accorde tout à ceux qui espèrent en lui, que nous soyons tous trouvés occupés à ces bonnes œuvres (*Ep*. 8, 3, p. 448, 3-10).

Dans une autre lettre, c'est Cyprien lui-même qui intervient dans le même sens. Après avoir demandé à son clergé de veiller sur les confesseurs incarcérés, il en vient à parler des soins à donner à ceux qui meurent en prison :

> Pareillement, les corps de tous ceux qui, même sans tortures, meurent néanmoins d'un glorieux trépas doivent être l'objet d'une attention et d'un soin particuliers... (*Ep*. 12, 1, p. 502, 15-18).
>
> ... Certes, Tertullus, notre frère très fidèle et dévoué, au milieu des soucis et des soins que lui imposent les services de

> tout genre qu'il rend aux frères, ne manque pas de s'occuper aussi là-bas des corps des défunts (*Ibid.* 2, p. 503, 16-19).

Qu'il me soit permis de répéter ce que j'ai écrit jadis des traits remarquables à relever dans ces lettres. Le culte des morts préoccupe autant le clergé de Rome[13] que l'évêque de Carthage. Celui-ci semble surtout s'attacher à faire une sépulture convenable aux martyrs et aux confesseurs défunts ; mais il est évident que, si la *cura* qui leur est due est dite *propensior,* elle est supposée accordée aussi, toutes proportions gardées, aux morts ordinaires. Enfin, le terme propre dont Cyprien se sert pour désigner les derniers devoirs à rendre aux morts est le mot *cura*. Dans ce sens il est habituellement déterminé par un complément : *corporibus curam impertire,* ou simplement : *cura corporum*. Plus tard, Augustin le fera figurer dans le titre du traité qu'il consacrera au culte des morts : *De cura pro mortuis gerenda*.

b) *Indicia maeroris*

Cyprien a parlé à deux reprises des manifestations extérieures que les chrétiens de son temps donnaient à leur deuil devant la mort d'un être cher.

Dans le *De lapsis,* il reproche aux apostats d'avoir moins de peine pour la mort de leur âme que pour le décès de leurs proches. Voici comment il s'adresse à une chrétienne qui a renié la foi au cours de la persécution de Dèce :

> Si une issue mortelle t'avait fait perdre quelque être cher parmi les tiens, tu te lamenterais avec douleur et tu pleurerais : ton visage sans soins, tes vêtements changés, ta coiffure négligée, ton air sombre, ton regard abattu montreraient ton deuil. Mais, malheureuse, c'est ton âme que tu as perdue ! Morte en esprit, tu te pavanes en portant ton deuil ; tu ne

---

13. Ce qui ne doit pas nous étonner de Rome où l'Église avait créé le cimetière communautaire de Calixte et où était prévue la prise en charge de l'inhumation des pauvres par la communauté.

HIPPOL. *Elenchos,* IX, 12 : παὶ μεταγαγῶν ἀπὸ τοῦ ᾽Ανθείου εἰς τὸ κοιμητήριον κατέστην (*GCS, Hippolytus,* III, p. 248, 15-16). — HIPPOL. *Trad. ap.* 40 : On n'imposera pas une lourde charge pour enterrer dans les cimetières, car c'est la chose des pauvres (éd. B. Botte, p. 87).

pleures pas amèrement, tu ne gémis pas sans discontinuer, tu ne caches ni la honte de ton crime ni le retard de tes lamentations ! Voilà les pires blessures du péché, les fautes les plus graves : pécher sans satisfaire, fauter sans pleurer sa faute (*Laps*. 30, p. 238, 600-609).

Bien que cette description soit directement celle de la pénitence pour le péché, elle évoque indirectement la peine pour un décès. Dans le *De mortalitate,* au contraire, la peinture est directe, mais plus générale, sauf sur un point, et cède le pas à l'exhortation morale. Cyprien met l'avertissement qu'il donne sur le compte de révélations qu'il a reçues de Dieu : *nobis reualatum est... de Dei dignatione*. Puis il continue :

Nos frères ne doivent pas être pleurés quand l'appel du Seigneur les a libérés du siècle. Nous savons, en effet, qu'ils ne sont pas perdus mais partis *(non amitti sed praemitti),* en nous laissant ils nous précèdent *(recedentes praecedere).* Comme les nôtres qui partent en voyage ou prennent la mer, ils peuvent nous donner du regret, ils ne doivent pas causer notre deuil *(desiderari eos debere non plangi).* Aussi n'avons-nous pas à prendre ici des vêtements noirs, alors qu'eux là-bas ont déjà revêtus des robes blanches. Ne donnons pas occasion aux reproches justifiés et légitimes des païens, à savoir que nous pleurons comme disparus et perdus ceux que nous disons vivre auprès de Dieu (*Mort*. 20, p. 28, 337-344).

Un peu plus loin dans le même traité, c'est au survivant, promis au même destin, que Cyprien renouvelle ses conseils :

Celui qui est destiné à se présenter devant le trône de Dieu, à entrer dans la clarté du royaume des cieux, ne doit donc ni pleurer ni se plaindre, mais, conformément à la promesse du Seigneur, conformément à la foi en la vérité, il doit bien plutôt se réjouir de son départ proche et de son transfert (*Ibid*. 22, p. 29, 380-383).

Si nous comparons ces textes entre eux, il convient d'y séparer la description de l'exhortation. Les éléments descriptifs concordent, se complètent, se précisent. « Les gémissements et les pleurs » *(ingemisceres et fleres)* du *De lapsis* répondent aux « lamentations » *(lugendos, plangi, lugeamus)* du *De mortalitate*. C'est le *planctus* funèbre dont un des plus beaux nous est conservé par la Bible

(2 Sam 1, 17-27). Il était aussi traditionnel durant l'antiquité païenne [14].

Il en va de même pour les vêtements de deuil. La *uestis mutata* du premier traité est précisée par la *uestis atra* du second : dans ce dernier, l'adjectif *atra* doit sans doute s'entendre de vêtements de couleur, non pas sombre, mais noire, étant donné l'opposition avec la tenue blanche des élus. Là encore, c'était une coutume juive de marquer son deuil en portant des vêtements sombres (2 Sam 14, 2; Judith, 10, 8), mais aussi un usage païen [15]. C'est à celui-ci qu'en veut Cyprien.

J'avais conclu naguère de ces textes que, pour Cyprien, lamentations et vêtements de deuil étaient des « survivances païennes » qu'il jugeait « avec sévérité ». Non qu'il les eût proscrits : le *De lapsis* pourrait suggérer qu'il les tolérait, tout en les déplorant. Néanmoins, lorsqu'il aborde le problème de front et non par mode de comparaison, il exprimait clairement sa réprobation : il faut... il ne faut pas [16]. Je suis heureux de me trouver d'accord sur ce point avec Rush dans l'analyse des mêmes textes [17]. Toutefois, je demeure persuadé que l'attitude de Cyprien se bornait à des avertissements et n'a jamais été assortie de sanctions envers les contrevenants. Du moins nous ne sommes pas avertis qu'il y en ait eu au IIIe siècle à Carthage en ce domaine des marques extérieures du deuil.

c) *Corpus deducere*

Cyprien ne semble nulle part faire état du cortège qui conduisait le défunt à sa dernière demeure. Nous en avons cependant un bel exemple dans les Actes de son propre martyre. Le saint avait été exécuté dans la journée du 14 septembre 258. Son corps fut provisoirement déposé à proximité, pour éviter de faire de ses funérailles un spectacle. Le délai fut sans doute utilisé pour faire la toilette du mort : lavage, embaumement, habillage. Les obsèques eurent lieu de nuit à la lumière des cierges et des torches. Le narrateur ajoute qu'elles ressemblèrent à un triomphe :

---

14. E. CUQ, « Funus », p. 1373, 1393, 1390.
15. *Ibid.* p. 1391.
16. V. SAXER, *Vie liturgique*, p. 289.
17. A. C. RUSH, *Dead abd Burial*, p. 215.

C'est ainsi que souffrit saint Cyprien. Son corps, en raison de la curiosité des païens, fut mis à proximité. De là, durant la nuit, avec des cierges et des torches, on le porta avec des prières et en grand triomphe au cimetière du procurateur Macrobe Candidien, situé sur la route des Mappales à côté des piscines (*Acta Cypriani,* 5, p. CXIII, 22-27).

Cette description concerne les funérailles d'un martyr qui, de surcroît, avait été l'évêque et un notable de la ville, et avait fait figure de chef de l'Église d'Afrique : ces circonstances, et le climat particulier de la persécution, ont dû donner un relief particulier aux obsèques de Cyprien. Mais il est non moins certain que beaucoup de traits leur étaient communs avec celles de n'importe quel défunt.

Au lieu de *corpus,* les anciens parlaient plutôt de *funus deducere*[18]. L'usage des cierges et des torches leur était habituel en cette occasion[19]. Il y a même une inscription chrétienne du IIIe siècle, appartenant au cimetière de Sainte-Catherine de Chiusi, dans laquelle on retrouve peut-être l'usage de ces luminaires. Deux époux, Fonteia Concordia et Stenius Callicras Concordius furent ensevelis par leurs enfants, petits-enfants et affranchis, dont l'inscription dit : *cereis calicibus funus duxerunt*. L'éditeur propose de corriger *calicibus* en *scolacibus* et, pour ce, renvoie précisément au texte des *Acta Cypriani*[20]. Il me semble cependant que la lecture *calicibus* peut se défendre aussi ; il suffirait de la rapporter à l'usage des libations et banquets funéraires. Augustin, en particulier, aura souvent l'occasion de polémiquer contre les *calices* funéraires[21]. C'est pourquoi, il conviendrait de laisser ouverte l'interprétation de l'inscription de Chiusi.

d) *Ponere, deponere*

Pour désigner l'acte de la mise en terre proprement dit, Cyprien emploie une fois le verbe *deponere*. Il l'a fait en passant dans la

---

18. CIC. *Quinct.* 50, *Orat.* 2, 283 ; VIRG. *Georg.* 4, 256 ; HOR. *Epod.* 8, 11 ; OVID. *Metam.* 14, 746 ; PROP. *Eleg.* 2, 1, 56 ; APUL. *Metam.* 8, 6 ; PLIN. SEN. *Nat.* 10, 123 ; SUET. *Aug.* 100, 2 ; LIV. *Hist. rom.* 2, 47, 11.

19. E. CUQ, « Funus », p. 1399 ; J. GAGÉ, « Fakel (Kerze) », *Rl. A. C.* VII (1969) 164-165, 190, 194-195.

20. *CIL* XI, 2538 ; ILCV 1578 ; V. SAXER, *Saints anciens d'Afrique du Nord,* p. 86.

21. Cf. *infra*, p. 133-140.

Lettre 67, qui traite de la dégradation de deux évêques espagnols, Basilide d'Astorga-Leòn et Martial de Merida. Ils avaient obtenu tous les deux des billets de sacrifice pendant la persécution de Dèce. Au second on reprochait en plus d'avoir donné à ses fils une sépulture païenne :

> Martial a même fait enterrer ses fils par les soins d'un collège funéraire, selon le rite païen *(exterarum gentium more),* au milieu des sépulcres profanes *(apud profana sepulcra depositos),* avec des non-chrétiens *(et alienigenis consepultos)* (*Ep*. 67, 6, p. 740, 19-21).

L'insistance que met l'évêque de Carthage à rejeter les pratiques funéraires païennes parmi les rites étrangers aux chrétiens, me semble nécessairement supposer une ségrégation cultuelle totale, à Carthage, des chrétiens par rapport aux païens, et cela même dans la mort. Était-elle aussi complète et universellement répandue dans les communautés d'Espagne ? La question se pose en raison du cas de Martial. Lui aurait-on reproché la sépulture païenne de ses fils s'il ne s'était rendu coupable du crime plus grave d'apostasie ? On peut se le demander. Son cas permet d'entrevoir que les coutumes funéraires étaient loin d'être uniformes parmi les chrétiens vers le milieu du IIIe siècle et qu'il faut se garder de généraliser une observance qui ne serait attestée qu'en un endroit et à un moment donnés. Quoi qu'il en soit, il reste le fait que le mot *depositus* est une rareté dans le vocabulaire cyprianique pour désigner la déposition des morts.

Sous sa forme simple, le participe *positus* se retrouve cependant sous la plume de l'annotateur des actes du concile de Carthage de 256 : il l'a ajouté à côté de trois noms d'évêques qui, membres du concile, furent victimes de la persécution de Valérien deux ans plus tard et furent enterrés à Carthage :

> Successus d'Abbir Germaniciana, *positus in Tertulli,*
> Libosus de Vaga, *in nouis areis positus,*
> Leucius de Théveste, *in Fausti positus*[22].

Si nous nous tournons vers les inscriptions, Ernest Diehl avait remarqué la rareté des africaines qui comportaient ce mot[23] : de fait,

---

22. G. MERCATI, « D'alcuni sussidi », p. 180.
23. *ILCV* 2966, à propos de *dep. :* rarissime legitur in titulis Africis.

la vingtaine que j'ai relevée confirme cette impression, mais je ne prétends pas être complet ; de surcroît, aucune d'entre elles ne semble pouvoir être attribuée au IIIe siècle[24]. En revanche, l'épigraphie romaine offre le mot à une date beaucoup plus précoce, puisqu'il y apparaît au cours de la deuxième moitié du IIIe siècle[25].

Il n'est donc pas impossible d'admettre que Cyprien ait emprunté le mot *depositus*, et les Africains avec lui, au vocabulaire funéraire en usage dans l'Église romaine. Son exemple aura contribué à l'acclimater dans l'usage ecclésiastique africain, comme il ressortira des textes littéraires et épigraphiques plus tardifs.

e) *Area, cimiterium*

On sait que les mots *area* et *cimiterium* appartiennent depuis Tertullien au langage chrétien d'expression latine[26]. Il n'y a donc rien d'étonnant qu'ils s'y retrouvent à l'époque de Cyprien.

Le premier, il est vrai, ne se rencontre chez lui que rarement, et toujours au sens d'aire à battre le blé : c'est, par exemple, la persécution de Dèce qui y place les fidèles pour y séparer le grain de la paille (*Ep*. 37, 2, p. 577, 18 et 20).

En revanche, il est employé plusieurs fois après Cyprien, pour désigner le lieu de la sépulture des martyrs de la persécution de Valérien (258-259). Tout d'abord dans les Actes du martyre de Cyprien lui-même : l'évêque, nous disent-ils, fut enterré « dans l'*area* du procurateur Macrobe Candidien, sur la route des Mappales, près des piscines » (*Acta Cypriani,* 5, p. CXIII, 25-26). De la même époque serait une autre mention, si elle était authentique. On lit le mot dans la Passion de Lucius, Montan et compagnons, selon la version qu'en publia Thierry Ruinart : Montan demande qu'on ensevelisse près de lui, *in area,* son compagnon de prison Flavien qui

---

24. *ILCV* 2186, 2965, 2966, 2966A ; *CIL* VIII 2019, 9588, 10636-10641, 10690-10691, 13408, 13423, 13440, 14025, 25354a. Ces inscriptions proviennent de Sétif, El Asnam, Satafi, Haïdra, Cherchel, Tébessa et Carthage. Deux sont datées de 406 et 447. De son côté, P.-A. FÉVRIER, « Le formulaire des inscriptions », p. 156, note que le plus ancien exemple assuré de l'emploi du mot en Mauritanie césarienne est de 360 : c'est *CIL* VIII 20473 = *ILCV* 366.

25. H. Leclercq parle du milieu du IIIe s. : *DACL* IV (1920) 670. En fait, la plus ancienne inscription datée du recueil de De Rossi est de 269 : G. B. DE ROSSI, *ICVR*, I, n° 15 (en 290), n° 17 (en 291), n° 31 (en 310), *Suppl*. n° 1385 (en 269).

26. Cf. *supra*, p. 61, 68.

devait mourir deux jours après lui. Pio Franchi de' Cavalieri, qui publia de nouveau le texte de manière critique, ne retint pas cette leçon qu'il estima provenir d'une réduplication fautive de *eorum*, sinon d'une interprétation abusive de Baronio [27]. Le même mot se lit, sans contestation cette fois-ci, dans les annotations marginales faites aux actes du concile de Carthage du 1er septembre 256 : Libosus de Vaga est dit « déposé dans le cimetière nouveau », *in nouis areis positus*. A côté de deux autres noms de martyrs le mot *area* est sous-entendu : en effet, Successus d'Abbir Germaniciana est déposé « dans celui de Tertullus », *in Tertulli positus*, Leucius de Théveste, « dans celui de Faustus » *in Fausti positus* [28]. Si on totalise ces diverses *area* attestées à Carthage à partir de la persécution de Valérien, on peut admettre qu'il y en avait au moins quatre. De plus, en les qualifiant de ce nom, les textes les caractérisent comme des cimetières de surface et ne parlent pas de catacombes [29].

Des *area* africaines sont aussi connues par l'épigraphie du IIIe siècle. L'inscription la plus célèbre est celle du clarissime Marcus Antonius Julius Severianus dont je reproduis ici le texte :

AREAM AT SEPVLCRA CVLTOR VERBI CONTVLIT
ET CELLAM STRVXIT CVNCTIS SVIS SVMPTIBVS
ECLESIAE SANCTAE HANC RELIQVIT MEMORIAM.
SALVETE FRATRES PVRO CORDE ET SIMPLICI.
EVELPIVS VOS SATO SANCTO SPIRITV.
ECLESIA FRATRVM HVNC RESTITVIT TITVLVM
M.A.I. SEVERIANI C.V.
EX INGENIO ASTERI.

La plaque qui porte l'inscription est conservée au Musée d'Alger et provient de Cherchel, l'ancienne Caesarea Mauritaniae. Il ne s'agit pas du marbre original. A la ligne 6 de l'inscription, il est dit qu'elle a été refaite. C'est la copie qui est conservée : elle doit être du IVe siècle d'après la paléographie. Les lignes 4-5 contiennent le salut d'Evelpius à la communauté des frères. Il faut sans doute lire, en effet : *Evelpius uos saluto sancto spiritu*, « Moi, Evelpius, je vous

27. *Passio Montani*, 15, éd. Th. RUINART, *AMS*, p. 239, éd. P. FRANCHI DE' CAVALIERI, dans *Röm. Quartalschrift*, Suppl.-Heft, 8 (1898) 80.
28. Cf. *supra*, note 22.
29. Que celles-ci ont existé en Afrique, les fouilles l'ont révélé : cf. A. LEYNAUD, *Les catacombes africaines*.

salue dans le Saint-Esprit». Il s'agit peut-être du responsable de la restauration du titre : *hunc restituit titulum*. Le travail de restauration a été confié à un nommé Asterius. Dans ces conditions il est probable que seules les trois premières lignes du texte actuel reproduisent l'inscription primitive. Le formulaire de celle-ci ne paraît pas répugner à une datation plus haute que le IVe siècle et comporte les mots caractéristiques d'*area, cella, memoria*. Parmi ceux-ci, l'*area* est expressément désignée comme funéraire : *area at* (= ad) *sepulcra*. Quant au donateur, dont le nom ne figurait pas dans l'inscription primitive, il devait être connu dans la communauté. Aussi son acte a-t-il été perpétué par le titre restauré.

Pour dater l'inscription, Paul Monceaux raisonnait à partir de la plaque conservée qui est du IVe siècle. L'inscription primitive lui était donc antérieure. Elle aurait été détruite pendant la persécution de Dioclétien et restaurée après la paix de l'Église. Hypothèse plausible, mais qui ne sort pas du domaine des convenances[30].

Le vocabulaire de l'inscription primitive contient quelques indices plus consistants que je voudrais mettre en lumière. Je viens de noter la présence des mots *area, cella, memoria*. *Memoria* n'est pas attesté au sens monumental chez Tertullien ou Cyprien. *Cella*, par contre, se retrouve dans une autre inscription du IIIe siècle[31]. *Area* est attesté à partir de Tertullien. Or, c'est précisément par ce mot que l'inscription de Severianus se rapproche de l'usage de Tertullien : en effet, Tertullien et l'inscription éprouvent le besoin de déterminer le sens d'*area* par un complément de qualification, Tertullien en parlant de l'*area sepulturarum*, l'inscription, de l'*area ad sepulcra*. Dans les deux cas, nous sommes donc encore à l'époque où le mot *aerea* est d'un usage récent dans le vocabulaire chrétien et doit être précisé pour que le sens funéraire en soit compris. Comme par ailleurs les *areae* carthaginoises se multiplient à partir de 258-259, en tenant compte d'autre part du retard possible de l'usage provincial sur celui de la grande métrople, il n'est pas impossible qu'il faille placer aux environs de la même époque l'apparition de l'*area* césarienne.

---

30. *CIL* VIII 9585, *ILCV* 1583, *DACL* I (1907) 813-814 ; P. MONCEAUX, *Histoire littéraire de l'Afrique chrétienne*, t. 3, p. 125-129.

31. *CIL* VIII 9586, *ILCV* 1179 ; P. MONCEAUX, *Histoire littéraire de l'Afrique chrétienne, ib*. p. 129-130. Cf. *infra*, p. 118.

Le mot *cimiterium,* lui aussi, est exceptionnel dans le vocabulaire cyprianique. On ne l'y trouve qu'une seule fois, dans la lettre qui annonce à Successus d'Abbir Germaniciana le martyre du pape Sixte II (6 août 258) :

> Sachez que Sixte a été décapité dans le cimetière *(in cimiterio)* le huit des ides d'août, et quatre diacres avec lui (*Ep*. 80, 1, p. 840, 9-11).

Le chanoine Bayard traduisait « dans *un* cimetière », tout en notant qu'il s'agissait de celui de Calixte [32]. Cette traduction est imprécise. Il s'agit en réalité du cimetière par excellence de l'Église de Rome, à la tête duquel Zéphyrin avait placé le diacre Calixte et qui prit le nom de ce dernier. Hippolyte le nommait τὸ κοιμητήριον [33].

Ce terme n'était toutefois pas réservé au cimetière de l'Église de Rome : d'une part, Tertullien connaissait déjà le mot au sens commun [34]; d'autre part, à l'époque même de Cyprien, il était employé par les autorités civiles pour désigner, d'une manière générale, les lieux de sépulture chrétiens. L'édit de persécution de 257 visait la suppression de tous les exercices du culte chrétien. Dans ce but, l'accès aux cimetières, comme aux autres lieux de réunion, était nommément interdit. Nous l'apprenons par les *Acta Cypriani,* 1. Le proconsul Paternus avertit en effet l'évêque de Carthage de cette décision impériale :

> Praeceperunt etiam, ne in aliquibus locis conciliabula fiant, neue cimiteria ingrediantur (p. CXI, 8-9).

C'est dans les mêmes termes et à la même date que le préfet d'Égypte fait savoir aux Alexandrins de ne pas εἰς τὰ καλούμενα κοιμητήρια εἰσιέναι. C'est, en effet, par une lettre aux gouverneurs des provinces que cet ordre avait été publié. L'interdiction est levée, les cimetières redeviennent accessibles, après la persécution : τὰ τῶν καλουμένων κοιμητηρίων χωρία [35].

Les témoignages épigraphiques semblent indiquer l'origine orientale du mot, ce que suggérait déjà l'étymologie : au IIIe siècle, il

32. L. BAYARD, *Saint Cyprien, Correspondance,* p. 320, et n. 5.
33. Cf. *supra,* note 13.
34. Cf. *supra,* p. 68.
35. EUSEB. *Hist. eccl.* VII, xi, 10, p. 181 ; *Ibid.* 13, p. 188.

apparaît dans des inscriptions grecques d'Attique, de Macédoine, de Phrygie au sens de tombe individuelle ou de caveau de famille [36]. Est-ce en passant en Occident, au tournant du IIe-IIIe siècle — ce qui oblige à reculer son usage en Orient jusqu'au IIe , même s'il n'est pas attesté —, qu'il acquiert la signification de nécropole ? Quoi qu'il en soit, il devient d'un usage si commun en Occident, qu'il lui arrive d'être utilisé par des païens, comme on le voit pour une inscription de Constantine : *coemeteria memoriae gentis Lepidiorum* [37].

Quoi qu'il en soit, l'évolution sémantique des deux mots *area* et *cimiterium* laisse entrevoir, à mon avis, quelque chose de l'histoire de l'institution cémétériale en Afrique. Je m'appliquerai à la dégager plus loin.

2. *Le souvenir des morts*

a) *Imagines defunctorum*

Cyprien parle une seule fois des portraits des morts. Le « droit aux portraits », *ius imaginum*, était, à l'origine, un privilège des magistratures curules. A partir du IIIe siècle, il était dévolu à la noblesse sénatoriale, *ordo senatorius*. Ces images étaient les masques de cire, moulés sur le visage du mort par le *pollinctor*. Elles étaient portées dans le cortège qui conduisait le défunt à sa dernière demeure. A l'issue de la cérémonie funèbre, elles reprenaient leur place dans le vestibule de la maison patricienne. Le masque du mort qu'on venait d'enterrer rejoignait alors celui de ses prédécesseurs. L'atrium prenait ainsi l'aspect d'une galerie des ancêtres. Les images y étaient l'objet d'un culte périodique au moment des anniversaires de chaque défunt [38].

Cyprien aborde la question des portraits dans sa polémique contre l'idolâtrie. Hugo Koch paraît en effet avoir démontré l'authenticité cyprianique du *Quod idola dii non sint* qu'il considère comme l'essai du néophyte [39]. De fait, son texte s'inspire étroitement des traités de

---

36. *DACL* I (1907) 338-339, II (1914) 1626-1629 ; P. TESTINI, *Le catacombe*, p. 83-85.
37. *CIL* VIII 7543.
38. Ed. COURBAUD, « Imago » ; A. BOUCHÉ-LECLERCQ, *Manuel des institutions romaines*, p. 72, 128, 361, 470-472.
39. H. KOCH, *Cyprianische Untersuchungen*, p. 53-55.

Tertullien et présente de notables rencontres verbales avec l'*Octauius* de Minucius Félix. A deux reprises, pour introduire et conclure la partie du traité qu'il consacre à démontrer l'inanité des idoles païennes, Cyprien en vient à mettre sur le même pied statues des dieux et portraits des morts :

> Qu'ils ne sont pas des dieux ceux qu'honore le vulgaire, c'est un fait reconnu. Ce sont d'anciens rois auxquels le souvenir de leur royauté a valu plus tard parmi les leurs un culte dans la mort. De là vient qu'on leur ait élevé des temples ; que pour conserver les traits de leurs visages par des protraits, on leur ait fabriqué des statues, immolé des victimes et qu'on ait célébré leurs jours de fête en leur rendant des honneurs. De là vient que soient devenus des rites sacrés pour leurs descendants les gestes qui étaient destinés à consoler leurs proches (*Quod idol.* 1, p. 19, 1-8).

C'est la théorie de l'evhémérisme, selon laquelle le culte des dieux est né de celui des morts. Explication bien connue de l'apologétique chrétienne du IIe-IIIe siècle[40]. Mais les apologistes allaient plus loin dans leur critique du paganisme : par les rites de leur consécration, images des dieux et portraits des morts étaient devenus le siège des démons :

> Ces esprits, conclut Cyprien, se cachent dans les statues et les images consacrées ; leur souffle inspire le cœur des devins, anime les entrailles des victimes, dirige le vol des oiseaux, règle les sorts, provoque les oracles, enveloppe le faux dans le vrai... en vue de contraindre (les hommes) à leur rendre un culte (*Quod idol.* 7, p. 24, 7-10, 13)[41].

Cyprien, on le voit, reprend les thèmes de la polémique de Tertullien en mettant sur le même pied d'idolâtrie l'usage de vénérer les portraits des morts à l'égal des statues des dieux : les deux représentations ne sont pas seulement le support matériel de ce culte, mais encore, comme le dit Minucius Felix, le signe visible de la

40. Cf. *supra*, p. 37.

41. Ce passage concorde littéralement avec MIN. FEL. *Oct.* 27, p. 39, 9-15, 20. On sait que ce traité figure avec Tertullien parmi les sources de Cyprien : H. KOCH, *Cyprianische Untersuchungen*, p. 17-21, 56-64, où la présente concordance n'est pas notée.

présence des divinités : *quasi praesentis numinis* (MIN. FEL. *Oct.* 27, p. 39, 11). C'est ce qui explique la condamnation portée par le futur évêque de Carthage contre les coutumes idolâtriques auxquelles sa récente conversion l'avait fait renoncer. En quoi il se conforme à la tradition africaine dont Tertullien fut le premier témoin[42].

Que ces coutumes n'appartiennent pas alors à un passé révolu, nous est confirmé par les textes postérieurs à Cyprien. Il est encore question des images de cire en 276 dans l'Histoire Auguste, sans parler de Macrobe et de Sidoine Apollinaire[43].

Dans cette perspective se pose un double problème ou, plutôt, un problème à deux faces. Il vaudrait la peine de rechercher dans quelle mesure les traditions de famille ont pu contribuer à maintenir dans le paganisme tel de ses représentants et, inversement, dans quelle mesure un converti comme Cyprien s'est voué au célibat pour se soustraire à la pression des traditions païennes au sein de la famille. Il me paraît en effet évident que le conditionnement familial autant que social a dû jouer au IIIe siècle un rôle prédominant dans l'acceptation ou la rupture des liens religieux.

b) *Turpia et lutulenta conuiuia*

Cette même pression sociale s'est apparemment exercée sur les deux évêques espagnols par l'intermédiaire des collèges funéraires à propos des banquets en l'honneur des morts.

Il est question des banquets funéraires dans la *Lettre* 67. Cyprien les appelle « honteux et orduriers » et les caractérise comme païens : *propter gentilium turpia et lutulenta conuiuia* (*Ep.* 67, 6, p. 740, 18-19). Il ne les mentionne qu'en passant comme chef d'accusation supplémentaire contre l'évêque Martial, car la charge principale qui pèse sur lui et son collègue est celle des billets de sacrifices dont ils s'étaient contaminés pendant la persécution de Dèce (*Ibid.* 12-13). Encore Cyprien ne dit-il pas expressément que ces banquets soient funéraires. A la rigueur il pourrait s'agir de banquets de mariage.

42. Cf. *supra*, p. 36-39.
43. *Hist. Aug.*, *Florian.* 19 (6) 6 ; *Gordian.* 2, 2 ; MACROB. *Saturn.* 1, 6, 26 ; SIDON. APOLL. *Ep.* 1, 9. Cf. Ed. COURBAUD, « Imago », p. 414, et n. 3-4.

C'est en effet en des termes fort voisins que Cyprien reproche aux vierges leur participation aux repas de mariage : *inter uerba turpia et temulenta conuiuia, quibus libidinum fomes accenditur* (*Hab. uirg*. 18, p. 200, 15-16). Si néanmoins la *Lettre* 67 vise bien les repas en l'honneur des morts, c'est en raison du caractère funéraire de tous les reproches accessoires qui aggravent de cas de Martial : ces repas sont organisés *in collegio ;* c'est le même collège, *in eodem collegio,* qui assure la sépulture des fils de Martial. Il s'agit donc d'un collège funéraire et sans doute de repas funéraires.

J'ai fait ressortir naguère le motif pour lequel Cyprien repoussait ici l'usage païen des banquets : c'était en raison de leur immoralité[44]. Il se distinguait en cela de Tertullien qui les condamnait comme idôlatriques[45]. Je viens de noter que ces deux interventions de Cyprien révèlent une de ses préoccupations majeures de pasteur d'âmes, la préoccupation de préserver la pureté des mœurs chrétiennes en comparaison du relâchement de celles des païens.

Cette préoccupation moralisante est d'autant plus digne d'intérêt dans son attitude d'évêque qu'elle pose à la fois le problème de son évolution spirituelle avant et après le baptême et celui des motivations de son action pastorale durant son épiscopat.

Au témoignage de l'*Ad Donatum,* ce qui l'a le plus profondément déterminé à la conversion, ce fut le spectacle opposé d'un monde païen corrompu, cruel, superstitieux, de l'homme idolâtre, voué au mal, à la misère et à l'angoisse, d'une part; de l'autre, chez le chrétien, la sérénité dans la foi, la pureté des mœurs, la fidélité dans les épreuves, la fermeté dans le martyre. Le *Quod idola dii non sint,* en revanche, révèle le néophyte impressionné par l'apologétique tertullienne : on l'a vu à propos des « images des morts ». Ce petit traité, d'apparence bien scolaire, serait bien la mise en forme des instructions qu'il avait reçues durant son catéchuménat et découvrirait du même coup les thèmes et le niveau de la catéchèse chrétienne à Carthage vers le milieu du IIIe siècle. Elle a initié ou peut-être confirmé Cyprien dans la fréquentation de celui qu'il continuera à considérer comme son « maître » à penser[46]. C'est en prenant modèle

44. V. SAXER, *Vie liturgique,* p. 298.
45. Cf. *supra,* p. 37.
46. HIER. *Vir. inl.* 53, p. 31, 20-25.

sur lui qu'il a développé le topos des dangers de la contamination idolâtrique. Celle-ci existe, en effet, toujours à l'état latent : il suffit d'une persécution pour qu'elle redevienne actuelle. Mais son expérience de pasteur a enseigné à Cyprien, qu'en dehors de ce temps de crise, le péril qui demeurait le plus grave était celui de l'affadissement des mœurs chrétiennes au contact du libertinage païen. Aussi bien ses observations pastorales n'ont-elles fait que confirmer l'évêque dans l'attitude la plus personnelle du converti. Cette expérience initiale a été sans doute décisive pour son orientation future d'évêque, telle que nous la voyons se dessiner à propos des banquets funéraires.

c) *Sacrificium pro dormitione*

La prière eucharistique pour les morts a été signalée à plusieurs reprises par Cyprien comme un des usages les plus importants du culte chrétien des morts : il le fait dans les *Épîtres* 1, 12, et 39. Les deux dernières concernant la prière eucharistique pour les martyrs défunts, je ne retiens ici que la première, relative à un mort non martyr.

J'ai étudié récemment cette lettre en vue de déterminer sa date. L'examen des habitudes épistolaires de Cyprien m'a amené à penser que le Geminius Victor qui y est en question était l'évêque défunt de Furni [47]. Un Geminius, évêque de Furni, figure parmi les signataires de la *Lettre* 67 qui est de 254-255 et parmi les évêques siégeant au concile de Carthage du 1er septembre 256 (*Sent. epp*. 59). Figurant dans le recueil cyprianique, la *Lettre* 1 doit être antérieure à la mort de Cyprien (14 septembre 258), voire antérieure à son exil fin août 257. Étant une lettre synodale, le seul synode dont elle puisse être l'émanation est celui de Pâque 257. La *Lettre* 1 est donc à dater du synode de Pâques 257. C'est peu avant cette date que Geminius Victor a dû mourir [48].

L'objet de cette lettre est de sanctionner une faute disciplinaire du défunt en le privant dans la mort des suffrages de l'Église. Geminius Victor avait en effet contrevenu à la législation conciliaire en

47. Furni Minus, act. Hr el Msaadine, Tun.
48. V. SAXER, « La date de la Lettre 1 ».

nommant Geminius Faustinus, qui était prêtre[49], curateur de ses biens et tuteur de ses enfants. Pareilles nominations de clercs avaient été interdites par un concile africain non daté[50] et les contrevenants étaient punis de sanctions appropriées. Quand la nomination était faite par tesament et devenait effective à la mort du testateur, celui-ci était privé des suffrages ecclésiastiques. Cyprien rappelle ces dispositions conciliaires et les applique à Geminius Victor :

> Voilà pourquoi, Victor ayant osé contrevenir à la règle portée jadis par les évêques réunis en concile, en constituant tuteur le prêtre Geminius Faustinus, il ne faut pas que chez vous on offre l'oblation pour son repos, ni qu'on fasse aucune prière en son nom à l'église (*Ep.* 1, 2, 2, p. 466, 21-467, 3).

L'expression : *non est quod pro dormitione eius apud uos fiat oblatio aut deprecatio aliqua nomine eius in ecclesia frequentetur,* applique la législation conciliaire au défunt Geminius Victor. Cette expression s'explique par son contexte antérieur. A plusieurs reprises, en effet, Cyprien précise, au cours de sa lettre, le rôle spécifique de ceux qui sont « honorés du divin sacerdoce et constitués dans le ministère clérical », à savoir « ne donner leur service qu'à l'autel et aux sacrifices et ne vaquer qu'aux prières et aux oraisons » (*Ibid.* 1, p. 465, 10-12). ; « ceux qui dans l'Église ont été promus à l'ordination cléricale doivent n'être détournés en rien du ministère de Dieu... et ne jamais s'écarter de l'autel et des sacrifices » (*Ibid.* p. 466, 10-14). Cette règle générale a été appliquée par les pères conciliaires d'Afrique au cas des charges séculières de tutelle et de curatèle, déclarées incompatibles avec le ministère sacerdotal. « Quiconque en mourant nommerait un clerc » à de telles charges serait privé du bénéfice de « l'offrande faite pour lui et du sacrifice célébré pour sa dormition, car il n'est pas digne d'être nommé à l'autel dans la prière des prêtres, celui qui a prétendu détourner de l'autel ses prêtres et ministres » (*Ibid.* 2, 1, p. 466, 17-21).

Dans tous ces passages est visée la prière pour les morts au cours de la synaxe eucharistique. Leur souvenir y est évoqué à deux

---

49. Et probablement le frère de Geminius Victor : V. SAXER, « Victor, titre d'honneur ou nom propre ? », p. 215.

50. De ce concile, Cyprien dit qu'il se tint *iam pridem* (p. 465, 8) et *nuper* (p. 466, 2). La première expression donne le sens du second adverbe.

moments précis de son déroulement : à l'offrande des oblats qui se fait en leur nom, à la prière d'intercession pendant laquelle sont nommés ceux qui, en raison de l'offrande, ont un droit particulier à la prière de l'Église [51]. On peut encore noter que, si la législation conciliaire ne prive les contrevenants défunts que de la prière eucharistique, Cyprien semble vouloir élargir l'interdit à toutes les formes de la prière publique de l'Église, mais que ni le concile ni Cyprien ne se prononcent sur la prière privée des fidèles.

Quoi qu'il en soit, l'usage de la prière pour les morts est clair : cette prière est eucharistique, elle consiste en l'offrande du « sacrifice de l'autel », elle comporte la récitation du nom du défunt, elle est une prière d'intercession de l'Église auprès de Dieu en faveur des morts.

III. Le culte des martyrs

« Tout ce que nous venons de relever comme usages observés par les chrétiens pour honorer leurs morts doit-être considéré comme partie intégrante du culte des martyrs. Nous en avons plusieurs preuves : la *cura mortuorum* ne diffère pas substantiellement dans le cas des morts ordinaires et dans celui des martyrs, envers ces derniers elle ne change que d'intensité, *cura propensior*... Inversement, nous allons voir que le culte des martyrs dans le cadre du sacrifice eucharistique est de la même nature que le culte des morts : l'Église prie pour les uns et les autres au temps de saint Cyprien » [52].

Ce que j'écrivais à ce sujet il y a dix ans me paraît toujours substantiellement valable aujourd'hui.

1. *Cura propensior*

Cyprien ne parle qu'en passant de la sépulture des martyrs auxquels, je viens de le rappeler, il convient d'accorder une *cura propensior* (*Ep.* 12, 1, p. 502, 17-18). On sait qu'elle lui fut témoignée par ses fidèles après son propre martyre (*Acta Cypriani*, 5, p. cxiii, 22-27). Si son biographe en parle comme d'une victoire

51. V. Saxer, *Vie liturgique*, p. 257-259, 300-302.
52. *Ibid.*, p. 303.

(PONTIUS, *Vita Cypriani,* 19, p. cx, 2), c'est qu'il se conforme à la terminologie chrétienne du martyre que Tertullien et Cyprien lui-même avaient déjà utilisée[53].

2. *Anniuersaria commemoratio*

Cyprien est beaucoup plus abondant sur l'anniversaire des martyrs que sur leur sépulture. Bien qu'il n'ait eu que deux fois l'occasion d'en parler, ses renseignements sont chaque fois très précis. Voici d'abord le passage de la *Lettre* 12 où il est question des martyrs en général :

> Notez, écrit-il à ses correspondants de Carthage, les jours de leur décès, pour que nous puissions célébrer leur commémoraison parmi les mémoires des martyrs. Certes, Tertullus, notre frère très fidèle et dévoué, au milieu des soucis et des soins que lui imposent les services de tout genre qu'il rend aux frères, ne manque pas de s'occuper aussi là-bas des corps des défunts. Il m'a écrit, il m'écrit encore pour me faire connaître les jours où une mort glorieuse ouvre à nos bienheureux frères incarcérés une sortie vers l'immortalité. Aussi célébrons-nous ici pour les commémorer les oblations et les sacrifices que bientôt, avec la protection de Dieu, nous comptons renouveler avec vous (*Ep*. 12, 2, p. 503, 14-504, 2).

Je résume le commentaire que j'ai fait autrefois de ce texte[54] : 1) Cyprien se préoccupe de faire tenir un calendrier des martyrs de son Église, *dies quibus excedunt adnotate ;* 2) ce calendrier était destiné à régler, au jour voulu, la comémoraison liturgique des martyrs : *ut commemorationes eorum inter memorias martyrum celebrare possimus ;* 3) l'Église de Carthage célébrait « le souvenir de ses martyrs », *ob conmemorationes eorum,* par « l'offrande du sacrifice » eucharistique, *oblationes et sacrificia*[55].

Que cette coutume était antérieure à Carthage à la *Lettre* 12 qui est d'avril-mai 250, c'est ce que nous apprend le texte suivant qui est

53. E.L. HUMMEL, *The concept of the martyrdom,* p. 81-90.
54. V. SAXER, *Vie liturgique,* p. 306. J'entends évidemment le mot calendrier, non au sens technique, mais au sens la[illegible]
55. Sur l'identité des *oblationes et sacrificia,* cf. *Ibid.*, p. 194-201, 243-248.

dans la *Lettre* 39. Cette dernière est du début de l'année 251, mais rapporte des faits beaucoup plus anciens [56].

Cette deuxième lettre annonce au clergé et à la communauté de Carthage la promotion cléricale dont vient d'être l'objet le jeune confesseur de la foi Celerinus. Il a été promu, non seulement parce que Dieu lui-même l'avait en quelque sorte désigné au lectorat en raison de sa confession chrétienne devant l'empereur en personne, mais encore à cause des gages que sa famille avait donnés précédemment de son attachement indéfectible à la foi chrétienne. En effet, sa grand-mère Celerina, ses oncles paternel et maternel Laurentinus et Egnatius avaient subi jadis le martyre, peut-être sous Septime Sévère [57]. Ce dont les fidèles de Carthage sont fort bien informés. C'est ici que prend place le passage relatant le culte dont ils étaient l'objet au jour anniversaire de leur supplice :

> Nous offrons toujours, vous vous en souvenez, écrit Cyprien, des sacrifices pour eux, chaque fois que nous célébrons les jours de la passion des martyrs *(martyrum passiones et dies)* par des commémoraisons anniversaires *(anniuersaria commemoratione celebramus)* (*Ep*. 39, 3, p. 583, 10-12).

Je soulignais deux points de cette lettre dans mon commentaire de jadis : d'une part, la célébration de l'anniversaire des martyrs, d'autre part, la prière eucharistique pour les martyrs. Je faisais remarquer que Bayard affaiblissait l'expression cyprianique dans sa traduction : « Nous offrons des sacrifices en leur mémoire » [58]. A propos de cette prière, je relevais en particulier l'identité des expressions employées par Cyprien, quand il parlait de « faire l'offrande pour un défunt », *pro eo,* ou de « célébrer le sacrifice pour son dernier sommeil », *pro dormitione eius,* et quand il rappelait « l'offrande des sacrifices pour les martyrs », *sacrificia pro eis offerimus*. On me permettra d'ajouter quelques précisions sur ces deux points.

En ce qui concerne l'anniversaire, Cyprien signale celui des martyrs, alors que Tertullien ne parle que de celui des morts [59]. Je ne

56. L. DUQUENNE, *Chronologie des lettres*, p. 64-75, 143-145.
57. V. SAXER, *Vie liturgique*, p. 310-311.
58. *Ibid.*, p. 307-308.
59. Cf. *supra*, p. 69-71.

pense pas qu'il y ait eu, dans l'intervalle, progrès réel dans le culte funéraire. Il suffit d'admettre sans doute que Tertullien n'a pas eu l'occasion de faire état de l'anniversaire des martyrs, pas plus que Cyprien de celui des morts. D'autant plus que le *Martyrium Polycarpi* signale déjà l'usage pour Polycarpe de Smyrne en 156. Quant aux prières d'intercession, il peut sembler étrange que Cyprien les dise faites pour les martyrs au même titre que pour les morts, alors que Tertullien considère les martyrs comme étant auprès de Dieu et n'ayant, par conséquent, plus besoin de prières. Joseph Ntédika fait observer que « cette façon de parler ne tient pas suffisamment compte de toute la signification de la liturgie funéraire chrétienne dans les tout premiers siècles de l'Église. Celle-ci ne semble pas avoir été uniquement une prière d'*intercession* en faveur des martyrs et des autres défunts, mais elle servait surtout à sanctifier la mort du chrétien et à rendre grâces au Seigneur qui a vaincu la mort et nous a promis la résurrection »[60]. Il m'est avis cependant que, si l'aspect eucharistique de la liturgie funéraire est bien celui qui prédomine dans l'*Apologie* d'Aristide ou dans les *Actes de Jean,* c'est le souci d'intercession qui transparaît seul dans le témoignage de Cyprien. Je ferai une exception pour les Actes de son martyre et pour le passage correspondant de sa Vie par Pontius. Celui-ci présente la mort de Cyprien sur le modèle de celle du Christ, car les fidèles passent la nuit qui précède le martyre de leur évêque de la même manière qu'ils célèbrent la vigile pascale, *in sacerdotis passione uigilaret* (PONTIUS, *Vita Cypriani,* 15, p. cvii, 10). Dans cette atmosphère d'exaltation religieuse, même ses obsèques se font le lendemain *cum uoto et triumpho magno* (*Acta Cypriani,* 5, p. cxiii, 26), et cette joie pouvait être celle de la Pâque que leur évêque venait de célébrer. Mais ici, j'ai conscience d'interpréter le texte plutôt que de m'y tenir. C'est pourquoi, je préfère revenir à l'interprétation stricte des textes de Cyprien et les expliquer en fonction du conservatisme ecclésiastique en matière de formulaire liturgique. On constate simplement alors que la prière est en retard sur la foi.

---

60. J. NTEDIKA, *L'évocation de l'au-delà dans la prière pour les morts,* p. 29.

3. *Ad sanctos*

Dom Henri Leclercq a réuni de nombreux témoignages sur l'usage des chrétiens d'Afrique de se faire enterrer à proximité de la tombe des martyrs[61]. Il signale en particulier la nécropole qui s'était développée autour du tombeau de Cyprien. Outre que la localisation des Mappales dans le quartier de La Malga n'est pas admise par tout le monde, il omet de faire état du plus ancien témoignage de cette coutume à propos de l'évêque de Carthage. Ce sont Actes de Maximilien, jeune objecteur de conscience exécuté le 12 mars 295[62], qui le contiennent. Le supplice du jeune recrue avait eu lieu à Tébessa. Une matrone de Carthage, Pompeiana, obtint du gouverneur de pouvoir transporter le corps dans la capitale. Elle l'y «ensevelit à côté de Cyprien, à flanc de colline, près du palais». Quand elle mourut à son tour moins de quinze jours plus tard, elle fut enterrée aussi au même endroit (*Acta Maximiliani,* 3, p. 311, 7-10). Ce témoignage est peut-être le plus anciennement daté, actuellement connu, d'une sépulture *ad sanctos*. Il convenait de la signaler.

IV. Un problème en suspens : lectures et chants bibliques funéraires

1. *Le problème*

Il est un problème particulièrement difficile à résoudre, qui reste en suspens. Il est commun à la liturgie des morts et des martyrs à l'époque de Cyprien. C'est celui des lectures bibliques qui se faisaient à ces occasions pendant la synaxe eucharistique. Il ne s'agit pas tellement de savoir si des lectures propres existaient déjà en ce temps, ce qu'on est assez enclin à admettre; mais de savoir quelles elles étaient, s'il est possible de les déterminer, si on faisait chaque année les mêmes, en d'autres termes, dans quelle mesure on peut faire remonter à cette haute époque le système en vigueur au temps

---

61. *DACL* I (1907) 479-509; H. Delehaye, *Les origines du culte des martyrs,* p. 131-137, en particulier 134, n. 9.

62. P. Siniscalco, «Massimiliano, un obiettore di coscienza del tardo impero»; V. Saxer, *Saints anciens d'Afrique du Nord,* p. 124.

d'Augustin. Ce problème est généralement considéré comme obscur, sinon comme insoluble, pour la période anténicéenne[63]. Avant de prétendre apporter quelques éléments de solution, il faut essayer au moins de poser correctement le problème.

Il se pose d'abord en fonction des données de l'époque précédente et suivante. Pour la période antérieure, qui est celle de Tertullien, j'avais noté les indices de l'usage des lectures hagiographiques dans la liturgie des martyrs[64]. Si donc, vers 200 environ, on honorait les martyrs de lectures hagiographiques qui leur fussent propres aux anniversaires, ne peut-on supposer à plus forte raison la propriété des lectures bibliques dans les mêmes occasions à l'époque de Cyprien? Cela paraît d'autant plus vraisemblable que l'usage postérieur va dans le même sens. Augustin atteste, en effet, pour les fêtes des martyrs, que l'on abandonnait la lecture continue de la Bible pour celle de textes scripturaires appropriés à la célébration du jour[65]. Ne peut-on dès lors admettre que, sur le fait de la lecture biblique propre aux fêtes des martyrs, il y a eu continuité de la fin du IIe au début du Ve siècle? et si continuité il y a eu, quelle a été son ampleur?

2. *Des éléments de réponse*

A ces possibilités a priori, les textes de Cyprien permettent d'apporter quelques indices plus précis, qui pourraient laisser entendre qu'il y a eu des lectures propres pour les morts et les martyrs.

A l'occasion de la peste de 252, Cyprien se propose d'instruire ses fidèles «avec des paroles inspirées de la lecture du Seigneur», *sermone de dominica lectione concepto* (*Mort*. 1, p. 297, 12-13). On admet communément que le *De mortalitate* d'où la citation est extraite est la reprise développée, et mise en forme de traité, d'un ou plusieurs sermons qu'il adressa à son peuple au moment même où l'épidémie sévissait[66]. Dans ce cas, la prédication suppose des lectures bibliques appropriées à la circonstance.

---

63. *DACL* V (1922) 246. Sur la lecture liturgique chez Cyprien, cf. P. GLAUE, «Die Vorlesung heiliger Schriften bei Cyprian»; Ch. DUMONT, «La lecture de la parole de Dieu d'après saint Cyprien».

64. Cf. *supra*, p. 78-79.

65. W. ROETZER, *Des hl. Augustinus Schriften*, p. 107-108.

66. H. KOCH, *Cyprianische Untersuchungen*, p. 141.

Le second texte est moins précis. Il s'agit de l'*Épître* 58, adressée au peuple de Thibar (près de Teboursouk, Tun.). Ici, la lettre n'est pas l'écho d'un sermon, elle en tient lieu :

> Je vous envoie, écrit Cyprien aux Thibaritains, en attendant cette lettre à ma place, *has interim pro me ad uos uicarias litteras misi* (*Ep.* 58, 1, p. 656, 13-14).

Elle est même destinée à suppléer aux prédications de leur propre évêque au cas où la persécution l'empêchera de tenir les réunions liturgiques (*Ibid.* 4, p. 659, 15-16)[67]. Comme une homélie, la lettre leur rappelle donc « les exhortations de l'évangile, les préceptes et les avertissements du ciel » (*Ibid.* 7, p. 662, 19-20), pour les armer en vue des épreuves à venir. Il serait surprenant de la part de Cyprien qu'il n'eût pas adressé de semblables encouragements à ses fidèles de Carthage, soit à propos des lectures de la Bible qui lui en donnaient l'occasion, soit qu'il les ait lui-même choisies en vue de cet enseignement. La *Lettre* 58 pourrait donc être l'écho indirect des prédications de l'évêque de Carthage et des lectures liturgiques qui lui prêtèrent leur appui.

Il est donc vraisemblable qu'en ces circonstances déterminées des lectures bibliques appropriées aient été choisies et commentées pendant l'homélie qui les suivit. Mais ces lectures, somme toute occasionnelles, autorisent-elles de poursuivre l'enquête pour arriver à un système de lectures funéraires et martyrologiques organisé et permanent ?

On pourrait penser que l'examen des dossiers scripturaires que Cyprien constitua sur la mort et le martyre ouvre le chemin à cette recherche. En effet, dans le *De mortalitate*, l'*Ad Fortunatum* et l'*Ep.* 58, Cyprien utilisa et compléta les extraits bibliques qu'il avait réunis dans les *Testimonia ad Quirinum*. La comparaison de ces divers ouvrages permet plusieurs observations : 1) le peu de contacts entre les dossiers sur la mort et le martyre montre leur spécificité ; 2) l'identité de certaines séquences scripturaires dans *Quir.* et *Mort.* d'une part, *Quir.* et *Fort.-Ep.* 58, d'autre part, prouve que Cyprien, conformément au but qu'il s'était proposé en constituant le recueil des *testimonia*, l'a parfois utilisé tel quel dans ses traités élaborés[68] ;

67. Sur l'interprétation du passage, cf. V. SAXER, *Vie liturgique*, p. 222.
68. H. KOCH, *Cyprianische Untersuchungen*, p. 188-189 ; *CC* 3, introd. p. 3-4.

3) le fait que les séquences de *Quir.*, soient parfois interrompues en *Mort.*, *Fort.* et *Ep.* 58 par des extraits bibliques étrangers aux *testimonia* reste, à mon avis, ambigu : prouve-t-il vraiment, comme le pense Michel Réveillaud, l'existence d'un florilège perdu de *testimonia inedita*[69] ? Ne suffirait-il pas de penser, dans certains cas, que Cyprien a tiré les citations nouvelles du contexte immédiat des anciennes ? Mais qu'en est-il de celles qui sont en dehors de ce contexte ? C'est ici que se pose le problème de savoir si ces citations nouvelles ne lui sont point venues en mémoire en raison des lectures entendues au cours des réunions liturgiques pour les morts et les martyrs.

En tout cas, voici le relevé des citations de *Mort.*, *Fort.* et *Ep.* 58, qui ne sont pas dans *Quir.* et ne paraissent pas attirées par le voisinage des anciennes :

Mort. 3 : Rom 1, 17
5 : Jn 16, 22
9 : Sir 7, 1, 4-5
Ep. 58, 6 : Mt 2, 16-18
Fort. 2 : Deut 5, 7
Deut 32, 39
3 : Is 57, 6
Jer 25, 6
5 : Deut 13, 7-9, 11, 13-19
1 Macc 2, 24
2 Tim 2, 24
1 Jn 2, 23
6 : 2 Cor 5, 15
7 : Ex 14, 11-14
Lc 17, 31-32

Mort. 11 : Deut 8, 2
Deut 13, 2
23 : Ps 83, 2-3
Ep 58, 10 : 1 Cor 2, 9
Fort. 10 : Ps 19, 8-9
Ps 26, 3-4
Ex 1, 12
Is 43, 1-3
Ex 4, 11-12
Nbres 22, 28-30
11 : Jn : 16, 20
Tob 13, 6
Is 4, 1
12 : Apoc 20, 4
13 : 2 Cor 12, 2

Dans cette liste, je suis frappé par l'abondance des extraits de certains livres bibliques :

Deutéronome, 5 fois cité : *Mort.* 11 ; *Fort.* 2, 5 ;
Exode, 3 fois cité : *Fort.* 7, 10 ;
Isaïe, 3 fois cité : *Fort.* 3, 10, 11 ;
Jean, 2 fois cité : *Mort.* 5 ; *Fort.* 11 ;
2 Corinthiens, 2 fois cité : *Fort.* 6, 13.

---

69. M. Réveillaud, *Saint Cyprien, L'oraison dominicale*, p. 7-24.

Les citations les plus significatives me paraissent être celles de Deut 13, 2 (*Mort.* 11), 13, 7-9 et 13, 13-19 (*Fort.* 5). Elles forment des points de repères nombreux dans le chapitre de ce livre, consacré aux déviations cultuelles, à leurs juges et aux conditions religieuses auxquelles la prospérité est promise au roi d'Israël. Ce chapitre, du verset 2 à 20, forme un tout cohérent, il ne répugne pas à une lecture en l'honneur des martyrs. Les citations de l'Exode et d'Isaïe, de la 2e lettre aux Corinthiens sont, en revanche, trop dispersées dans ces livres, pour se prêter à une lecture commune au cours d'une réunion liturgique. En revanche, Jn 16, 20 et 22, pourrait témoigner de l'existence d'une péricope de laquelle il proviendrait, si l'on admettait une lecture évangélique commune aux morts (*Mort.* 5) et aux martyrs (*Fort.* 11).

Quoi qu'il en soit, pour ces deux passages bibliques : Deut 13, 2-20, et Jn 16, 20-22, il ne s'agit que de possibilités. Dès qu'il s'agit de les transformer en certitudes, voire seulement en vraisemblances, les critères manquent dans l'œuvre de Cyprien. Existent-ils dans une étude systématique des *testimonia* de l'antiquité chrétienne ? Je ne sais. Ils existent plus probablement, sans doute, dans l'usage liturgique postérieur de l'église d'Afrique. Aussi faudra-t-il revenir sur ce problème, quand il sera question des lectures liturgiques dont témoigne Augustin.

* * *

Si l'on recherche sur quels rites funéraires a porté le témoignage de Cyprien, on remarque qu'il parle peu des usages païens et beaucoup plus des chrétiens.

Dans le domaine des usages païens, il n'est intervenu qu'à propos des lamentations de deuil, des portraits des ancêtres, des banquets pour les morts. C'est peu en comparaison du témoignage de Tertullien dans le même domaine. Cela signifie sans doute que les rites païens n'exercent habituellement plus le même attrait qu'au temps de Tertullien, et qu'en dehors du temps de persécution les chrétiens ne risquent plus d'en être contaminés. D'où la rareté des interventions de Cyprien en matière du culte funéraire païen. Cela est encore plus évident en comparaison de son témoignage sur les usages funéraires chrétiens.

Il nomme ceux-ci du terme global de *cura corporum*. Le récit de ses propres funérailles évoque le cortège funéraire avec cierges et torches : si des prières y semblent supposées, nous ne savons si elles s'expriment ou s'accompagnent par des chants. Conduit au cimetière, le corps y est « posé » ou « déposé », ces verbes d'origine romaine étant les termes techniques de l'ensevelissement chrétien. Le lieu de la sépulture est communautaire ou, au minimum, commun. Il porte indistinctement le nom de *cimiterium* ou d'*area*. Si le premier, d'origine grecque et de signification biblique, semble être entré dans l'usage courant et sans doute populaire des chrétiens, si bien que même les autorités civiles l'emploient pour désigner les lieux de sépulture de la religion persécutée, le second terme, au contraire, est toujours spécifié au temps de Cyprien par un nom de personne et pourrait refléter le souci de la hiérarchie ecclésiastique de mettre les nécropoles chrétiennes dans le cadre et le régime funéraires communs. Enfin, l'offrande des oblats du sacrifice est faite à leur intention et leurs noms sont prononcés à l'autel pendant la prière du prêtre.

C'est à propos des martyrs et non des morts, que cette commémoraison est présentée comme anniversaire. Mais c'est à propos des uns et des autres, que se pose à nous le problème de la nature de cette prière. Bien que Cyprien et Tertullien affirment avec force que les martyrs sont déjà auprès de Dieu, d'âme sinon de corps, et y jouissent du bonheur définitif, ils attestent cependant aussi sûrement que la prière faite à leur intention comme à celle des morts est une prière d'intercession. Cette apparente contradiction ne s'explique que par la survivance d'une euchologie funéraire archaïque dans le formulaire martyrologique du IIIe siècle. Il s'ensuit, non seulement que le rituel et l'euchologe funéraires des martyrs étaient à l'origine identiques à ceux des morts, mais encore que ce schéma de l'intercession pour les morts pourrait remonter aux tout premiers temps de l'Église, à une époque où l'Apocalypse n'avait pas encore assigné aux témoins morts pour la foi une place particulière sous l'autel de l'Agneau (Apoc. 6, 9).

Quant à savoir si la liturgie funéraire et martyrologique comportait, au temps de Cyprien, des lectures bibliques propres et lesquelles, les indices qu'on peut glaner dans les ouvrages de l'évêque de Carthage sont trop ténus pour qu'une réponse puisse être donnée à la question; ils permettent du moins de la poser.

Il est évident que le témoignage de Cyprien déborde son objet proprement funéraire et martyrologique en nous renseignant en même temps sur le témoin que fut cet homme. Son *Ad Donatum* révèle les motifs de sa conversion, le *Quod idola dii non sint* fait écho aux thèmes de la catéchèse qu'il reçut. Or, c'est dans son expérience de converti plutôt que dans sa formation de néophyte que le confirme son action de pasteur. Aussi bien ses propres ouailles devaient-elles avoir été affrontées aux problèmes qu'il avait lui-même débattus. Lorsqu'on veut savoir comment il réagissait devant la mort, quelles exhortations il adressait à ses fidèles dans le deuil, quelles prières il faisait pour leurs défunts, il faut relire son *De mortalitate*. Pour se faire une idée de la liturgie des martyrs, c'est dans les *Acta Cypriani* qu'on en trouve l'écho le plus vrai. Liturgie funéraire et liturgie martyrologique pourraient se résumer par le mot de Minucius Félix : « Nos obsèques, nous les célébrons avec la même sérénité que nous vivons » (MIN. FEL. *Oct.* 38, 2, p. 54, 10).

CONCLUSION

La conclusion de cette première partie, consacrée à la période primitive du culte des morts et des martyrs, c'est-à-dire principalement au IIIe siècle, portera sur deux séries de problèmes : 1) La chronologie des faits enregistrés par les documents littéraires révèle-t-elle une évolution du culte funéraire pendant cette période ? 2) est-il possible d'établir des contacts entre les données littéraires et les monuments archéologiques de ce culte ?

I. L'ÉVOLUTION DU CULTE FUNÉRAIRE AU IIIe SIÈCLE

Les faits relevés dans les deux chapitres de cette première partie suggèrent quelques observations d'ordre méthodologique et historique sur le culte des morts et des martyrs pendant la période primitive.

On remarque dans les textes une inégale conservation du tissu cultuel, selon qu'il est transmis par Tertullien ou Cyprien et selon qu'il s'agit des morts et des martyrs. On remarque en particulier aussi, comme je l'ai mis en relief dans la conclusion du chapitre précédent, le conservatisme du formulaire liturgique en comparaison de la théologie du martyre. Ce conservatisme prouve à l'évidence que dans la prière pour les martyrs survivent des schémas euchologiques primitifs du culte des morts. On touche pour ainsi dire du doigt l'identité d'origine entre culte des morts et culte des martyrs. Ce fait permet une méthode d'interprétation des documents conservés se rapportant aux deux cultes. Pour restituer leur dessin d'une manière plus complète, il est légitime de les compléter l'un par l'autre. En superposant les deux tissus cultuels l'un à l'autre, nous ne comblons pas tous les trous de notre information, mais nous en diminuons le nombre et l'étendue et nous consolidons la trame de nos informations qui se recouvrent. Cette méthode s'applique également aux formes païennes et chrétiennes du culte funéraire primitif, et donne des résultats inégaux mais appréciables en ce qui concerne leur histoire.

Il ne semble pas y avoir d'évolution dans le culte des morts. Les rites funéraires païens sont et demeurent interdits au chrétien en vertu de sa renonciation baptismale. Deux points surtout sont à retenir : plus de sépulture en terre profane, pas de participation aux banquets funéraires. La ségrégation cultuelle du chrétien s'étend au IIIe siècle aux rites funéraires d'une manière effective. La seule chose qui change, ce n'est pas le fait, c'est le motif des interdictions : Tertullien insiste sur le caractère idolâtrique, Cyprien, sur le caractère immoral de ces rites païens. Ce changement n'est peut-être qu'une question d'éclairage.

Quant aux rites funéraires chrétiens, eux non plus ne paraissent pas subir d'acroissements. Ce qui s'enrichit, c'est notre documentation. On retiendra que la célébration de l'eucharistie n'est sûrement attestée qu'à l'occasion de l'anniversaire. Cependant la célébration des funérailles requiert la présence et la prière du prêtre.

Le culte des martyrs, au contraire, marque des progrès. Sur ce point, l'enrichissement de notre information est peut-être significatif d'un progrès réel. Tertullien ne parle jamais expressément d'une célébration quelconque en l'honneur des martyrs. Elle devait pourtant exister, si nous en croyons la suite du développement. Seulement, cette célébration ne devait pas être perçue comme substantiellement différente d'une célébration funéraire commune. Il ressort cependant des Actes et Passions des martyrs que ces documents commençaient à faire l'objet d'une lecture liturgique, et leurs héros, par conséquent, d'une mise en valeur lors de leur célébration anniversaire. Au début de son épiscopat, Cyprien, de son côté, trouve établi l'usage de célébrer cet anniversaire par le sacrifice eucharistique. On peut penser qu'il remontait aux lendemains du martyre de leurs titulaires, c'est-à-dire de la persécution de Septime Sévère. Du même coup, la lecture liturgique des textes hagiographiques peut être rattachée à la célébration de l'eucharistie. Alors que le culte des morts est familial, celui des martyrs est communautaire et requiert la présence de l'évêque. Enfin, à la fin du siècle, est attestée la coutume de la sépulture *ad sanctos*.

Dans la reconstitution de ce tissu cultuel, il m'est arrivé d'intervenir pour renouer la trame aux endroits où elle était rompue. Je ne l'ai fait que lorsque le point me paraissait se légitimer en raison de son contexte. Le même travail de reconstitution peut être poursuivi en confrontant les données de la littérature à celles de l'archéologie chrétiennes.

II. UNE CONCORDANCE ENTRE TEXTES LITTÉRAIRES ET MONUMENTS ARCHÉOLOGIQUES

Les informations qui ont été tirées des œuvres de Tertullien, de Cyprien et de quelques autres ne se prêtent pas à de nombreuses confrontations avec du matériel archéologique contemporain. Il y en a une qui est néanmoins possible sur la question des cimetières spécifiquement chrétiens, distincts des cimetières païens. De textes comme *Scap*. 3, 1, de Tertullien, *Ep*. 67, 6, de Cyprien, des *Acta Cypriani,* 5, des annotations du concile de Carthage de 256, il convient de rapprocher quelques inscriptions de Cherchel et une zone cémétériale de Tipasa.

Parmi les inscriptions, j'ai déjà cité et commenté celle de Severianus [1]. Je résume ici mes remarques à son sujet. En l'absence de la pierre primitive, l'examen du vocabulaire de l'inscription refaite au IVe siècle autorise la datation de l'original au IIIe, peut-être antérieurement à l'époque où apparaissent les aires carthaginoises portant un nom propre de personne et vers le temps où Tertullien mentionne celles que les païens contestaient aux chrétiens. Je sais toutefois que les séries littéraires et épigraphiques ne sont ni qualitativement ni géographiquement homogènes. C'est pourquoi je laisse subsister la possibilité d'un retard de l'usage provincial de Cherchel sur celui de la métropole carthaginoise et de l'usage épigraphique sur le littéraire. Cette nécessaire élasticité dans la datation de l'inscription de Severianus la laisse néanmoins, et d'une manière à peu près sûre, dans le cadre du IIIe siècle, ainsi qu'il résulte, en particulier, de sa comparaison avec la deuxième inscription.

La deuxième inscription est, en effet, conservée en original; elle aussi se trouve au Musée d'Alger; en voici le texte :

1. Cf. *supra*, p. 95 et 113.

IN MEMORIA EORVM
QVORVM CORPORA IN AC
CVBITORIO HOC SEPVLTA
SVNT ALCIMI CARITATIS IVLIANAE
ET ROGATAE MATRIS VICTORIS PRESBYTE
RI QVI HVNC LOCVM CVNCTIS FRATRIBVS FECI[2].

Ce texte en latin vulgaire peut donner lieu à un examen de l'écriture et du formulaire. Je laisse l'écriture aux spécialistes de l'épigraphie[3], mais le formulaire n'exclut apparemment pas le IIIe siècle. Au contraire : on y relève le mot *accubitorium,* qui est un hapax du latin chrétien africain[4]. Il pourrait néanmoins trahir une origine ancienne et se révéler comme un produit du même effort d'adaptation et de création dont avait fait preuve Tertullien au temps où se constituait, en Afrique, la langue propre des chrétiens[5]. Pour ce qui est du sens de ce mot, il faut apparemment le rapprocher du verbe *accubito,* « être à table », qui se rencontre chez Sedulius, et du substantif *accubitum,* « couche pour le repas », employé par Ambroise et Jérôme[6]. Le mot *accubitorium* conviendrait assez bien pour désigner la pièce dans laquelle se trouvaient plusieurs lits de repas. Bref, les deux inscriptions césariennes se prêtent mutuellement main forte pour être datées au IIIe siècle, la seconde peut-être relativement haut dans ce siècle.

De l'aire cémétériale d'où proviennent les deux inscriptions, il n'existe ni fouille ni relevé scientifiques. C'est ce que nous avons, en revanche, pour celles de Tipasa. Des deux zones cémétériales tipasiennes, seule celle de l'ouest se prête à des comparaisons avec les textes littéraires. De plus, sa partie la plus occidentale a fait récemment l'objet d'une fouille et d'une publication excellentes[7]. La

---

2. *CIL* VIII 9586, ILCV 1179, *DACL* I (1907) 2798 ; P. MONCEAUX, *Histoire littéraire de l'Afrique chrétienne,* t. 3, p. 129-130.

3. *DACL, ibid.,* fig. 943.

4. *TLL* I (1900) 338, où est signalé un deuxième emploi épigraphique du mot dans une inscription d'Ostie : *CIL* XIV 1473. Son titulaire est sûrement d'origine africaine. Aussi ce deuxième témoignage se ramène-t-il au premier.

5. Chr. MOHRMANN, « Observations sur la langue et le style de Tertullien », *Nuovo Didaskaleion* 4 (1950) 41-54, et *Études sur le latin des chrétiens,* 2 = *Storia e Letteratura,* 87 (Rome, 1961) 235-246.

6. AMBR. *Hel.* 15, 55 (*PL* 14, 752). — HIER. *Ezech. comm.* 14, 46 (*PL* 25, 485).

7. *DACL* XV (1953) 2338-2346, avec bibliographie antérieure ; M. BOUCHENAKI, *Fouilles de la nécropole de Tipasa,* avec bibliographie récente.

région de la basilique d'Alexandre est connue depuis longtemps. La basilique est venue s'insérer dans un double enclos funéraire. L'un de ces enclos a des dimensions voisines de celles de l'aire de Cherchel : 13 × 30 m. Les deux enclos sont chrétiens et uniquement chrétiens. La région de Matarès, où Mounir Bouchenaki a fait sa fouille de sauvetage, comporte de nombreux enclos plus petits, dont quelques-uns sont sûrement chrétiens, les autres sans doute aussi. Ces deux régions chrétiennes se situent dans une zone plus vaste, d'origine païenne, voire punique, ce qui montre la continuité de la sépulture malgré les changements de religion. Outre ces enclos, la zone est parsemée de nombreuses chapelles ou *cellae* funéraires, de dimensions plus réduites, quelquefois accolées à un enclos ou inclus en lui.

Je crois avoir le droit de rapprocher ces enclos et ces chapelles des *areae* et des *cellae* dont il est question dans les inscriptions de Severianus et de Victor, d'une part, et de me demander, de l'autre, s'ils ne doivent pas être rapprochés, en outre, des *areae,* réservées aux chrétiens, que leur contestaient les païens au temps de Tertullien et leur imposait la discipline ecclésiastique à l'époque de Cyprien. Nous aurions ainsi une excellente illustration archéologique des textes littéraires.

Deuxième partie

LA PÉRIODE CLASSIQUE DES IVe ET Ve SIÈCLES SAINT AUGUSTIN ET SON TEMPS

Entre Cyprien et Augustin, il y a un siècle et demi de changements décisifs dans l'évolution du christianisme. L'ère des persécutions est finie, le nombre des martyrs est clos. L'empereur est chrétien; les païens, moins nombreux. L'Église d'Afrique est divisée entre catholiques et donatistes. Je ne signale que ces faits majeurs : ils n'ont pas pu ne pas se répercuter sur les habitudes et les attitudes des chrétiens de ce pays en matière de culte funéraire. Quels textes témoignent de cette évolution ?

Les textes d'Augustin, ceux des auteurs qui l'ont immédiatement précédé et suivi sont beaucoup plus nombreux que ceux de la période précédente : ils le sont dans la proportion de dix à un.

Pour que, dans cette abondance de textes, ressorte mieux le développement cultuel en cours, j'ai tenu compte de leur chronologie, telle qu'elle ressort de travaux récents [1]. Sur les plus de deux cents trente textes inventoriés, près de soixante seulement sont incomplètement datés ou ne le sont pas du tout [2]. Le nombre des non datés est insignifiant. Plus important, par contre, est celui des datations incomplètes. Les deux chiffres ajoutés l'un à l'autre représentent un peu plus du quart des textes relevés. Une telle

1. A. KUNZELMANN, « Die Chronologie der Sermones des hl. Augustinus » ; S. ZARB, « Chronologia Enarrationum S. Augustini in Psalmos » ; H. RONDET, « Sur la chronologie des Enarrationes in Psalmos de saint Augustin » ; A.-M. LA BONNARDIÈRE, *Recherches de chronologie augustinienne ;* O. PERLER, *Les voyages de saint Augustin ;* P.-P. VERBRAKEN, *Études critiques sur les sermons authentiques de saint Augustin*.

2. Sermons incomplètement datés : *Serm*. 172-173, 258, 274-276, 280-283, 289-292, 295, 299-301, 302 + *Guelf* 25, *Serm*. 303-304, 309-310, 313, 315-316, 325-326, 334, 379 = *Lambot* 20, *Serm*. 381, *Caillau* I, 47, I, 57, *Guelf*. 22-24, 27, 31, *Lambot* 3, 7-9, 26, 29, *Mai* 19, 101.

Sermons non datés : *Serm*. 102, 260, *Guelf*. 30, *Lambot* 2, 6, 13, 20-23, 27, *Mai* 13, 20, 147.

Ne figurent dans ces deux séries que les sermons qui ont été utilisés.

proportion ne devrait pas modifier substantiellement les conclusions que permettent les textes datés. Dans ces conditions, il semble qu'on puisse en dégager l'évolution que voici.

Dès le début de la période qui s'ouvre avec Constantin, sont attestées quelques tendances prédominantes de la piété africaine envers les morts, les martyrs et les reliques : banquets funéraires, exubérance du culte des martyrs, engouement pour celui des reliques[3]. Les réactions des pouvoirs civils[4] montrent que ces phénomènes furent communs à tout l'Empire. En Afrique, les autorités ecclésiastiques réagirent aussi très rapidement[5], mais seule l'action d'Augustin permit de motiver et de structurer leur attitude.

Si l'attention d'Augustin ne s'est jamais portée uniquement sur un seul point du vaste champ d'action pastorale qui s'était ouvert à lui, il reste cependant vrai qu'il a limité son effort le plus grand à des objectifs limités, même s'ils ont varié avec les années. Ainsi peut-on dire que les années 390 à 401 furent surtout celles de la lutte contre les banquets funéraires; la décennie suivante, celle du témoignage plus pacifique des usages chrétiens; les années 411 et suivantes, celles de la grande activité, occasionnée à la fois par la chute de Rome, la liquidation du donatisme et les débuts du pélagianisme; la dernière décennie enfin, celle du raz-de-marée de la dévotion aux reliques, provoqué par la diffusion de celles de saint Étienne. Je ne fais ici état, bien entendu, que des événements qui me paraissent avoir eu une incidence directe sur le culte envisagé.

Il serait intéressant peut-être de continuer l'enquête d'une manière systématique dans les textes de l'époque vandale et byzantine. Si je ne l'ai pas fait, c'est que, à la mort d'Augustin, les positions essentielles sont pratiquement fixées, dans le domaine du culte funéraire et martyrologique comme en d'autres.

C'est dans ce cadre chronologique qui s'étend du début du IVe siècle à la mort d'Augustin, avec de rares incursions dans l'époque vandale, que va se dérouler mon enquête. Elle interrogera les textes sur quatre points : 1) sur les usages communs au culte des morts et des martyrs; 2) sur les usages propres au culte des morts; 3) propres à celui des martyrs; 4) propres enfin à celui des reliques.

3. Anonyme, *Sobr.* 1 ; *Conc. Carth. 345-348*, c. 2 ; OPT. MIL. I, 16, II, 4, III, 4, VI, 7.
4. *Cod. Theod.* IX, 17, 6 et 7.
5. *Conc. Carth.* 345-348, c. 2.

CHAPITRE III

LES RENSEIGNEMENTS COMMUNS AU CULTE DES MORTS ET DES MARTYRS

Il est un texte des *Confessions* (V, 2, p. 114-116) qui permet d'isoler deux usages funéraires communs au culte des morts et des martyrs. C'est le passage dans lequel Augustin raconte comment sa mère fut refoulée du cimetière de Milan où elle était venue faire ses dévotions aux morts et aux martyrs, telles qu'elle avait coutume de les accomplir en Afrique. A leur propos, il est question des *memoriae* et des offrandes funéraires. Ces deux usages vont retenir notre attention au cours de ce chapitre.

I. LES MEMORIAE FUNÉRAIRES

Le terme de *memoria* [1] apparaît souvent dans les textes augustiniens, mais avec des sens divers. Outre le sens psychologique de faculté intellectuelle ou de souvenir conservé par elle, on le trouve aussi dans celui de commémoraison liturgique, ou dans celui de relique, voire de reliquaire. Ils sont laissés ici de côté pour être examinés dans un autre contexte. Je ne considère à présent le mot qu'avec sa signification de monument funéraire. Il est ainsi employé des monuments destinés aussi bien aux morts ordinaires qu'aux martyrs. Voici les exemples que j'ai relevés de ces deux séries :

1. Sur ce mot cf. *TLL* VIII 665-684, surtout 681-683, et *DACL* XI (1933) 296-324.

MORTS :

396-405	AUG.	*En. Ps. 33*, 15, p. 290, 40
397-401	—	*Conf.* VI, 2, p. 115, 2
v. 410	—	*En. Ps. 48,* s. 1, 13, p. 561, 3-9; 15, p. 563, 10, 27-28
—	—	*En. Ps. 48,* s. 2, 7, p. 570, 13
22. 1. 413-415	—	*Serm.* 277, 1, col. 1258
17. 4. 419 (?)	—	*Serm.* 396, 2, col. 1718

MARTYRS :

IVe s, 3/4	OPT.	MIL. II, 4, p. 38, 2-6
392	AUG.	*Ep.* 22, 1, 6, p. 59, 4
21. 1. 396	—	*Serm.* 273, 2, col. 1248; 7, col. 1251
397-399	—	*Faust.* XX, 4, p. 538, 6-8; 21-22, p. 562, 8, p. 564, 4
397-401	—	*Conf.* V, 8, p. 102, 2
—	—	*Conf.* VI, 2, p. 114, 7, p. 115, 18
10. 8. 401	—	*Denis* 13, 4, p. 58, 12-13
13. 9. 401	*Reg.*	*Carth.* c. 83, p. 204-205
402 (?)	AUG.	*Ep.* 78, 3, p. 336, 3
29. 6. 410-411	—	*Serm.* 296 = *Casin.* I, 133, 6, p. 405, 1-6
av. 416-417	—	*Ciu. Dei,* VIII, 26-27, p. 246, 11, p. 248, 83, p. 249, 3, 11, 15, 17
14. 9. 416	—	*En. Ps. 86,* 8, p. 1205, 17-18
10. 6. 417	—	*Mai* 158, 2, p. 381, 24
v. 420-424	An.	*Mir. S. Steph.* passim
421-422	AUG.	*Cur. mort.* I, 1, p. 621, 7; II, 6, p. 629, 19, p. 630, 8-17; XVI, 20, p. 653, 20; XVIII, 22, p. 659, 6
Pâques 425-426	—	*Serm.* 322, *libellus,* col. 1444
lendemain 425-6	—	*Serm.* 323, 2, col. 1445-1446 (*bis*); 4, col. 1446
surlend. 425-6	—	*Serm.* 324, col. 1447
5. 12. 426-429	—	*En. Ps. 137*, 14, p. 1987, 15
v. 427	—	*Ciu. Dei,* XXII, 8, *passim*
non daté	—	*Serm.* 389, col. 1684.

Dans cette quarantaine de mentions, la plus ancienne est d'Optat de Milev et concerne les *memoriae* apostoliques de Rome. Avec la chaire de Pierre, elles sont le centre de ralliement de l'unité catholique. Saint Paul, dit Optat, recommandait aux Romains d'être

« en communion avec les *memoriae* des saints » (Rom 12, 17)[2]. Or, non seulement les donatistes ne peuvent se prévaloir de la chaire de Pierre, mais encore quel schismatique peut prétendre avoir accès aux *memoriae* des apôtres (OPT. MIL. II, 4) ? Le pèlerinage aux tombes apostoliques était donc considéré comme une profession de foi catholique. Bien plus, l'orthodoxie des pélerins semble avoir été contrôlée. Cet état de choses remonte aux tout premiers temps de l'existence des deux basiliques constantiniennes et peut donc être daté en gros du troisième quart du IVe siècle.

Dans les œuvres d'Augustin la *memoria* monumentale intervient souvent à propos de la parabole du mauvais riche. Celui-ci, en effet, a été enterré dans une *memoria marmorata aurataque (En. Ps. 86,* 25*)*. Mais elle est mentionnée beaucoup plus souvent au sujet des martyrs : c'est un édifice vers lequel on se dirige (*En. Ps. 86,* 8), dans lequel on célèbre l'office (*Mai* 158, 2), on fait enterrer ses morts (*Cur. mort.* I, 1), on fait ses dévotions (*Conf.* V, 8) ou ses libations (*En. Ps. 137,* 14), voire des banquets et des beuveries (*Ep.* 22) ; sa grandeur et son luxe amènent les païens et les manichéens à la comparer au temple des dieux (*Epp.* 16-17 ; *Faust.* XX, 4, 21-22) ; aussi bien, disent-ils, l'un et l'autre sont le théâtre de miracles (*Ciu. Dei,* XXII, 8, *passim,* et 10).

C'est avec cette signification monumentale qu'apparaissent chez Augustin diverses *memoriae* individuelles de martyrs. Le relevé qui suit présente celles dont la signification est claire marquées d'un astérisque. La discussion des autres est réservée au chapitre des reliques.

* Saint Cyprien, Carthage :	*Conf.* V, 8
* — Pierre, Rome :	*Serm.* 296 = *Casin.* I, 133, 6 ; *En. Ps. 86,* 8 ; *Serm.* 381
* — Paul, Rome :	*Serm.* 296 = *Casin.* I, 133, 6
* — Laurent, Rome :	*Ibid.* ; *Denis* 13, 1

2. Vulgate : necessitatibus sanctorum communicantes. — Version africaine : memoriis sanctorum communicantes. Cette variante est notée dans l'apparat critique des éditions scientifiques. Elle devait être commune aux donatistes et aux catholiques pour avoir valeur démonstrative.

La *memoria* comme critère d'orthodoxie n'a pas été relevée chez Optat de Milev dans M. MACCARRONE, *Apostolicità, episcopato e primato di Pietro,* dans *Lateranum,* N. S. année 42 (1976), n° 2, p. 220-227.

* — — Ravenne :	*Serm*. 322, *libellus*
* Les Macchabées, Antioche :	*Serm*. 300, 6
* Saints Gervais et Protais, Milan :	*Ep*. 78, 3
* — — — Hippone, *Victoriana villa :*	*Ciu. Dei,* XXII, 8, 8
* Vingt martyrs, Hippone :	*Ibid*. XXII, 8, 10
* Martyrs, Hippone, *in suburbano :*	*Ibid*. XXII, 8, 20
Saint Théogène, Hippone :	*Mai* 158, 2; *Serm*. 273, 7
— Étienne, Ancône :	*Serm*. 323, 2
— — Uzali :	*Serm*. 324; *Ciu. Dei,* XXII, 8, 22;*Mir S. Steph*. passim
— — Calama :	*Ciu. Dei,* XXII, 8, 8, 21
— — Hippone :	*Ibid*. XXII, 8, 21 et 23
— — — *Audurus fundus* :	*Ibid*. XXII, 8, 16
— — — *Caspaliana possessio* :	*Ibid*. XXII, 8, 17-18

Parmi les mentions de *memoriae* funéraires, quelques-unes doivent être examinées de plus près en raison soit de leur imprécision soit de leur signification polyvalente.

Dans un sermon en l'honneur des saints de Tarragone, Fructueux, Augure et Euloge, Augustin dit d'eux : *in quorum memoriis celebramus diem passionis illorum (Serm*. 273, 2). Plus loin, il parle de *memoriae* de martyrs et de celle de saint Théogène (*Ibid*. 7). S'il fallait entendre le mot d'une manière univoque dans les deux passages du sermon, les difficultés seraient insolubles. Dans le deuxième endroit, la *memoria beati Theogenis* et celle des saints martyrs sont des monuments auprès desquels il s'agit de célébrer l'eucharistie. L'existence de ce monument est indiscutable dans le cas de Théogène, puisqu'il est attesté encore ailleurs. En revanche, on n'a jamais entendu dire qu'il eût existé à Hippone un sanctuaire en l'honneur des martyrs tarragonais. Quand Augustin emploie le mot *memoria* à leur sujet, il n'a pas le sens monumental. L'évêque voulait dire que « leur souvenir était célébré au jour de leur passion ». En d'autres termes, nous tenons un exemple de son emploi au sens de « commémoraison liturgique », en même temps qu'un exemple de la facilité avec laquelle Augustin passait d'un sens du mot à l'autre.

Ailleurs, le jeu est évident de la part de l'ancien rhéteur sur les divers sens du mot. La prise de Rome par Alaric donna le prétexte aux païens de reprocher aux chrétiens l'inutilité de la protection de leurs martyrs, de la possession de leurs tombeaux. Augustin rapporta ces objections, mais pour les retourner contre les objecteurs. L'argument *ad hominem* joue sur le double sens, psychologique et monumental, du terme. Quand la Ville est éprouvée, dit-il :

> alors le monde est ébranlé, le vieil homme troublé, la chair secouée, l'esprit dérouté. Le corps de Pierre repose à Rome, dit-on, le corps de Paul repose à Rome, le corps de Laurent repose à Rome, le corps d'autres saints martyrs repose à Rome ; et pourtant Rome est dans la détresse, elle est dans la dévastation, affligée, écrasée, incendiée ; tant de morts sont causées par la faim, la peste, le glaive. Où donc sont les *memoriae* des apôtres ? ... Elles sont là, oui, là, mais elles ne sont pas en toi. Pût-elle être en toi, la mémoire des apôtres ! Pusses-tu penser aux apôtres ! Tu verrais si le bonheur qui t'est promis est terrestre ou éternel (*Serm.* 296 = *Casin.* I, 133, 6, p. 404, 26-405, 7).

A ces réflexions du premier jet, la *Cité de Dieu* donne une forme élaborée, en replaçant le culte des martyrs dans sa position subordonnée au culte de Dieu. Ici, semble-t-il, c'est sur le triple sens du terme que porte le jeu :

> Nous ne consacrons aux martyrs ni temples, ni sacerdoces, ni cérémonies, ni sacrifices, car ce ne sont pas eux, mais c'est leur Dieu qui est notre Dieu. Nous honorons certes *memorias eorum* comme celles de saints hommes de Dieu qui ont lutté pour la vérité jusqu'à la mort physique... Mais qui d'entre les fidèles a jamais entendu le prêtre qui se tient à l'autel (même si cet autel est construit sur le corps du martyr, mais en l'honneur et pour le culte de Dieu) dire dans les prières : Je t'offre le sacrifice à toi, Pierre ou Paul ou Cyprien, alors que le sacrifice est offert *apud eorum memorias* à Dieu qui les a faits hommes et martyrs ?... En effet, tous les hommages apportés par les fidèles aux lieux saints des martyrs concourent au lustre de leurs *memoriae* et ne constituent pas des actes de culte ou des sacrifices offerts à des morts comme à des dieux... Les banquets non plus ne sont pas des sacrifices en l'honneur des martyrs : le sait quiconque est instruit de l'unique sacrifice du Christ, même s'il est aussi offert en leurs lieux saints (*Ciu. Dei,* VIII, 27, p. 248-249, 1-5, 7-18, 24-26, 42-49).

Dans ce passage le mot *memoria* apparaît trois fois avec des significations apparemment diverses. Dans l'expression *honoramus memorias eorum tamquam sanctorum hominum Dei,* le mot semble à mi-chemin entre le sens psychologique et liturgique; celui de *apud eorum memorias offeratur Deo* est monumental; celui de *ornamenta sunt memoriarum non sacra uel sacrificia mortuorum* reste à déterminer. Dans ce but, je crois devoir tenir compte du parallléisme de la construction grammaticale, souligné par l'opposition *ornamenta* NON *sacra*. Dans ces conditions, de même que *ornamenta* correspond à *sacra uel sacrificia,* ainsi *memoriarum* est en parallèle avec *mortuorum*. Ce dernier parallélisme est renforcé par l'assonnance. C'est pourquoi, malgré l'avis contraire de nombreux traducteurs, je comprendrais volontiers ici *memoriarum* avec la signification de «reliques». Il est vrai que cette proposition demande à être vérifiée dans un autre contexte à l'aide d'autres exemples.

La citation que j'ai extraite de la *Cité de Dieu* mérite de retenir notre attention pour une deuxième raison. Elle développe le thème de la subordination du culte des martyrs à celui de Dieu. Le thème est fondamental dans l'apologétique augustinienne du culte chrétien. Il est ébauché dès 390 dans les Épîtres de et à Maxime de Madaure (*Epp*. 16-17, p. 37-44). Il reçoit un premier développement en forme dans le sermon du 21 janvier 396 en l'honneur des martyrs de Tarragone, Fructueux, Augure et Euloge (*Serm*. 273, 7, col. 1251) : les arguments y sont fixés, seule leur orchestration variera désormais. Ainsi en est-il dans le *Contra Faustum,* XX, 21, vers 397-399, et le *De ciuitate Dei,* VIII, 27 : n'y changent que les martyrs en l'honneur de qui est célébré, mais à qui n'est pas offert le sacrifice eucharistique.

C'est pourquoi, Augustin peut définir, l'un par rapport à l'autre, le culte des martyrs et celui de Dieu. Le culte des martyrs est un «service dû à des hommes», *seruitus quae debetur hominibus,* conformément à Phil. 6, 5. Il est remarquable qu'Augustin ne l'appelle pas encore d'un terme technique, comme celui de δουλεία que lui réserveront les byzantins au temps de l'iconoclasme. Par contre, le culte propre de Dieu, *deitati debitus cultus,* faute de pouvoir le désigner par un vocable latin approprié, il le nomme λατρεία avec les grecs (*Ciu. Dei,* X, 1, p. 272, 37).

Dans son traité sur le culte des morts, Augustin rappelle le sens des mots qui servent à désigner les monuments funéraires. On les appelle, dit-il, en latin *memoria* ou *monumentum,* en grec μνημεῖον *(Cur. mort*. III, 6, p. 630, 18). Pourquoi, sinon parce que ces monuments sont chargés de nous rappeler le souvenir de ceux qui ont été soustraits à nos regards ? Le lien entre la fonction commémorative des monuments, d'une part, et de la prière chrétienne, de l'autre, n'est pas expressément montré par Augustin. Il me semble néanmoins ressortir du vocabulaire, quand il est question chez lui de la commémoraison des morts (*Ibid.* I, 17-20). C'est à la prière qu'invitent particulièrement les monuments élevés en leur mémoire.

Quelques textes apportent des informations d'ordre architectural sur ces monuments. Il en est ainsi de la *memoria* de saint Étienne que nous font connaître les deux livres de miracles du saint à Uzali et que l'évêque du lieu avait fait élever en l'honneur des reliques qu'il en avait obtenues. Cette *memoria S. Stephani* est nommée une quinzaine de fois dans le document[3]. Elle abritait une « châsse d'argent renfermant la particule des reliques ». Son pavement était mosaïqué. Elle était fermée sur le devant et ne s'ouvrait que par une petite fenêtre, *fenestella,* qui donnait accès à l'intérieur. Cette ouverture est appelée *ostiola* dans un autre passage. Deux cierges brûlaient devant elle[4].

De semblables détails se lisent chez saint Augustin au sujet de la *memoria* qu'il avait fait ériger en l'honneur du même protomartyr dans sa propre ville épiscopale. Deux malades étaient venus quotidiennement pendant quinze jours à l'église prier le saint martyr. L'église est appelée basilique plus loin. L'évêque y célèbre les offices du jour de Pâques. Il s'agit sans doute de sa cathédrale. Dans cette église ou à proximité immédiate se trouvait la *memoria.* Le « lieu saint » est orné de grilles ou de balustrades que les malades tiennent embrassées pendant leur prière. Les chancels se trouvent près du *martyrium,* c'est-à-dire sans doute près de l'endroit précis où étaient déposées les reliques et dont ils étaient destinés à protéger l'accès. A leur contact, les malades sont projetés par terre et plongés dans le sommeil. A leur réveil, ils sont guéris. On les conduit alors à

3. *Mir. S. Steph.* I, 5, col. 838 ; I, 6, col. 838 ; I, 7, col. 839 ; I, 11, col. 839, 840 ; I, 12, col. 840 ; I, 15, col. 842 ; II, 2, 2, col. 844 ; II, 2, 4, col. 846 ; II, 2, 5, col. 846 ; II, 2, 6, col. 847 ; II, 2, 7, col. 848 ; II, 3, col. 849 ; II, 4, 1, col. 850 ; II, 4, 2, col. 851.

4. *Ibid.*, I, 8 : capsellam argenteam, in qua erat reliquiarum pars memorata (col. 839) ; — I, 9 : super pauimentum tessellae (col. 840) ; — II, 2, 4 : iuxta ipsam beati martyris memoriam duo ceroferaria luminosa (col. 846) ; — II, 2, 6 : ostiola sacratae memoriae (col. 847).

l'évêque qui, pendant ce temps, officiait dans l'abside de la basilique (*Ciu. Dei*, XXII, 8, 23, p. 825-826, 407-480). Les sermons qu'Augustin prononça à cette occasion donnent aussi l'impression que la *memoria* était une chapelle attenante à la basilique, ou amenagée dans son intérieur mais loin du chœur (*Serm.* 322-324, col. 1443-1446). Un autre, donné pour le premier anniversaire de sa consécration, fait état de l'inscription qu'Augustin avait fait mettre dans la chapelle et qu'il invite les fidèles à retenir de mémoire : elle doit leur tenir lieu de livre saint. Il résulte de ce sermon que la *cella* comportait une *camera,* c'est-à-dire une voûte, ou plutôt une abside voûtée en cul-de-four; c'est là que se trouvait l'inscription (*Serm.* 319, 7, col. 1442).

Dans son sens architectural, la *memoria* pouvait présenter plusieurs variétés typologiques. Il est intéressant de le noter à propos d'un dernier texte que je veux citer à son sujet. Il s'agit du canon par lequel, le 13 septembre 401, un concile de Carthage avait réglementé l'érection des autels ou chapelles en l'honneur des martyrs. Voici le texte.

> Les fausses *memoriae* des martyrs. Une décision a été prise aussi au sujet des autels élevés çà et là dans les champs et les chemins comme *memoriae* des martyrs, dans lesquels il est sûr qu'il n'y a pas de corps saint ni de reliques : ils doivent être détruits, si faire se peut, par l'évêque du lieu. S'il en est empêché par un soulèvement populaire, il doit néanmoins avertir les fidèles de ne pas fréquenter ces lieux. De cette manière, ceux qui sont animés des sentiments de la vraie foi ne se laisseront lier par aucune superstition. Absolument aucune *memoria* de martyr ne doit être approuvée, qu'une tradition fidèle ne mette en rapport dès l'origine avec le corps, les reliques, la maison, la propriété ou la passion du martyr. Quant aux autels érigés à la suite de songes ou de vaines révélations de qui que ce soit, ils seront absolument réprouvés (*Reg. Carth.* c. 83, p. 204-205).

Si l'on se souvient que l'Église de Carthage avait défini dès 345-348 le culte à rendre aux martyrs sur leurs tombeaux, en refusant la qualité de martyrs aux défunts que l'entraînement populaire ou la propagande schismatique proposait comme tels, et en punissant de peines canoniques laïcs et clercs qui se livraient à de tels excès (*Conc. Carth. 345-348*, c. 2, p. 4), on imagine sans peine la place que ce culte devait tenir, aussi bien dans le paysage suburbain et rural par la multiplication des oratoires, que dans la dévotion quotidienne des fidèles par la multiplicité des anniversaires à célébrer.

De toute façon, oratoire de carrefour, chapelle de campagne, chapelle incorporée à une église, voire église ou basilique elle-même, la *memoria* est un édifice abondamment et précisément documenté par la littérature de l'époque classique. Il en est de même des banquets funéraires dont elle abritait la tenue.

II. LES CONVIVIA FUNÉRAIRES

Aux funérailles, à la clôture du deuil, aux anniversaires, se célébraient des banquets de famille, auxquels les morts aussi étaient censés prendre part. Des morts, l'usage s'était étendu aux martyrs. C'est même en leur honneur qu'ils ont connu en Afrique une popularité particulièrement marquée, au point qu'Augustin pouvait parler de célébrations quotidiennes. Ils ont reçu des noms divers déjà dans l'antiquité et ont été étudiés sous différents titres par les auteurs récents. Aussi y a-t-il lieu d'examiner de près le témoignage d'Augustin et de ses contemporains, prédécesseurs et successeurs immédiats d'Afrique [5].

1. *La chronologie des témoignages*

Les textes suivants parlent des banquets funéraires :

IVe s. :	Anon.	*Sobr.*	1, col. 1107, 1109
392	AUG.	*Ep.*	22, p. 54-62
395	—	—	29, p. 114-122
18. 4. 396	—	*Serm.*	252, 4, col. 1174
396-397	—	*Frangip.*	2, 4, p. 193, 2ss.
—	—	—	— 5, p. 195, 10-11
397	*Reg. Carth.*		c. 42, p. 185

5. Sur les banquets funéraires, la littérature antérieure à 1968 est indiquée par P. COURCELLE, *Recherches sur les 'Confessions' de saint Augustin*, p. 87, n. 1. On y ajoutera quelques études nouvelles : J. DOIGNON, « Refrigerium et catéchèse à Vérone au IVe siècle » ; A. HAMMAN, « Les repas religieux et l'agape chez saint Augustin » ; S. POQUE, « Spectacles et festins offerts par Augustin pour les fêtes des martyrs ».

397-401	AUG.	*Conf.* VI, 2, p. 114-115
397-399	—	*Faust.* XX, 4, p. 538, 7-8; 21-22, p. 561, 25-27, et p. 564, 2-5
398	—	*Mor. Eccl.* I, 34, 75, col. 1342
av. 400	—	*En. Ps. 69,* 2, p. 931, 17; 3, p. 935, 44-51
av. 401	—	*Frangip.* 6, 3 fin, p. 222, 16-17
401	*Reg. Carth.* c. 60, p. 194	
401	AUG.	*Denis* 13, 4, p. 58, 12-13
403	—	*En. Ps. 32,* s. 1, 5, p. 250, 2
401-405	—	*Serm.* 311, 5, col. 1415 fin
406	—	*En. Ps. 120,* 15, p. 1801, 6
14. 9. 410	—	*Guelf.* 28, 5, p. 539, 30
410-411	—	*Serm.* 361, 6, col. 1601-1602
412-413	—	*En. Ps. 59,* 15, p. 765, 10-13
418	—	*In Ioan. ev. tr. 84,* 1, p. 537, 27-28
426-429	—	*En. Ps. 137,* 14, p. 1987, 15-16
sans date	—	*Lambot* 13 fin, col. 800-801
523-546	FERRAND.	*Brev. can.* c. 71, p. 293

Dans ce classement chronologique, la place faite au *Frangip.* 2 aura besoin d'une justification que je donnerai en faisant état du témoignage de ce texte.

Ceci dit, on note que le classement fait apparaître une certaine évolution d'Augustin à l'égard des banquets funéraires. A l'hostilité militante des dix premières années, de 392 à 401 environ, succède un certain apaisement pendant la décennie suivante. En 410-411, la polémique se réveille à propos des survivances donatistes; on a l'impression que chez les catholiques les abus ont disparu; impression à nuancer grâce aux écrits de la troisième période. La *Cité de Dieu* fait alors le point : les abus n'ont pas complètement disparu, ils ont été limités; mais si les banquets survivent, les excès qu'ils entraînaient ont été abolis; s'ils ont été extirpés du culte des martyrs, on n'est pas informé en ce qui concerne celui des morts; rien n'oblige ni n'empêche de penser qu'ils s'y perpétuaient, encore que la seconde hypothèse paraisse la plus probable.

2. *L'usage et les abus des banquets*

Alors que Tertullien percevait encore nettement le banquet funéraire comme un rite de communion avec le mort (*Spect.* 13, 2-5, p. 239), Augustin n'était plus sensible à cet aspect du repas. Même quand il le décrivait dans son déroulement, il était préoccupé avant tout par ses implications morales. Déjà Cyprien, d'ailleurs, vitupérait le luxe dont on l'entourait et les turpitudes qui l'accompagnaient (*Ep.* 67, 6, p. 740, 18-19). C'est pourquoi, il importe de le saisir dans sa consistance matérielle, avant d'exposer les réactions qu'il provoqua de la part d'Augustin.

Il n'a décrit le rite qu'une fois sans polémique, plutôt soucieux d'excuser que d'accuser la personne qui le pratiquait : c'était à propos de la démarche de sa mère à Milan pour les *parentalia* d'une année qui semble être 385 [6]. La coutume avait été interdite pour ses fidèles par Ambroise. Lorsque Monique se présenta au cimetière avec son panier, elle se fit éconduire par le portier. Étonnée, voire scandalisée par le refus de cet homme de la laisser faire ses dévotions coutumières, elle ne fut pas persuadée par les raisons qu'il lui donna et s'en fut trouver l'évêque lui-même. Celui-ci lui exposa les motifs de sa décision : éviter les abus d'ordre moral, d'une part, les apparences de paganisme, de l'autre, que la pratique pouvait présenter. C'est alors seulement que, convaincue et obéissante, elle se rangea à la décision épiscopale. Aussi, par la suite, Ambroise loua-t-il Augustin d'avoir une telle mère. Voilà le scénario que Pierre Courcelle reconstitue des diverses démarches de Monique à propos des *parentalia*.

Lorsque, plus de dix ans après, Augustin en fit le récit, il évoqua les habitudes africaines de sa mère, allant indistinctement rendre les mêmes devoirs aux *memoriae sanctorum*, aux *memoriae defunctorum* et aux *memoriae martyrum*. En fait, ces trois appellations ne recouvrent que deux catégories de morts : ceux du commun d'une part, les martyrs de l'autre [7]. En quoi consistaient ces devoirs ?

> Selon l'usage africain, dit le texte, Monique avait apporté de la bouillie, du pain et du vin pur (*Conf.* VI, 2, p. 114, 17-18).

Sur place, elle mélangeait ce dernier avec de l'eau. Cette

---

6. P. COURCELLE, *Recherches*, p. 87.
7. Ad memorias sanctorum (*Conf.* VI, 2, p. 114, 17) ; illo modo uidebantur honorandae memoriae defunctorum (Ibid., p. 115, 8-9) ; ad memorias martyrum afferre didicerat (Ibid., p. 115, 18-19). Si Augustin se conforme dans ce passage des *Confessions* à l'usage antique, aussi bien païen que chrétien, le mot *sanctus* pouvait s'appliquer aux martyrs comme aux simples défunts. Cf. H. DELEHAYE, *Sanctus*, p. 22-23, 30-31.

nourriture et cette boisson « devaient d'abord être absorbées », *epulis praegustandis,* partiellement par le fidèle, puis « distribuées », *et largiendis* (*Ibid.*, p. 115, 5-6), par lui aux morts. Il répétait ces deux gestes autant de fois qu'il y avait de monuments à visiter. Si d'autres fidèles accompagnaient le premier visiteur et qu'ils n'eussent pas porté leurs propres offrandes, ils partageaient celles de leur compagnon. Augustin prend soin de souligner que sa mère accomplissait ces rites avec dignité et retenue et il met en relief sa sobriété. Cette précaution du narrateur trahit son amour filial, si bien que le récit n'est pas exempt de toute intention apologétique.

La démarche religieuse de Monique nous permet donc de distinguer deux composantes essentielles du rite : la prégustation par l'offrant ou les offrants et la distribution aux morts des offrandes funéraires. Il ne s'agit pas seulement de *compotatio,* mais aussi de *commanducatio,* c'est-à-dire de *conuiuium.* Si le terme de *compotatio* a prévalu pour désigner tout le rite, cela est significatif de l'évolution de celui-ci. En tout cas, offrandes aux morts et banquets des vivants sont attestés encore ailleurs chez Augustin, bien qu'avec une fréquence différente. Quant à savoir quelle forme précise ils prenaient, si l'on se mettait à table ou si l'on faisait simplement une espèce de pique-nique, ce ne sont pas les textes qui le disent, mais les représentations figurées [8].

Augustin revient donc sur l'offrande dans d'autres textes. Ainsi dans le *De moribus Ecclesiae*. A une objection des manichéens qui reprochaient aux catholiques l'adoption de certaines pratiques païennes, Augustin répond que ses adversaires ne font pas mieux : eux aussi « offrent à manger à des cadavres », *epulas cadaueribus exhibentes (Mor. Eccl.* I, 34, 75, col. 1342). Le trait satirique n'est pas davantage absent de telle prédication à ses ouailles. On lit dans le commentaire du Ps. 48 :

> Ils apportent du pain et du vin aux sépulcres et y invoquent le nom de leurs morts. Pense donc combien souvent plus tard a dû être invoqué le nom de ce riche, quand les hommes s'enivraient dans sa *memoria*. Et pourtant pas une goutte de leur vin ne descendit sur sa langue brûlante (Lc 16, 24). Les hommes rendent ainsi service à leur ventre, non aux âmes de leurs morts (*En. Ps. 48,* s. 1, 15, p. 563, 25-30).

---

8. P.-A. FÉVRIER, « A propos du repas funéraire », fig. 3 à 10.

Outre que le texte parle de l'ivrognerie des banqueteurs, il indique avec précision le rite funéraire de la libation : on versait dans la tombe du vin qui était censé parvenir au mort. L'allusion aux usages du temps est du même coup un commentaire extrêmement suggestif de la parabole du mauvais riche.

Dans un autre sermon qui traite de la résurrection des morts, Augustin exhorte les fidèles à faire le bien durant leur vie d'ici-bas. Car les bonnes œuvres que peuvent faire à leur intention les survivants, ne leur profitent que dans la mesure de leurs dispositions au moment de la mort. C'est pourquoi Augustin peut dire :

> Quand nous serons morts, même si nos parents, nos amis, nos proches portent des offrandes sur nos tombes, ils les apportent pour eux qui sont vivants, non pour nous qui serons morts. C'est en effet de cette coutume que s'est moquée l'Écriture... : « Des mets à profusion devant une bouche fermée, telles sont les offrandes déposées devant une tombe » (Sir 30, 18). Il est évident qu'une telle pratique importe peu aux morts. Cette coutume est païenne et ne peut provenir de la race et du sang de justice de nos pères les patriarches. Car, lorsque nous lisons le récit de leurs funérailles, nous n'y lisons rien au sujet des *parentalia*... L'objection que tirent quelques-uns de l'Écriture : « Sois prodigue de pain et de vin sur le tombeau des justes » (Tob 4, 17), n'entre pas en discussion ici. Les fidèles, en effet, sont capables de comprendre ce que veut dire ce passage. Ils savent ce qu'ils peuvent faire aux *memoriae* des leurs conformément à la religion : ces devoirs ne doivent pas être rendus aux injustes, c'est-à-dire aux infidèles, car « le juste vit de la foi » (Rom 1, 17), comme le savent bien les fidèles (*Serm.* 361, 6, col. 1601-1602).

Ce passage trahit une gêne certaine de la part d'Augustin. D'une part, celui-ci se trouve en présence de deux textes scripturaires : Sir 30, 18, et Tob 4, 17, qui attestent clairement, bien que de façon différente, l'usage des offrandes funéraires dans l'Ancien Testament. Selon sa façon ordinaire de penser, Augustin aurait dû recevoir également l'autorité de ces deux textes pour légitimer chez les chrétiens l'usage des offrandes funéraires. D'autre part, il est non moins certain que, dès le début de son ministère, il s'y est opposé. De plus, il insiste ici sur l'opposition entre les coutumes des païens et des chrétiens et ne peut admettre de contamination de celles-ci par celles-là. Il y aura intérêt à reconsidérer son attitude sur le sujet, quand il faudra faire le bilan de sa campagne contre les banquets funéraires.

Mais auparavant, outre leur usage, il faut caractériser leurs abus, qui semblent proliférer dans le culte des martyrs.

En 392, Augustin y rend attentif le nouvel évêque de Carthage. Ces excès sont l'objet principal de la *Lettre* 22. Voici les doléances qu'il y fait à son ami Aurèle :

> Les Africains, lui écrit-il, estiment permises et licites les ripailles et beuveries qu'ils célèbrent en l'honneur des bienheureux martyrs. Elles ne se font pas seulement au jour de leur solennité (abus qu'on ne croirait pas devoir déplorer si on ne l'avait constaté de ses propres yeux), elles se font encore tous les jours. Hélas ! si ces ordures n'étaient que honteuses, elles sont en plus sacrilèges !... Que nous les supportions dans nos maisons pour notre souillure et notre chute, passe ; mais que, après ces banquets en privé, nous partagions avec nos hôtes le corps du Christ, alors que nous ne devrions même pas manger le pain avec eux ! Bannissons tant de honte au moins du tombeau des corps de nos saints, du lieu de nos mystères, des maisons de nos prières. Qui donc osera interdire en privé des abus qui, parce qu'ils sont tolérés dans les lieux saints, passent pour honorer les martyrs ? (*Ep*. 22, 3, p. 56, 16-57, 8).

En 395, peu après la fête de saint Léonce d'Hippone le 4 mai, Augustin écrit à son ami Alype qui venait d'être ordonné évêque de Thagaste (Souk-Ahras, Alg.), leur commune patrie. Il lui raconte au prix de quels efforts les banquets funéraires venaient d'être supprimés chez les catholiques d'Hippone, alors que les donatistes de la ville les avaient célébrés. Ce récit fait l'objet de la *Lettre* 29. Là encore il est question des « abondantes ripailles et beuveries » auxquelles la fête donnait lieu. Lorsqu'il s'agit de l'abolir, les gens d'Hippone s'émurent : ils ne supporteraient pas, firent-ils savoir, qu'elle ne fût plus célébrée (*Ibid*. 2, p. 114, 15). Augustin ajoute, qu'en lui donnant le nom de *Laetitia,* ils cherchaient en vain à dissimuler leurs beuveries (*Ibid*. p. 114, 16). Le soir de la fête, alors que les catholiques s'étaient abstenus des banquets, « les hérétiques les avaient célébrés comme à l'accoutumée dans leur basilique et continuaient à vider leurs coupes » (*Ibid*. 11, p. 121, 24-26).

Bien que ces deux lettres se réfèrent aux usages de deux villes différentes, Carthage et Hippone, en l'honneur de saints différents (saint Léonce, en effet, n'était pas martyr, mais fondateur d'église), elles décrivent néanmoins ces usages et leurs abus en des termes semblables et les font supposer semblables en réalité. Le fait qu'Augustin écrive à Alype, sans même parler des coutumes que sa mère avait cru pouvoir observer à Milan, permet, sans l'ombre d'un doute, de les étendre à la ville natale d'Augustin. Au témoignage des *Confessions,* elles semblent d'ailleurs étendues à toute l'Afrique ancienne : *sicut in Africa solebat* (*Conf.* VI, 2, p. 114, 17).

Le tableau des *comissationes et ebrietates* est complété par des touches nouvelles dans les prédications qui suivirent. Le 21 janvier 396, dans le sermon pour la fête des martyrs de Tarragone, Augustin disait :

> Les martyrs haïssent vos plats, les martyrs haïssent vos fritures, les martyrs haïssent vos ivresses. Je le dis sans vouloir faire injure à ceux qui s'en abstiennent, mes reproches s'adressent à ceux qui s'y adonnent. Les martyrs haïssent vos pratiques, ils n'aiment pas ceux qui les observent (*Serm.* 273, 8, col. 1251 *in fine*).

Dans un deuxième sermon, donné après les fêtes pascales de la même année, au cours d'une réunion liturgique dans la basilique Saint-Léonce, Augustin rappela combien l'alerte avait été chaude [9]. Mais c'est seulement plus tard, quand le temps eut refroidi les ardeurs, qu'il put parler des autres abus : les chants, les danses, les orchestres les accompagnant. Voici ces textes.

Dans l'*En. Ps. 69,* grâce à un jeu de mots qu'il affectionne : *exsultare - saltare - insultare,* il nous apprend que les banquets funéraires entraînaient la présence des musiciens avec leurs instruments : *inter organa et symphoniacos* (*Ibid.* 2, p. 931, 17), et qu'on dansait dans les sanctuaires des martyrs. Les adeptes de ces abus « insultent » les martyrs, des chrétiens sont parmi eux :

> Nous en voyons qui portent sur leur front le signe du Christ, qui ont en même temps l'audace d'y porter l'insigne de leurs débordements [10]; qui, au jour de la solennité des martyrs, n'exultent pas, mais les insultent (*Ibid.* 22-25).

---

9. *Serm.* 252, 4, col. 1174.

10. Cet insigne est la couronne dont le port a été condamné pour les chrétiens par Tertullien, dont Augustin reprend ici l'argumentation, sans lui donner cependant le même caractère outrancier. Cf. *supra,* p. 39-42.

La nature de l'insulte est précisée plus loin :

> Par leurs danses, ils ne portent pas atteinte aux corps des chrétiens, ils déchirent les âmes des chrétiens... Leurs danses sont des offenses pour les martyrs (*Ibid.* p. 932, 39-41 ; 3, p. 933, 44).

Ailleurs, le jeu de mots porte sur *passiones* et *potiones* qu'on pourrait traduire par « passions et libations » (*Frangip.* 6, 3, p. 222, 16-17). Mais le texte le plus développé a été prononcé en l'honneur de saint Laurent, le 10 août 401. Des jeux de mots et des thèmes nouveaux y apparaissent. Parmi ces derniers, celui des « fils de martyrs » et des « fils de persécuteurs » oppose les partisans aux adversaires des banquets. Comme jeu de mots, celui des persécuteurs aura un certain succès : *lapidibus non possunt, calicibus persequuntur*.

> Voyons maintenant qui sont les fils des tués, qui les fils des tueurs. Vous les voyez nombreux aux *memoriae* des martyrs, faire bénir leurs coupes dans les *memoriae* des martyrs, revenir repus des *memoriae* des martyrs. Pourtant, examine-les et tu les découvriras parmi les persécuteurs des martyrs. Ce sont eux en effet, les responsables des troubles, des coteries, des sauteries et de toutes les orgies (*tumultus, seditiones, saltationes, omnes luxuriae)* que Dieu haît. Maintenant, comme ils ne peuvent plus poursuivre les martyrs, désormais couronnés, avec leurs coups (*lapidibus*), ils les persécutent avec leurs coupes (*calicibus*). Qui donc étaient-ils, de qui étaient-ils les fils, ceux dont les sauteries furent interdites il y a peu d'années, pour ne pas dire hier, dans le lieu saint du martyr Cyprien ? Oui, ils dansaient ici, ils s'amusaient ici : ce jour de fête, dans l'espoir de s'y amuser, ils l'attendaient de tous leurs vœux, ils désiraient y prendre toujours part. Parmi qui faut-il les compter ? parmi les persécuteurs des martyrs, ou parmi les fils des martyrs ? Ils se sont découverts ; empêchés, ils se sont soulevés. Les fils louent (*laudant*), les persécuteurs jouent (*saltant*) ; les premiers chantent des hymnes, les seconds s'enchantent de parties fines (*filii hymnos dicunt, illi conuiuia producunt*) (*Denis* 13, 4, p. 58, 11-24).

Un des derniers traits est dans le commentaire du Ps. 32 : les chants étaient accompagnés de cithares [11].

---

11. *En. Ps. 32*, s. 1, 5 : ut ex isto loco citharae pellerentur (p. 250, 2). Sur la danse, cf. G. GOUGAUD, « La danse dans les églises ».

3. *L'action d'Augustin*

Augustin déclencha son action contre les banquets en profitant d'une circonstance favorable : l'accession d'Aurèle au siège épiscopal de Carthage en 392. Quel but visait-il exactement dans sa *Lettre* 22 à Aurèle ? Ce but semble double : obtenir, d'une part, la suppression des banquets célébrés pour l'anniversaire des martyrs dans les cimetières et les basiliques cémétériales ; d'autre part, la suppression des « ripailles et beuveries » avec leurs cortèges d'abus que les banquets occasionnaient. Mais les deux aspects de son objectif avaient-ils la même importance à ses yeux ? ou, au contraire, Augustin visait-il les deux, tout en sachant qu'il ne les atteindrait pas tous les deux ? ou encore, modulait-il son action suivant les temps et les lieux ? et dans tous les cas, quelle était la visée prioritaire ?

Quand il intervint à Hippone trois ans plus tard, il n'était encore que prêtre, mais il agit avec l'appui du vieil évêque Valère. Dans sa ville, il voulut extirper le mal avec ses racines et y réussit. Mais il avait engagé dans l'affaire toutes ses forces et tout son prestige. Aussi, sa lettre à Alype a-t-elle un peu l'air d'un bulletin de victoire (*Ep*. 29).

Il me paraît intéressant de relever les arguments qu'il développa pour obtenir des catholiques d'Hippone la cessation des abus. Voici le thème de l'instruction qu'il leur fit le jour même de la Saint-Léonce :

> Je leur exposai, dit-il, les raisons pour lesquelles ces abus naquirent, semble-t-il, dans notre église. Après les longues et violentes persécutions, lorsque la paix nous fut donnée, la foule des païens qui désiraient se convertir au christianisme s'effrayait à l'idée de devoir renoncer aux fêtes des idoles qu'ils célébraient traditionnellement par d'abondantes ripailles et ivresses. Comme il n'était pas facile d'obtenir qu'ils s'abstinssent complètement de ces orgies pernicieuses et ancestrales, il parut bon à nos prédécesseurs de ménager pour un temps les faiblesses de cette sorte. A la place des jours de fête dont ils abandonnaient la célébration, ils pourraient fêter ceux des martyrs, pourvu que ce ne fût pas de la même manière sacrilège, bien qu'avec un semblable déploiement de luxe. Déjà liés au nom du Christ et soumis au joug de son autorité suprême, ils apprendraient les commandements salutaires de la sobriété…

> Je les exhortai ensuite à prendre exemple sur les églises d'outre-mer, dans lesquelles ces abus n'avaient jamais été admis ou avaient été depuis longtemps corrigés, grâce au zèle des pasteurs et à l'obéissance des fidèles. Comme on m'objectait les beuveries qui se faisaient chaque jour dans la basilique Saint-Pierre, je répondis d'abord que nous avions souvent entendu parler de leur prohibition. (Tout en admettant le caractère charnel des fidèles de Rome, je fis observer que l'évêque de cette ville habitait loin de la basilique de l'apôtre et se trouvait dans l'impossibilité pratique d'y empêcher les excès) (*Ep*. 29, 9, p. 120, 1-13; 10, p. 120, 19-24, 24-29)[12].

Cette lettre me paraît importante à plusieurs points de vue. Elle fait, en particulier, saisir sur le vif la méthode dialectique et pastorale d'Augustin : il n'élude pas les objections, il les discute; mais surtout il explique les choses comme on les voyait de son temps. On pensait alors que l'usage des banquets en l'honneur des martyrs n'était pas antérieur dans l'Église, au minimum dans celle d'Afrique, à la paix de Constantin en 313 et résultait d'une permission de la hiérarchie. Que vaut cette explication? A ma connaissance, la lettre à Alype est le seul texte augustinien à la donner, voire le seul texte occidental. Faut-il la rejeter pour autant? Je ne le pense pas, au contraire. Augustin devait être en mesure de l'appuyer sur une décision épiscopale ou conciliaire qui ne nous est point parvenue. Sinon, quelle aurait été la valeur de l'argument? Il n'a pas pour habitude de se référer sans raison à l'autorité des *maiores*. J'en conclus qu'on peut admettre comme un fait datant des premiers temps de la paix de l'Église et antérieur au schisme donatiste la tolérance par celle-ci des banquets en l'honneur des martyrs.

Les résultats de l'action d'Augustin à Carthage ne peuvent se constater que plus tard et ne peuvent se dater avec précision. En 397, un concile de Carthage légiféra au sujet des banquets : leur tenue dans les églises fut interdite aux évêques, déconseillée aux laïcs (*Reg. Carth*. c. 42, p. 185). En 401, un autre concile en souhaitait la suppression partout, comme d'usages païens (*Reg. Carth*. c. 60, p. 196-197). Enfin, en 405 peut-être, un sermon d'Augustin, tenu à Carthage sur le tombeau de saint Cyprien, nous apprend que, grâce à

12. La fin de la citation qui figure entre parenthèse dans ma traduction est un résumé du texte d'Augustin.

Aurèle, les banquets traditionnels y avaient été remplacés par des vigiles (*Serm.* 311, 5, col. 1415). Il n'est pas inutile de reproduire ces trois textes :

> Que l'on ne célèbre pas de banquets dans les églises. Qu'aucun évêque ou clerc ne fasse de banquet à l'église, sinon, peut-être, lorsqu'en cas de nécessité ils donnent l'hospitalité à des gens de passage. Que les fidèles, dans la mesure du possible, soient écartés de repas de ce genre (*Reg. Carth.* c. 42, p. 185).
>
> Suppression des banquets païens. Ceci est encore demandé. Contrairement aux commandements de Dieu se font, en de nombreux endroits, des banquets qui sont un héritage du paganisme. Aussi les païens entraînent-ils les chrétiens à les célébrer. Ce qui est comme une nouvelle persécution, mais occulte, en un temps où les empereurs sont chrétiens. On demande donc que ces banquets soient interdits et proscrits des villes et des campagnes sous peine d'amende. En particulier ne craint-on pas de commettre ces abus même aux jours anniversaires des martyrs et dans leurs propres sanctuaires. Ces mêmes jours, il est honteux de le dire, des danseurs produisent leurs exhibitions indécentes jusque dans les rues et les places. Ils portent ainsi atteinte à l'honneur du mariage et à la pudeur de beaucoup de femmes qui viennent faire leurs dévotions en ces saints jours. C'est tout juste s'ils ne les font pas fuir de l'entrée même des lieux saints de la religion (*Reg. Carth.* c. 60, p. 196-197).

> Le Seigneur dit dans l'évangile : « Nous avons chanté et vous n'avez pas voulu danser » (Mt 11, 17). Quand est-ce que je pourrais vous dire ces paroles, si ce n'est pas pendant la lecture de l'évangile ? ... Si je ne vous avais pas fait savoir au préalable de qui sont ces paroles, qui d'entre vous me laisserait dire : Nous avons chanté et vous n'avez pas voulu danser ? Est-ce donc que ce lieu saint, même pendant le chant des psaumes, pourrait devenir une salle de bal ? Autrefois, certes, il y a même peu d'années, ce sanctuaire a été infesté par l'invasion des danseurs (*inuaserat petulantia saltatorum*). Ce lieu si saint où repose le corps d'un martyr si saint, ainsi que se le rappellent ceux qui ont un certain âge ; ce lieu, dis-je, si saint avait été empesté et infesté par l'invasion des danseurs (*inuaserat pestilentia et petulantia saltatorum*). Durant toute la nuit, ils chantaient ici des chansons impies, et les chants

> entraînaient à la danse. Quand le Seigneur le voulut, grâce à mon vénérable frère votre évêque qui institua ici la célébration des saintes vigiles, ces pestiférés reculèrent d'abord, puis cédèrent le pas au zèle et furent couverts de honte par la sagesse (*Serm.* 311, 5, col. 1415).

On voit que la suppression des banquets se fit par étapes. Entre 392 et 397, et sans doute plus près de la première que de la deuxième date, Aurèle remplaça les repas par les vigiles dans la basilique du tombeau de Cyprien. En 395, les banquets furent supprimés dans la communauté catholique d'Hippone. En 397, le concile de Carthage étendit la mesure à toutes les églises d'Afrique. Ils ont dû continuer à se pratiquer en dehors, voire à l'intérieur des sanctuaires, pour obliger les évêques du concile de 401 à une démarche auprès des autorités civiles en vue de leur suppression totale. On ne connaît pas la suite qui fut donnée à la démarche des évêques africains.

Il convient de mettre dans ce contexte d'avant 397 un sermon dans lequel il est question du banquet offert par Augustin aux pauvres pour l'anniversaire de son ordination épiscopale. C'est le *Frangip.* 2[13]. L'occasion du sermon est indiquée dans le titre : *de proprio natali (Ibid.* tit. p. 189, 1). Elle est précisée dans le texte à propos de la charge épiscopale, *sarcinam meam,* qu'Augustin demande à ses fidèles d'alléger (*Ibid.* 1, p. 189, 2-3; 2, p. 190, 15; 4, p. 193, 1). La suite dit que le repas était servi dans l'église. Augustin explique en effet à ses auditeurs :

> Quel repas serait-ce, si je vous invitais tous et que cette église fût pleine de tables et de convives? (*Ibid.* 5,, p. 195, 10-11).

En raison de ce détail, il faut, à mon avis, dater le sermon de la courte période qui sépare l'ordination épiscopale d'Augustin vers 395 de la tenue du concile en 397 : il est nécessairement postérieur à la première date comme sermon d'anniversaire; il est probablement antérieur à la seconde. On peut penser, en effet, que le jeune évêque qui avait été à l'origine de la campagne contre les banquets et qui venait d'obtenir gain de cause à un concile général d'Afrique, se sera

13. *Frangip.* 2 est entré dans un remaniement de Césaire d'Arles. Celui-ci a été pris parfois pour un sermon d'Augustin indépendant. Cf. *CC* 41, 493, où il est signalé comme *Serm. V. T.* 40.

fait un devoir d'observer et de faire observer la législation commune dans sa propre église. Ce sermon, ainsi que le concile de 397, nous apprennent en outre que la coutume de banqueter dans les églises n'était pas limitée aux anniversaires funéraires, mais pouvait s'étendre à d'autres, et qu'en cas d'urgence la basilique pouvait devenir un vrai caravansérail.

Il arrive que le thème du banquet, tel qu'Augustin le développe dans sa prédication, soit transposé dans le sens spirituel, tout en étant traité avec les mêmes traits qui servaient jadis à caricaturer les banquets funéraires : mais il s'agit maintenant du banquet de la parole de Dieu. L'allusion aux banquets funéraires n'est plus explicitée. Si, dans la transposition du thème, le lien a été coupé avec la coutume réprouvée, c'est sans doute que son évocation n'offre plus de dangers. Voici un exemple de ces textes nouveaux. Il s'agit de la conclusion de l'*Enarratio in Ps. 120 :*

> Pour un psaume court, mon commentaire et mon discours furent longs. Songez, frères, à l'invitation que je viens de vous faire pour l'anniversaire de sainte Crispine, même si j'ai manqué de modération dans le banquet (*ad mensam sine mensura*) que je vous ai servi. Ce risque d'intempérance, ne pourriez-vous pas le courir aussi dans le cas où un fonctionnaire vous invitait à sa table et vous forçait à boire sans mesure ? Que cette insistance me soit permise avec la parole de Dieu, pour que vous en soyez enivrés et rassasiés. Le Seigneur en agit d'ailleurs ainsi avec la pluie dont il lui plaît d'arroser la terre. De cette façon, c'est avec une plus grande joie qu'il nous permettra d'aller au sanctuaire des martyrs, comme je vous l'ai promis hier. Car les martyrs, sans fatigue de leur part, sont ici présents avec nous (*En. Ps. 120,* 15, p. 1801, 1-10)[14].

Pourtant, quand la querelle donatiste arrive à son sommet, se réveille aussi la polémique contre les banquets funéraires dont l'usage s'était maintenu chez les schismatiques. Plusieurs sermons sont datés de cette période. Celui du 14 septembre 410, *Guelf.* 28, avertit les catholiques de ne pas considérer comme martyrs les circoncellions victimes d'échauffourées populaires, voire ceux qui se suicidaient en se jetant dans un précipice. C'est à tort que les donatistes les vénèrent comme martyrs :

---

14. L'anniversaire de sainte Crispine se fêtait le 5 décembre. D'où l'allusion augustinienne aux pluies d'hiver.

> Les donatistes recueillent avec honneur dans les précipices les cadavres des suicidés, ils conservent le sang des suicidés, ils vénèrent leurs sépulcres, ils s'enivrent près de leurs tombes. Voyant comment sont honorés les suicidés, d'autres sont enflammés au suicide : les uns s'y enivrent de vin ; les autres, de la pire erreur et fureur (*Guelf.* 28, 5, p. 539, 28ss.).

Un an plus tard, pour la vigile de saint Cyprien, Augustin exhorte les Carthaginois à ne souffrir aucune compromission, ni avec le paganisme, ni avec le donatisme. Il se contente à ce propos de les inviter à fêter « dans la sobriété l'anniversaire » du saint (*En. Ps. 88,* s. 2, 14 fin, p. 1244, 54) : si les banquets subsistent chez les donatistes, leur danger ne menace plus les catholiques.

Il faut mettre dans le même contexte polémique un texte de 412-413, dans lequel reparaissent les thèmes et les termes, avec leurs jeux, de la première période : *modo eos ebriosi calicibus persequuntur — tunc furiosi lapidibus persequebantur.*

> « Le Seigneur a réduit à néant nos ennemis » (Ps 59, 14). Cela est arrivé enfin à nos propres ennemis. Les martyrs ont été piétinés : par leur passion, par leur patience, par leur persévérance finale, ils ont accompli en Dieu des merveilles (même Ps). Le Seigneur a fait aussi ce qui suit : « il a réduit à néant leurs ennemis ». Où sont maintenant les ennemis des martyrs ? Ils sont parmi ceux qui, dans leur ivresse, les poursuivent aujourd'hui avec leurs coupes, alors qu'autrefois, dans leur délire, ils les poursuivaient avec leurs coups (*En. Ps. 59,* 15, p. 765, 7-13).

Dans la *Cité de Dieu,* Augustin fait le point de ses efforts : les banquets subsistent, même chez les catholiques, mais en nombre limité et avec une signification changée. Du chapitre où ces résultats sont enregistrés, une partie a été citée à propos des *memoriae* des martyrs. Voici celle qui concerne les banquets en leur honneur :

> Tous les hommages apportés par les fidèles aux lieux saints des martyrs concourent au lustre de leurs *memoriae* et ne constituent pas des actes de culte ou des sacrifices offerts à des morts comme à des dieux. Tous ceux aussi qui y apportent des aliments funéraires (ce que ne font certes pas les chrétiens les meilleurs ; ce qui, de surcroît, n'est pas non plus une coutume universelle), donc tous ceux qui observent cette pratique, quand ils ont déposé les aliments, après avoir prié, les

> emportent pour s'en nourrir ou les distribuer aux indigents. Ils veulent en user comme d'une nourriture sanctifiée grâce aux mérites des martyrs. Mais ce ne sont pas des sacrifices en l'honneur des martyrs : le sait quiconque est instruit de l'unique sacrifice chrétien, même s'il est offert aussi dans les sanctuaires des martyrs (*Ciu. Dei,* VIII, 27, p. 248, 16-26).

Quand il s'agit de dresser le bilan d'une action qui fut vive et persévérante, il faut nommer, parmi les résultats immédiats, la législation conciliaire : il est certain qu'elle est due à Augustin. Mais il ne faut pas se faire d'illusions sur l'efficacité de ces lois. Les conciles les répétèrent à satiété (FERR. *Brev. ca.* c. 71, p. 293). Je suppose qu'elles ont été observées par les évêques qui les ont portées. Qu'en est-il des fidèles ? La répétition d'une loi est plutôt symptôme de sa non-observance. La preuve en est dans l'œuvre d'Augustin lui-même.

Parmi les fidèles, les résultats obtenus à longue échéance sont doubles : d'une part, certains abus ont disparu ; de l'autre, quelques-uns subsistent. Parmi ceux qui ont disparu, il y a les chants ou plutôt les chansons, il y a les danses et les orchestres, qui semblent avoir été l'accompagnement nécessaire des banquets. Je ne serai pas aussi affirmatif que Cyrille Vogel sur la nature des chants qu'il a fallu supprimer[15]. Le canon de 401 ne parle, il est vrai, que de danses indécentes. Pourquoi des danseurs éméchés ne seraient-ils pas accompagnés de chants érotiques ou superstitieux ? Quoi qu'il en soit, secondaires dans leur origine, mais non moins graves dans leur nature aux yeux d'Augustin, ces abus ont complètement disparu. Augustin les rappelle toujours au passé. Subsistent, au contraire, les banquets et les beuveries, sûrement chez les donatistes pour lesquels le problème de leur suppression ne se posera qu'au moment de leur retour à l'unité, mais aussi chez la plupart des catholiques parmi lesquels une élite seule s'en abstient. Ils subsistent non seulement pour le culte des morts, mais encore pour celui des martyrs, bien que leur fréquence paraisse avoir été réduite à des proportions acceptables.

*

* *

15. C. VOGEL, « L'environnement cultuel du défunt », p. 404 et note 60.

C'est pourquoi, trois questions semblent, au bout du compte, devoir se poser à l'historien : 1) alors que les banquets funéraires n'existent pas chez les chrétiens au temps de Tertullien et de Cyprien, peut-on admettre l'explication d'Augustin au sujet de leur introduction récente en Afrique ; 2) comment leur pratique a-t-elle concrètement coexsisté avec la liturgie des martyrs ? 3) jusqu'à quand ont-ils survécu en Afrique ? De ces trois questions, la première peut recevoir une réponse immédiate.

Augustin explique, d'une part, que l'introduction des banquets est une coutume récente chez les chrétiens, d'autre part, qu'elle est une concession temporaire de la part de la hiérarchie. L'explication me paraît valable, non seulement en raison des habitudes d'Augustin en matière de tradition disciplinaire de l'Église, mais aussi à cause du témoignage concordant de Tertullien et de Cyprien, selon lesquels les chrétiens de leur temps ne les célébraient pas. Une position analogue avait déjà été défendue par le Père Grossi Gondi [16], mais elle n'avait pas été acceptée par Théodore Klauser. Celui-ci reprochait à celui-là de n'avoir pas distingué deux étapes dans le culte ancien des martyrs [17] : la période pendant laquelle il ne s'agissait encore que d'un culte privé et simplement renforcé de celui des morts, et celle du culte ecclésiastique officiel des martyrs. Je pense, pour ma part, avoir tenu compte de cette distinction. Je dirais même plus. Ce qui donnait aux banquets des martyrs leur caractère officiel après 313, c'est qu'ils étaient justement, non seulement ouverts aux fidèles, mais encore permis au clergé. Sinon n'aurait eu que peu de sens le canon de 397 qui interdisait les banquets aux évêques et aux clercs et les déconseillait aux laïcs. C'est donc à cette tolérance d'un siècle qu'Augustin avait entendu mettre fin.

Une autre difficulté pourrait surgir des fameux graffiti de la *triclia* de Saint-Sébastien : ils attestent à l'évidence que déjà pendant la deuxième moitié du IIIe siècle beaucoup de chrétiens y avaient célébré le *refrigerium* en l'honneur de Pierre et Paul et que parmi eux un certain nombre étaient africains [18]. De même que Monique avait

---

16. F. GROSSI GONDI, « Il Refrigerium celebrato in onore dei SS. Apostoli Pietro e Paolo », p. 228-229.

17. Th. KLAUSER, *Die Cathedra im Totenkult*, p. 176, note 98.

18. A. FERRUA, « Rileggendo i graffiti di San Sebastiano », p. 141, cite, lui aussi, AUG., *Ep.* 29, auquel il ajoute le témoignage de Grégoire de Nysse, *Vie de saint Grégoire l'Illuminateur* (*PG* 46, 953b). Ce faisant, il s'inspire de l'article cité à la note 16, où est

cru pouvoir accomplir à Milan les rites qu'elle avait coutume d'observer à Thagaste, pourquoi les africains en pèlerinage à la *memoria apostolorum* romaine auraient-ils fait dans la Ville Éternelle ce qui leur était interdit chez eux ? Ou inversement : s'ils accomplissaient ces rites à Rome, c'est qu'ils étaient autorisés en Afrique. Cette objection m'invite à apporter quelques nuances à mon explication. Je viens de rappeler ce qui me paraît distinguer l'attitude des chrétiens du IVe siècle de celle de leurs prédécesseurs du siècle précédent : au IVe siècle, les évêques prenaient part aux banquets funéraires ; au IIIe, Cyprien atteste qu'ils étaient sanctionnés pour l'avoir fait ; au IVe siècle, les laïcs les célébraient très souvent ; au IIIe finissant, l'usage est documenté à Saint-Sébastien de Rome, mais au début du même siècle selon Tertullien il n'existe pas en Afrique : *non parentamus*. Pour accorder entre eux ces témoignages divers, faut-il admettre une évolution de cette coutume, ou des différences régionales, voire une évolution qui progresse d'un mouvement inégal selon les régions ? Je pencherais plus volontiers vers cette dernière solution, et verrais le changement s'accomplir ainsi.

Au début du IIIe siècle, Tertullien témoigne encore de la rigidité de la pratique archaïque : pas de banquets funéraires chez les chrétiens. Pendant la deuxième moitié du même siècle, leur usage a dû être reçu par les laïcs chrétiens en quelques endroits, comme en témoignent pour Rome les graffiti de Saint-Sébastien, voire par le clergé en d'autres régions, à en croire l'*Ep.* 67 de Cyprien qui le reproche à l'évêque espagnol de Merida. Au IVe siècle, l'usage est général dans toute les provinces et parmi tous les chrétiens clercs et laïcs. Mais vers la fin du siècle, un mouvement s'amorce en sens contraire : en 385, les banquets sont interdits pour les chrétiens de Milan ; en 392-401, pour les catholiques d'Afrique ; mais pendant le même temps, ils continuent à être pratiqués à Rome. Telle pourrait être leur histoire dans l'Église d'Occident aux IIe et IVe siècles. Faut-il ajouter qu'ils semblent avoir perdu toute signification idolâtrique ?

---

donnée en plus l'*Oratio ad sanctum coetum* qui mentionne à la suite les chants d'hymnes et de psaumes, le sacrifice eucharistique et les banquets funéraires pour la célébration des martyrs (*PG* 20, 1272).

Chapitre IV

LES RENSEIGNEMENTS PROPRES AU CULTE DES MORTS

Les rites propres au culte des morts se rapportent aux funérailles et à l'anniversaire. Les renseignements que nous fournit Augustin à leur propos sont extrêmement nombreux. Pour cette raison, il m'a paru bon de sérier les problèmes et d'examiner successivement ceux que posent les funérailles au sujet de celles de Monique et du mauvais riche, puis ceux des célébrations commémoratives durant le deuil et à l'anniversaire, et enfin ceux des lectures liturgiques faites en ces diverses occasions. Pour finir, j'ai cru devoir tenir compte du *De cura pro mortuis gerenda*.

I. Les funérailles chrétiennes

La première fois qu'Augustin parle des funérailles chrétiennes, c'est lorsqu'il rapporte celles de sa mère. Deux documents contemporains nous fournissent à ce sujet des renseignements complémentaires et des précisions sur l'usage africain. J'en tiendrai compte pour la compréhension exacte du récit que fait l'évêque d'Hippone de celles de sa mère.

1. *Les funérailles de Monique*

Monique mourut à Ostie à la fin de l'été 387. Comme la liturgie des morts, évoquée à cette occasion par Augustin, n'est pas celle d'Afrique mais celle de Rome, et que l'écrivain semble marquer une distance entre les usages africain et romain, nous tenons, en plus de l'ancienneté du témoignage, une autre raison d'examiner en premier lieu le passage des *Confessions* où les funérailles de Monique sont rapportées.

Dès qu'elle a rendu le dernier soupir, au lieu des lamentations habituelles, Augustin et ses amis commencent une veillée funèbre par le Ps 100 : « Je chanterai ta bonté et ton jugement, Seigneur ». Ils la continuent par un dialogue de circonstance, pendant que de pieuses femmes vaquent à la toilette de la morte. Puis, Augustin vient à parler des funérailles :

> Cum ecce corpus elatum est, imus, redimus sine lacrimis. Nam neque in eis precibus, quas tibi fudimus, cum offerretur pro ea sacrificium pretii nostri, iam iuxta sepulchrum posito cadauere, priusquam deponeretur, sicut illic fieri solet, nec in eis ergo precibus fleui (*Conf.* IX, 12, 32, p. 221, 23-222, 2).

Dans cette phrase, le propos de saint Augustin est de montrer comment il a mis son deuil en accord avec sa foi. L'expression de cette foi paraît encore bien philosophique, comme il ressort du dialogue qui suivit le psaume, à la manière de Cassiciacum. Mais ce qui importe ici, c'est l'allusion aux rites funéraires. Je les énumère dans l'ordre où ils interviennent : levée de corps et conduite au cimetière, célébration de l'eucharistie, déposition du cadavre dans la tombe. Dans cette suite, quelle est exactement la portée de l'incise : *sicut illic fieri solet*? Comme je l'ai dit, il s'agit pour l'africain qu'est Augustin de désigner ainsi un usage romain ou, plus exactement, d'Ostie. Quel est donc l'usage qu'Augustin entend distinguer de son équivalent africain?

Grammaticalement, le *sicut illic fieri solet* désigne la subordonnée *priusquam deponeretur*; celle-ci, par une série d'enchaînements, me semble devoir se relier avec *cum offerretur*. Cela veut dire, du moins si je comprends bien la construction, que selon le rite romain, la messe pour le défunt est célébrée au cimetière, juste avant que le cadavre ne soit mis au tombeau. En d'autres termes, il s'agit d'une messe des funérailles. Celle-ci est un usage romain, alors que celui d'Afrique aurait été de la célébrer après l'enterrement, *postquam deponeretur*.

Que telle est effectivement la bonne interprétation en ce qui concerne l'Afrique, j'en trouve la confirmation dans deux textes africains, tous les deux indépendants d'Augustin, l'un qui interdit la messe des funérailles, l'autre qui place la célébration eucharistique après l'enterrement.

Le premier texte se place chronologiquement entre la mort de Monique et la rédaction des *Confessions,* au temps où Augustin venait d'être ordonné prêtre à Hippone. Le concile qui s'était tenu en cette ville en 393 interdit expressément la célébration de la messe corps présent, peut-être pour éviter un deuxième abus, plus grave encore, celui de donner la communion au mort :

> Certains osent célébrer les sacrifices corps présent et communier le cadavre sans vie avec une parcelle du saint corps. A notre avis, cette coutume est à prohiber (*Conc. Hippon. 393,* c. 4, p. 21, 37-39).

Ce qui est interdit est assurément une messe des funérailles en présence du corps. Il n'empêche que la signification du canon est ambigüe : on n'interdit que ce qui se fait. Il est donc certain qu'il vise une pratique africaine existante. Mais elle est un abus et, à ce titre, elle est proscrite. On en conclura sans aucun doute possible qu'Augustin, quand il écrivit ses *Confessions,* n'était pas au nombre des partisans, mais des adversaires de l'abus, et que, en distinguant les usages romains de ceux d'Afrique, il se référait aux usages de son pays qui étaient conformes, et non pas contraires, à la législation canonique. En d'autres termes, dans le récit des funérailles de sa mère, en désignant l'usage romain, il sous-entend son interdiction en Afrique.

Il se trouve qu'un deuxième texte corrobore ma supposition d'une messe après l'enterrement. Vers 414, Evodius écrivit à son ancien maître pour lui faire part du décès d'un jeune homme et des funérailles qui lui avaient été faites :

> Nous lui fîmes, écrit-il, des obsèques honorables et dignes d'une si belle âme : pendant trois jours nous chantâmes des hymnes au Seigneur près de son tombeau, et le troisième nous offrîmes le sacrifice de notre rédemption (EVOD. UZAL. ap. AUG. *Ep.* 158, 2, p. 410, 8-11).

Ici, les rites se sont suivis différemment : enterrement, office funèbre trois jours de suite, messe le troisième jour. Cette messe n'est pas de funérailles, elle se célèbre durant ou à la fin du grand deuil. Si tel semble avoir été l'usage africain au temps d'Augustin, il ne devait pas cependant être intouchable, s'il est vrai que, pour les funérailles d'Augustin lui-même, la messe fut célébrée avant la sépulture du saint (POSSID. *Vita Aug.* 31, col. 64).

2. *Les funérailles du mauvais riche*

Les funérailles de Monique avaient été celles d'une chrétienne que j'appellerais pratiquante. Celles du mauvais riche n'ont rien de chrétien. La parabole du mauvais riche (Lc 16, 19-31) donna lieu, en effet, de la part d'Augustin, à des allusions et à des commentaires nombreux, qui contiennent parfois des renseignements concrets sur les usages funéraires du temps. Il convient de réunir ici ces informations.

Les funérailles du pauvre Lazare ne semblent pas avoir préoccupé l'évêque d'Hippone. La raison en est simple. De l'avis d'Augustin, le pauvre n'a pas eu de funérailles : *forte nec sepultus est (Guelf.* 30, 3, p. 553, 32). Il n'en va pas de même du riche qui en eu de somptueuses.

Le commentaire du Ps. 127 pose la question : « Pourquoi l'impie qui ne craint pas Dieu a-t-il une maison pleine d'enfants ? » (*En. Ps. 127,* 2, p. 1869, 44-45). Ce qui revient à dire, les enfants étant signe de bénédiction de Dieu : Comment l'impie peut-il être béni de Dieu ? Ce paradoxe de l'impie heureux, Augustin le pousse jusqu'au bout, en suivant la vie du vieillard jusqu'à son terme :

> Je connais un homme, impie, païen, sacrilège, adorateur des idoles... Or, il fut conduit à sa tombe, âgé, arrivé à l'extrême vieillesse, mort dans son lit, par la foule de ses fils et petits-fils... qui le conduisirent à un sépulcre magnifique (*Ibid.,* p. 1869, 49-53, 56-57).

C'est la famille que, conformément au thème du psaume, Augustin met en relief comme agent de bonheur pour le défunt, et que l'on évoque à ses funérailles.

Dans un autre commentaire, celui du Ps. 33, un passage est consacré au même paradoxe, mais continué et développé grâce à la parabole lucanienne. Le premier paragraphe est consacré au paradoxe :

> Tu vois en effet, dit Augustin, de nombreux mauvais riches mourir avec leurs richesses, sans s'être appauvris durant leur vie. Tu les vois vieillir, arriver jusqu'au dernier souffle au milieu d'une grande abondance de richesses, recevoir des honneurs funèbres avec des dépenses excessives. Le mort est conduit riche jusqu'à son sépulcre même, lui qui a expiré sur

un lit d'ivoire, entouré par sa famille en pleurs (*En. Ps. 33*, 14, p. 291, 16-22).

Pourtant, dit Augustin en reprenant la formule du psaume, « la mort du pécheur est mauvaise ». C'est ici qu'apparaît le mauvais riche de la parabole :

> Toi qui le vois du dehors, exposé sur son lit, que ne le vois-tu au-dedans, enlevé aux enfers ?... Quelle fut donc la mort de ce riche ? Que dut-elle être, cette mort dans la pourpre et le lin, combien somptueuse, combien luxueuse ? Que durent être ses funérailles ? De combien d'aromates ne dut-on pas embaumer son cadavre ? Malgré cela, une fois livré aux tourments de l'enfer, il a désiré que le pauvre qu'il avait méprisé lui humectât la langue brûlante, du doigt, avec une goutte d'eau, et il ne l'a pas obtenu ! Apprenez donc ce qu'est « la pire mort des pécheurs », et n'interrogez pas les lits recouverts de couvertures précieuses, le corps enveloppé de richesses nombreuses, ceux qui lui rendent des lamentations pompeuses, la famille qui pleure, la foule précédant et suivant le convoi quand on emporte le corps, les *memoriae* ornées de marbre et d'or (*En. Ps. 33*, 25, p. 298, 13-14, 29-40).

On voit ici le lit de parade en ivoire, le corps embaumé et richement habillé, la famille en deuil, le cortège funèbre, la luxueuse chapelle funéraire.

Mais le psaume qui nous vaut une des descriptions les plus circonstanciées est le 48, auquel Augustin consacra trois sermons. Là encore, le prédicateur part de la parabole pour évoquer les obsèques du riche :

> « Or le riche mourut » et on lui fit des funérailles... Qu'il est heureux, celui que pleurent tant de gens ! Le pauvre au contraire a vécu une vie telle que peu de gens le pleurent, alors que tous devraient pleurer celui qui a si misérablement vécu. Mais la pompe funèbre (est pour le riche), il est déposé dans un sépulcre précieux, revêtu de vêtements précieux, enseveli avec des parfums et des aromates. Et puis, quelle *memoria* que la sienne ! avec quels marbres ! Mais vit-il dans cette *memoria ?* Mais non, il y est mort (*En. Ps. 48*, s. 1, 13, p. 561, 4-9).

Puis, commentant le verset : « Leurs tombeaux sont à jamais leurs maisons », Augustin s'attarde au monument funéraire, « la maison éternelle » du mort. Il conclut :

> Tu vois le riche vivant, considère-le mort... Peut-être dira-t-on : Il emporte avec lui le linceul qui l'enveloppe ; et ce qu'on dépense pour son sépulcre, c'est cela qu'il emporte avec lui.

Mais Augustin d'intervenir :

> Non, pas même cela ! (*Ibid.*, s. 2, 7, p. 570, 4, 11-13).

Dans les sermons qu'Augustin prononça sous le coup des nouvelles provenant de Rome après le sac de la ville par Alaric en 410, la parabole du mauvais riche est encore utilisée : l'un des sermons porte même le titre du « riche et du mendiant Lazare » ; dans le titre d'un autre est proposé l'exemple du « bienheureux Job et du pauvre Lazare »[1] ; mais la parabole ne sert d'appui qu'à des considérations morales de circonstance et ne fournit aucune allusion aux rites funéraires. En revanche, le grand traité qui fut mis en chantier à la suite du désastre l'utilise passagèrement, mais les allusions y sont moins précises que dans les *Enarrationes*. Le point de départ des réflexions de la *Cité de Dieu* est dans l'objection que, devenue chrétienne, Rome a néanmoins succombé aux barbares, voire que des morts y sont restés sans sépulture. Augustin répond : qu'importe après tout cette privation au salut éternel, puisque

> toutes ces formalités que sont le soin des funérailles, le choix de la sépulture, la pompe des obsèques, sont une consolation pour les vivants plus qu'un soulagement pour les morts. Car si l'impie tire quelque avantage d'une sépulture coûteuse, l'homme pieux subira un dommage d'une sépulture vulgaire ou de l'absence de sépulture. Ce furent des obsèques magnifiques aux yeux des hommes, celles que fit à ce riche vêtu de pourpre la foule de ses serviteurs ; mais encore beaucoup plus belles au regard du Seigneur furent celles que reçut le pauvre ulcéreux de la part des anges, qui le portèrent, non dans un tombeau de marbre, mais dans le sein d'Abraham (*Ciu. Dei*, I, 12, p. 14, 27-35).

On rapprochera ce passage de la *Cité de Dieu* d'un extrait de

---

1. *Denis* 21 de responsorio Ps 32... exemplum proponens beati Iob et Lazari pauperis (p. 124, 13) : 5 (p. 129, 17-24). — *Denis* 23, 4 (p. 139, 29-141, 5). — *Denis* 24 ubi de illo diuite et Lazaro mendico refert (p. 141, 7-8) ; 2 (p. 142, 30-143, 1) ; 3 (p. 143, 19-144, 8) ; 14 (p. 155, 6-8).

sermon qui ne fait aucune allusion à Lc 16, 19-31, mais se rencontre textuellement avec le traité dans les termes désignant les coutumes funéraires. Je ne sais si cette rencontre est un signe de la proximité chronologique des deux œuvres augustiniennes. En tout cas, voici la citation du sermon :

> Aussi, la pompe funèbre, les troupes du cortège, l'observance exacte et fastueuse de la sépulture, la construction opulente des monuments sont une certaine consolation pour les vivants, mais non un secours pour les morts.
>
> Les fidèles se consolent aussi des marques de respect de leurs frères, soit pour les morts, soit pour la famille en deuil... Selon leurs moyens, qu'ils donnent leurs soins à ensevelir leurs défunts, à leur construire des sépulcres, car les saintes Écritures comptent cela au nombre des bonnes œuvres (*Serm.* 172, 3, col. 937).

Le thème du mauvais riche se retrouve enfin dans deux sermons non datés. Dans l'un, nous retrouvons l'évocation des funérailles :

> A quoi bon la troupe de ceux qui le pleurèrent parmi ses serviteurs et servantes ? A quoi bon le cortège des clients ? A quoi bon la splendeur des funérailles, le prix de la sépulture ? Je crois bien qu'on l'écrasa sous les aromates ! (*Serm.* 102, 2, col. 612).

Dans l'autre, le titre porte de nouveau le nom du « pauvre Lazare et du riche vêtu de pourpre et de lin », mais le développement ne contient pas d'allusions aux rites funéraires, il exhorte à la conversion (*Mai* 13, p. 288-291).

Quelques mots suffiront pour caractériser les coutumes ainsi décrites. Ce sont celles de gens riches. Ils sont chrétiens, mais attachent beaucoup de prix au respect des usages reçus et des conventions sociales. Étant donné que saint Augustin en a fait si souvent la matière de ses prédications, elles durent être fréquentes et prisées chez les chrétiens. C'est pourquoi, il leur reproche l'ostentation dont ils font preuve jusque dans la mort, et taxe ces pratiques d'inefficacité spirituelle. Aussi bien n'ont-elles rien de spécifiquement chrétien. On remarque, en outre, l'évocation très réussie de ces pompes : le caractère souvent pittoresque de la description, le trait satirique de tel ou tel détail en font des scènes de mœurs vécues et quotidiennes.

II. Le souvenir des morts

De nombreux textes augustiniens se réfèrent aux usages funéraires après la sépulture, ceux qui marquaient la durée du deuil et le jour de l'anniversaire.

Il est explicitement question de la célébration eucharistique comme conclusion d'un triduum de prières près de la tombe du jeune homme d'Uzali, comme nous l'avons vu ci-dessus[2]. Augustin, de son côté, parle du *novemdial,* mais pour s'y opposer, et retient une période de sept jours comme conforme aux Écritures :

> « Joseph célébra pour son père un deuil de sept jours » (Gen 50, 10). Je ne sais, commente Augustin, si on a célébré pour quelque saint patriarche, au témoignage des Écritures, le deuil des neuf jours que les latins appellent *novemdial*. Aussi me semble-t-il qu'il faut le déconseiller aux chrétiens qui l'observeraient pour le deuil de leurs morts, car il est plutôt conforme aux usages païens. Le septième jour, au contraire, a pour lui l'autorité des Écritures. Aussi bien est-il écrit dans un autre passage : « Pour un mort, le deuil dure sept jours, pour l'insensé et l'impie tous les jours de leur vie » (Sir 22, 12). Le chiffre sept, en raison du mystère de la semaine, est le symbole par excellence du repos. Ce chiffre fut toutefois décuplé par les Égyptiens pour le deuil de Jacob, qu'ils célébrèrent pendant soixante-dix jours (*Hept*. I, 172, p. 67-68, 2316-2328).

Quant à l'anniversaire, Augustin n'en prononce nulle part le nom à propos des morts. Il semble en être de même chez ses contemporains, les écrivains ecclésiastiques et les lapicides chrétiens[3]. Conclure de ce silence que l'usage n'existait pas en Afrique aux IVe et Ve siècles, me paraîtrait néanmoins extrêmement hasardeux. En effet, d'une part, les prédécesseurs d'Augustin connaissait l'usage chrétien de célébrer l'eucharistie au jour anniversaire des morts, ce dont témoigne Tertullien[4]; d'autre part, avant et après le docteur d'Hippone, au témoignage de l'archéologie[5], on pratiquait le rite

---

2. P. 152.
3. *TLL* II (1901) 110 : A. Blaise, *Dictionnaire*, p. 548-549 : *ILCV* 3, Indices, VII, p. 320, 371, aux mots *anniuersarium, natale, natalis*.
4. Cf. *supra*, p. 69-73.
5. Cf. *infra*, p. 302, 304-305.

annuel du banquet en l'honneur des morts ; il est difficile, en particulier, d'imaginer que les chrétiens l'aient supprimé pour leurs morts, alors qu'ils le pratiquaient avec tant d'ardeur pour leurs martyrs. Il reste néanmoins que ce silence doit être interprété. Il me semble pouvoir s'expliquer essentiellement en raison du caractère privé et familial de la célébration anniversaire des morts, en comparaison de celle des martyrs qui était une fête communautaire auquel même les païens semblent s'être associés.

En fait, Augustin a tenu au moins un sermon *in anniuersario depositionis episcopi* (*Lambot* 21, col. 817-821). Il faut noter le caractère particulier de cet anniversaire. L'évêque commémoré n'est pas martyr, sinon Augustin lui en aurait donné le titre. Pourtant sa commémoraison est solennelle : *solemnitas ista fratres mei in honorem dei est propter seruum dei* (*Ibid.* 1, col. 817). La formule augustinienne elle-même est en tout semblable à celles qu'il emploie au sujet des martyrs. L'évêque d'Hippone connaît d'autres cas de saints non martyrs dont l'anniversaire était célébré à l'égal de celui des plus grands martyrs[6]. Aussi sommes-nous à l'époque où certains évêques commencent à être sur le même pied que ceux qui ont témoigné de leur foi en lui sacrifiant leur vie physique[7]. Aussi aurait-on aimé savoir en l'honneur de quel saint évêque Augustin avait prononcé ce sermon.

Une autre fois, « il célèbre le jour des frères défunts » (*Serm.* 173, col. 937) : dans ce cas, par contre, il pourrait s'agir d'une commémoraison générale comme celle des *parentalia* de février. Compte tenu de ces deux cas, on ne peut donc guère douter que les chrétiens africains de son temps aient célébré l'anniversaire de leurs morts encore autrement que par des banquets funéraires. Les usages cultuels, surtout les usages funéraires, sont d'une stabilité telle qu'un changement de leur structure doit être attesté pour pouvoir être admis.

D'ailleurs, Augustin atteste la commémoraison commune des morts qui porte le nom de *parentalia*. Les *Confessions*, VI, 2, le disent. Le fait qu'il y soit question de *quasi parentalia* ne doit pas donner le change sur l'identité de la célébration. L'adverbe n'est

---

6. Cf. *supra*, p. 139.
7. H. DELEHAYE, *Sanctus*, p. 67.

qu'une manière d'excuser chez les chrétiens la survivance d'une pratique païenne. Le fait que Monique fasse le même geste sur les tombes chrétiennes que ceux qu'accomplissaient les païens sur les leurs semble enfin confirmer qu'il s'agit bien de la commémoraison de février. Enfin, qu'elle le fasse également aux *memoriae* des saints, des martyrs et des défunts montre à quel point l'usage était entré dans les mœurs chrétiennes. C'est pourquoi, de même que l'eucharistie était célébrée aux anniversaires individuels, il y a des chances qu'elle l'ait été pareillement à cette commémoraison générale. Les *Serm.* 172-173 avaient-ils été faits à cette occasion ?

III. La liturgie des morts

Si donc la liturgie des funérailles ne comportait pas, normalement, l'eucharistie, celle-ci appartenait, en revanche, aux célébrations commémoratives, soit du troisième et du septième jour, soit de l'anniversaire, soit même en toute autre occasion[8]. Les particularités de ces synaxes concernaient les unes les lectures, les autres le mémento des morts.

1. *Les lectures liturgiques pour les morts*

Quelques textes homilétiques d'Augustin contiennent des indications ou permettent des inductions sur les lectures faites au cours de la liturgie des morts. Nous verrons à propos du *De cura pro mortuis gerenda* que la péricope 2 Macc 12, 45 ss., n'est pas attestée comme lecture liturgique de ce temps. Les études d'Anne-Marie La Bonnardière, en revanche, permettent de retenir comme telles plusieurs passages scripturaires. Je crois pouvoir y ajouter un autre texte.

L'authenticité augustinienne du *Serm.* 396 avait posé jadis quelques problèmes. Dom Germain Morin la rendit plausible en restituant le titre complet du sermon d'après un manuscrit cassinien. La mention de la basilique d'Hippo Diarrhytus : *in basilica Florentia apud Ypponi Zarito urbem,* a invité Mlle La Bonnardière à rechercher

8. Cf. les textes énumérés *supra*, p. 152, *infra*, p. 157-158.

quelles circonstances de la vie d'Augustin avaient pu convenir à ce titre. Elle pense qu'il s'agit des funérailles de l'évêque Florentius de cette ville. Dans ces conditions, celui-ci aurait été enterré le 17 avril 419. Mgr Perler s'est rangé à cet avis [9].

La critique interne du texte pourait confirmer cette manière de voir. Je me contente de relever le développement sur le souvenir que les fidèles sont invités à garder de leur défunt évêque. Le jeu sur les deux sens du mot *memoria,* faculté intellectuelle et monument funéraire, est significatif. Nous savons, en effet, que saint Augustin aime évoquer les monuments funéraires [10]. Aussi n'est-il pas étonnant de lire ici une allusion de ce genre, en plus du jeu sur le sens :

> Vous serez vous-mêmes, dit-il à ses auditeurs, la *memoria* la plus ornée de votre évêque. Ce qui compte, en effet, ce n'est pas qu'il soit mis dans un tombeau de marbre, mais gardé dans vos cœurs. Qu'il vive enseveli dans des sépulcres vivants. Sa sépulture, c'est votre mémoire (*Serm.* 396, 2, col. 1718).

Or, selon notre sermon, le texte de Sag 4, 13 : *consummatus in breui, repleuit tempora longa,* avait été lu ce jour-là : *audiuimus lectionem diuinam.*

> Hommes, nous nous attristons humainement du décès d'un homme. Comment donc avons-nous écouté la lecture divine, selon laquelle, « ayant achevé sa vie en peu de temps, il a accompli une longue carrière » ? (*Ibid.).*

Si le texte de la Sagesse ne semble avoir été cité qu'une fois ailleurs par Augustin, il l'a été souvent, en revanche, par d'autres [11]. Il figure même si souvent dans les lettres ou discours de condoléances, que ces attestations nombreuses et diverses pourraient être l'indice, selon Mˡˡᵉ La Bonnardière, qu'ailleurs aussi il a servi dans la liturgie des morts.

Les *Serm.* 172-173 semblent avoir été prononcés pour un jour des défunts. Le texte parle de « célébration des frères défunts »

---

9. G. MORIN, dans *MA* I, 666-667 ; A. M. LA BONNARDIÈRE, *Bibl. Aug. A. T. Le livre de la Sagesse,* p. 75-78 ; O. PERLER, *Les voyages de saint Augustin,* p. 353-354.

10. Cf. *supra,* p. 125-133, 140, 146, 154.

11. HIER. *Epp. 39, 3 ; 60, 2 ; 75, 2 ; 79, 2 (CSEL* 54, 298, 550 ; 55, 31, 89) ; PAULIN. NOL. *Ep.* 13, 5-6 (*CSEL* 29, 88-89) ; FULG. *Ep.* 2, 7 (*PL* 65, 313) ; THEOD. CYR. *Ep.* 137 (*PG.* 83, 1358-1359) ; AMBR. *Ob. Val.* 57 (*CSEL* 73, 356).

(*Serm.* 173, 1, col. 927). Les deux homélies commentent 1 Thess 4, 13, et comparent la mort à un sommeil, dont le réveil est la résurrection. Il est vrai que, nulle part, Augustin ne dit expressément, alors qu'il le fait souvent ailleurs, que la péricope paulinienne a servi de lecture liturgique. Parmi les allusions et citations bibliques qu'elle comporte, le récit de la résurrection de Lazare occupe une place de choix, de même que le Ps 40, 9. Mlle La Bonnardière pense que ces trois textes : 1 Thess 4, 13-18, Ps 40, 9, et Jn 11, 1-45, pourraient avoir servi de lecture et de chant liturgiques à cette célébration[12].

Reste le sermon qui fut prononcé pour l'anniversaire d'un évêque défunt. Dans ce sermon *Lambot* 21, il est question de la lecture liturgique de Phil 1, 23-24, qui est sûre. En liaison avec ce passage paulinien sont cités plusieurs autres textes bibliques. Deux d'entre eux pourraient convenir aux lectures, un troisième, qui est un psaume, au chant de cette célébration. Jn 5, 28-29, pourrait avoir appartenu à l'évangile du jour et a servi à cet office dans la liturgie postérieure[13]. Le récit du combat de David contre Goliath (1 Sam 17, 40-47), comme symbole de la lutte du Christ contre la mort et le démon, pourrait avoir, lui aussi, une signification eschatologique. Il conviendrait d'appuyer cette hypothèse sur des textes, ce que ne permet pas le recours aux épistoliers postérieurs[14]. Il en est de même du Ps 113 B, 17-18, qui ne serait pas déplacé comme antienne de chant funéraire, et que l'*Ordo romanus* XLIX, 3, prévoit avec l'antienne *Subuenite sancti Dei*[15].

Je résume ces résultats dans le tableau suivant, où le point d'interrogation affecte les lectures hypothétiques :

Serm. 172-173 (commémoraison des défunts) :

Ep.	1 Thess 4, 13-18
Ev.	Jn 11, 1-45 (?)
Chant	Ps 40, 9 (?)

Lambot 21 (anniversaire d'un évêque) :

Ep.	Phil 1, 23-24

12. A.-M. LA BONNARDIÈRE, *Bibl. Aug. N. T. Les Épîtres aux Thess.*, p. 9-10.

13. *DACL* V (1922) 865, n. 70; 869, n. 62 ; C. VOGEL et R. ELZE, *Le Pontifical romano-germanique du Xe siècle*, t. 2, p. 317.

14. *DACL* V (1922) 234-344.

15. *Ordo romanus* XLIX, 3, éd. M. ANDRIEU, *Les Ordines romani du haut moyen âge*, t. 2, p. 529, 10.

Ev. Jn 5, 28-29 (?)
Chant Ps 113B, 17-18 (?)

Serm. 396 (déposition d'un évêque) :
Ep. Sag. 4, 13
Ev. ?
Chant ?

2. *Le mémento des morts*

Quelques informations se trouvent chez Augustin sur l'usage de prier pour les morts pendant l'eucharistie. Le témoignage de l'évêque d'Hippone sur le sujet se présente de deux manières : ou bien les informations sont mises en rapport avec la même pratique de commémorer les martyrs, ou bien elles sont placées dans le contexte plus général de l'utilité de la prière pour les morts. Voici les deux séries de renseignements :

Mémento des martyrs et des morts :

21. 1. 396	*Serm.* 273, 7 (*PL* 38, 1251)
6. 5. 397	*Serm.* 284, 5 (*PL* 38, 1291)
v. 401	*Virgin.* 45 (*CSEL* 41, 290)
29. 6. 416-420	*Serm.* 297, 3 (*PL* 38, 1360)
418 ou après	*Serm.* 159, 1 (*PL* 38, 868)
av. 426-427	*Ciu. Dei,* XX, 9, 2 (*CC*, 48, 718); XXII, 10 (*Ibid.* 828)

Mémento des morts :

397-401	*Conf.* IX, 11 et 13 (*CSEL* 33, 218-219, 225-226)
été 402	*Ep.* 78, 4 (*CSEL* 34, 337)
été 411	*Coll. Carth.* III, 230 (*SC* 224, 1170)
aut. 411-412	*Serm.* 359, 6 (*PL* 39, 1595)
hiv. 418-419	*Anim. orig.* II, 15, 21 (*CSEL* 41, 356)
v. 422	*Ench.* 110 (*CC* 46, 108-109)
v. 422-423	*Cur. mort.* I, 3 (*CSEL* 41, 623); IV, 6 (*Ibid.* 631)
v. 424	*Dulc. quaest.* I, 2 (*CC* 44A, 271-274)
av. 426-427	*Ciu Dei,* XX, 9, 2 (*CC* 48, 717); XXII, 10 (*Ibid.* 828)
non daté	*Serm.* 172, 2 (*PL* 38, 936-937)

Dans les textes de la première série, je laisse de côté ici la référence aux martyrs, pour m'en tenir au culte des morts. Ces textes nous apprennent généralement trois choses : 1) dans sa prière eucharistique, l'Église fait « réciter les noms » des morts; 2) cette « récitation » se fait à un endroit déterminé de la célébration, que les fidèles connaissent bien; 3) cet usage est conforme à la tradition ecclésiastique. Ces indications apparaissent presque toutes dans des sermons en l'honneur des martyrs. Seul le *De uirginitate* met, au lieu des martyrs, les vierges en parallèle avec les défunts ordinaires.

Dans la deuxième série, il n'est pas fait référence aux martyrs, il est uniquement question des morts. Il est possible que le dernier texte, non daté, qui clôt la série, doive être rapproché chronologiquement des traités de 422-424 : il a le même vocabulaire et les mêmes préoccupations que l'*Enchiridion*, le *De cura pro mortuis gerenda* et le *De VIII Dulcitii quaestionibus*. Dans tous ces textes de la deuxième série, l'eucharistie comporte une commémoraison des morts. Celle-ci se fait « à l'autel » (*Cur. mort.* I, 3, p. 624, 1), dans « le sacrifice du médiateur » ou de « l'autel » (*Ench.* 110). Elle rappelle « le souvenir des morts» (*Conf.* IX, 11), elle est une « recommandation des morts » (*Cur. mort.* I, 3, p. 624, 2). Elle peut se faire «dans une commémoraison générale, sans que leurs noms soient individuellement nommés » (*Ibid.* IV, 6). Parmi ces « sacrifices » d'intercession, Augustin compte aussi la prière individuelle et l'aumône (*Ibid.; Ench.* 110). Ces dernières précisions, grâce auxquelles l'intercession liturgique pour les morts est replacée dans la perspective plus générale du rôle des bonnes œuvres chrétiennes faites à leur intention, sont le fruit des réflexions que la controverse pélagienne a provoquées chez Augustin.

Ces deux séries de textes attestent avec continuité l'usage de la commémoraison des morts à l'intérieur de la prière eucharistique. Il convient de s'y arrêter. Augustin dit qu'on « récitait les noms » des fidèles défunts. Les mots *recitare, recitatio,* qui se disent en particulier de la lecture publique de textes officiels, spécialement liturgiques [16], s'appliquent ici à la lecture des listes de tous ceux qui,

16. Sur *recitare*, lire les registres officiels, cf. CIC. *Flacc.* 40 ; faire la lecture publique, cf. HOR. *Sat.* I, 4, 75 : *Ep.* I, 19, 42 ; PLIN. IUN. *Ep.* VII, 17, 1 ; réciter une prière, cf. Vulgate, Tob 3, 25 ; lire à l'église, cf. AUG. *In Ioan. ev. tr.*, 18 (Cf. *infra*, p. 200-227, de nombreux exemples de lecture liturgique) ; lire les noms sur les diptygues : GELAS. I. *Ep.* 11 (*PL* 59, 68).

vivants et morts en communion avec l'église, avaient droit à ses suffrages au cours de la prière eucharistique. Ces listes, en raison des tablettes d'ivoires sur lesquelles elles étaient souvent écrites, furent appelées « diptyques » [17]. Dans le vocabulaire de la liturgie chrétienne d'Occident, il était question de réciter les noms » ; *de nominibus recitandis,* dit Innocent 1er dans une décrétale contemporaine à Augustin [18]. L'usage est effectivement traditionnel, attesté dès le IIIe siècle. L'expression se retrouvera encore en plein moyen âge [19].

Le problème est de savoir à quelle place exacte de la liturgie eucharistique ce rite prenait place. Augustin ne le précise pas, il se contente de répéter que les fidèles le savent bien. Wunibald Roetzer, en raison de *Ciu. Dei,* XX, 9, 2, pensait que la commémoraison des morts se faisait à la fin du canon de la messe, comme dans les anaphores orientales [20]. Dans la *Cité de Dieu,* dit le liturgiste allemand, saint Augustin met en relation la prière pour les morts avec le rite de la communion et la place à proximité de celle-ci [21]. A mon avis, tel n'est pas le sens du passage invoqué. En effet, l'expression augustinienne : *in communicatione corporis Christi,* n'a pas le sens sacramentel, mais ecclésiologique, du moins ici. Elle doit être rapprochée de toutes les autres analogues, en particulier du *De cura pro mortuis gerenda,* où il est simplement question de défunts morts dans la communion de l'Église : *pro omnibus in christiana et catholica societate defunctis* (IV, 6, p. 631, 5-6), et mieux encore du *Serm.* 172 où il est dit :

> La tradition des Pères, que l'Église universelle observe en effet, est que, pour ceux qui sont morts dans la communion au corps et au sang du Christ, *qui in corporis et sanguinis Christi communione defuncti sunt,* on prie lorsqu'ils sont commémorés à leur place au saint sacrifice, *cum ad ipsum sacrificium loco suo commemorantur,* et qu'on rappelle que celui-ci est offert pour eux, *ac pro illis quoque id offerri commemoretur* (*Serm.* 172, 2, col. 936).

---

17. Sur les diptyques en général, cf. W. ROETZER, *Des hl. Augustinus Schriften,* p. 124-125 ; *DACL* IV (1920) 1045-1170 ; sur leur consistance matérielle avec photographies à l'appui d'exemplaires conservés, *Ibid.* 1051-1055.

18. INNOC. I. *Ep.* 25 (PL 20, 551-561). Édition critique et étude : R. CABIÉ, *La lettre d'Innocent Ier à Décentius de Gubbio,* p. 40-41.

19. J. D. MANSI, *Conciliorum amplissima collectio,* XIX, 584.

20. W. ROETZER, *Des hl. Augustinus Schriften,* loc cit.

21. *Ibid.*, p. 125, n. 213 : « Mithin war die Totenempfehlung nahe an die Kommunion gerückt ».

Ces textes ne mettent donc pas la lecture des diptyques dans le voisinage de la communion eucharistique pendant la messe, ils insistent seulement sur le fait que les morts peuvent être commémorés pendant l'eucharistie s'ils sont décédés en communion avec l'Église. Dans ces conditions, la question se pose si la *recitatio nominum* africaine est à rapprocher de celle de Rome ou de celle de Gaule et d'Espagne : à Rome, au temps d'Innocent 1er, elle semble se placer après le Sanctus et au début de l'anaphore; dans les liturgies gallicane et hispanique, elle se faisait au moment de l'offertoire. Rien ne permet de choisir. Il est néanmoins possible d'ajouter cette précision : d'après *Virgin.* 45, la *recitatio nominum* des martyrs et des religieuses défuntes se faisait à deux moments différents.

IV. La somme augustinienne du culte des morts

Le livre dans lequel Augustin s'est explicitement penché sur le problème que soulevaient certaines pratiques du culte des morts, est celui que, précisément sous ce titre, il envoya à Paulin de Nole : *De cura pro mortuis gerenda*[22].

Les *Rétractations* le placent parmi les écrits de la dernière période de sa vie[23]. Elles nous apprennent à quelle occasion il fut rédigé, c'est-à-dire comme réponse aux questions de Paulin. Ces circonstances datent d'environ 422-423. Paulin avait interrogé son collègue sur la coutume des chrétiens d'enterrer leurs morts près de la tombe de quelque martyr. Dans son diocèse, c'était la tombe du martyr Félix, dont lui-même s'était fait le chantre et le champion,qui attirait autour d'elle celles des fidèles. C'était donc un problème immédiat et quotidien qui se posait à sa conscience de pasteur : le voisinage du martyr apportait-il quelque soulagement aux défunts dans l'au-delà? A cette question fondamentale, Paulin avait ajouté une considération d'appoint, tirée de la coutume de l'Église de prier pour les morts : cette prière elle-même devait avoir quelque utilité, puisque l'Église la faisait; ne pouvait-on, par analogie, conclure de la prière de l'Église

22. Diu sanctitati tuae, coepiscope uenerande Pauline, rescriptorum debitor fui... atque ut responderem quid inde mihi uideretur exposcens (p. 621, 1-2; 622, 1-2).
23. AUG. *Retract.* II, 90, p. 202.

à une certaine efficacité de l'ensevelissement *apud sancti alicuius memoriam?* En faveur de cette conclusion, il avait lui-même dû tirer argument de songes et de visions dont les fidèles se prévalaient pour obtenir l'emplacement désiré.

La réponse d'Augustin concerne d'abord la coutume de la sépulture *ad sanctos*. Coutume effectivement universelle et ancienne. Mais qu'apporte-t-elle aux morts? Augustin répond en distinguant entre le fait et ses modalités. Le fait qu'un mort ait reçu ou non de sépulture n'a, en principe, aucune incidence sur le sort de son âme. C'est le problème déjà soulevé dans la *Cité de Dieu,* I, 13 (p. 13-15), à laquelle il est expressément renvoyé en *Cur. mort.* II, 5 (p. 625, 5-626, 14). La crainte que les morts ne puissent être admis dans le séjour des bienheureux tant qu'ils n'ont pas reçu de sépulture, est une superstition païenne, qu'Augustin illustre avec une citation de l'Énéide, VI, 327-328 (II, 3, p. 624, 12-13). Il en est de même des modalités de la sépulture : le lieu de la tombe est aussi indifférent que le fait qu'un mort soit enseveli. Tout au plus Augustin accorde-t-il que « de pourvoir à l'ensevelissement des corps à proximité des *memoriae* des saints, est un témoignage de l'affection humaine qu'on porte aux restes des siens » (IV, 6, p. 629, 18-20). Aussi, dit-il, « s'il y a quelque religion à ensevelir les morts, il ne peut pas ne pas y en avoir à se préoccuper du lieu où on les ensevelit » (*Ibid.,* p. 629, 21-630, 1). Mais ce sont là, répète-t-il, « des consolations pour les vivants, et non des secours pour les morts » (*Ibid.,* p. 630, 2-3), à moins que le lieu de la sépulture n'incite davantage les vivants à prier pour leurs morts. Augustin en arrive ainsi à la deuxième question de Paulin, relative à la prière de l'Église pour les morts.

Déjà au début de son traité, Augustin avait soulevé ce problème à propos d'un texte scripturaire, utilisé dans la liturgie ancienne et médiévale[24] : 2 Macc 12, 45. Selon ce texte, Judas Macchabée fit offrir un sacrifice pour les victimes de la guerre. Augustin dit alors :

> Même si nous ne lisions rien de tel nulle part dans l'Ancien Testament, la grande autorité de l'Église universelle éclaire cette coutume : dans la prière que le prêtre fait à l'autel, la recommandation des morts, elle aussi, tient sa place (I, 3, p. 623, 18-624, 2).

24. *DACL* V (1922) 290, n. 257; 297, n. 154; 308, n. 205; 320, n. 186.

En opposant comme il le fait le témoignage de l'Écriture à l'autorité de la liturgie, et en comptant le texte des Macchabées dans le premier et non dans la seconde, Augustin laisse entendre que la péricope vétérotestamentaire n'était pas lue dans la liturgie des morts de l'Église africaine de son temps.

Plus loin Augustin aborde la solution du problème de la prière de l'Église à partir d'une autre considération. Il rappelle l'étymologie et la signification des mots qui servent à désigner les constructions funéraires. Un tel monument, dit-il, s'appelle en latin *memoria* ou *monumentum,* en grec μνημεῖον (IV, 6, p. 630, 13-15). J'ai souligné la fonction commémorative des monuments funéraires, quand j'ai parlé plus haut de la *memoria*-monument[25]. Cette fonction est analogue à celle de la prière de l'Église. La différence entre eux est que la voix des monuments est muette, alors que celle de l'Église se fait entendre journellement au cours de l'eucharistie. C'est pourquoi, la prière officielle pour les défunts prend parfois la forme d'une « commémoraison générale de tous ceux qui sont morts en union avec l'Église chrétienne et catholique, même lorsque leurs noms ne sont pas explicitement nommés. De cette manière, ceux qui n'ont plus de parents, de fils, de proches ou d'amis survivants, bénéficient de l'intercession d'une même et commune mère » (IV, 6, p. 631, 5-9). Et Augustin de conclure : « Si ces prières, faites selon la vraie foi et piété envers les morts, venaient à manquer, je crois qu'il ne servirait à rien pour leur âme, le fait que leur corps sans vie a été enseveli en un lieu saint » (*Ibid.* p. 631, 9-12).

Il est enfin un problème sur lequel le correspondant d'Augustin l'avait peut-être interrogé, bien que la réponse n'en dise rien, et qui jouait un rôle important dans le culte des morts pendant l'antiquité : il s'agit des rêves et des songes dans lesquels ils étaient censés intervenir[26]. Il arrive, en effet, que les morts apparaissent aux vivants, pour leur demander de s'occuper de leur sépulture (X, 12, p. 640, 17-22). Inversement, selon la croyance populaire, les morts reviennent visiter les vivants, pour prendre soin de leurs affaires (XIII, 16, p. 647, 15-16). Bien plus, « telle est la faiblesse humaine, que lorsqu'on a vu un mort en rêve, on pense avoir vu son âme elle-même » (XI, 13, p. 641, 13-15). Augustin en personne n'est pas

---

25. Cf. *supra*, p. 129-130.
26. M. DULAEY, *le rêve*, p. 144-146.

loin de partager ce sentiment, puisqu'il admet que, si les morts apparaissent en songe, ils ne savent pas pour autant ce que font les vivants (XIII, 16, p. 647 ss.). Comment expliquer alors ces interventions ? Il suppose que les anges prennent quelquefois l'apparence des morts pour porter des messages de Dieu aux hommes ; à moins que les rêves ne présentent à l'esprit humain des « similitudes » des morts, des images semblables à celles des hommes vivants qui hantent nos nuits (XI, 13, p. 641, 20). Aussi, conclut-il, il ne faut pas croire aveuglément aux rêves dans lesquels les morts donnent des ordres, quand il s'agit d'érection d'autels ou de sépultures. Encore qu'Augustin se soit montré accueillant au rêve surnaturel, comme le montre le crédit qu'il accorde à celui de Curma[27], son traité sur le culte des morts le montre habituellement plutôt critique à son endroit.

*
* *

Le bilan de ces recherches sur le culte propre des morts selon le témoignage d'Augustin est, somme toute, positif.

Au niveau de l'inventaire, si des textes ont pu m'échapper, j'espère qu'aucun de ceux qui sont importants n'est resté en dehors de mon champ de vision. Je souligne, en particulier, l'importance des textes conciliaires comme reflets de coutumes existantes et comme tentative de les infléchir en un sens chrétien : ces textes restaient souvent en dehors des perspectives des historiens. Il est vrai qu'ils sont maintenant accessibles et réunis en une bonne édition critique.

Au niveau de la chronologie, je n'ai pas prétendu apporter du neuf et m'en suis tenu habituellement aux propositions et acquisitions de la critique. Néanmoins, j'ai cru pouvoir préciser la date de *Frangip.* 2, proposer une affectation pour *Serm.* 172-173[28], et confirmer l'authenticité augustinienne de *Serm.* 396 et, par voie de conséquence, la datation qui en a été proposée[29].

Au niveau des rites et des pratiques, la confrontation des textes a permis des conclusions que je crois fermes sur un certain nombre de

---

27. *Ibid.*, p. 207-210.

28. Pour *Frangip.* 2, cf. *supra*, p. 144 ; pour *Serm.* 172-173, cf. le présent Chap. p. 158-159, 160-161 ; pour *Serm.* 396, *ibid.*, p. 159-160.

29. Cf. *supra*, p. 160.

points : le thème du mauvais riche, les funérailles de Monique, certaines lectures bibliques funéraires, le fait du mémento des morts. Ainsi apparaissent chez les chrétiens des coutumes funéraires mêlées. Certaines sont un héritage du paganisme : ainsi les banquets funéraires, les habitudes de luxe dans la construction des *memoriae*. D'autres sont typiquement chrétiennes, comme la liturgie funéraire proprement dite.

Il reste enfin un dernier aspect du témoignage d'Augustin que laissent entrevoir ces analyses au niveau des mentalités. Mentalités diverses, païenne, chrétienne, voire celle de l'élite cultivée à laquelle Augustin lui-même appartenait; mais complexes aussi, qu'il appartient aux chapitres suivants de dégager complètement.

CHAPITRE V

LES RENSEIGNEMENTS PROPRES AU CULTE DES MARTYRS

Le fait que certains textes augustiniens mettent en parallèle, mais pour les distinguer, le culte des morts et celui des martyrs, me semble une preuve à la fois de leur commune origine et de leur différenciation désormais acquise. Un des premiers textes à considérer, le canon 2 du concile de Carthage de 345-348, montre déjà l'importance que l'Église d'Afrique attache, au IVe siècle, au culte des martyrs. Cette importance est soulignée d'ailleurs par le nombre des textes inventoriés le concernant : ils sont près de quatre-vingts.

Ils permettent de conduire l'enquête à deux niveaux : d'un côté au niveau de ce qu'Hippolyte Delehaye appelait les « coordonnées hagiographiques » [1], à savoir les temps et les lieux du culte; d'un autre côté, au niveau de ses composantes rituelles, pratiques païennes et rites chrétiens, ou encore dévotions privées et culte public. Pour la commodité de l'exposé, j'ai réparti ensuite cette abondante matière sous les sous-titres suivants : l'anniversaire, les basiliques d'Hippone, de Carthage et du reste de l'Afrique, la *mensa,* en ce qui concerne les coordonnées hagiographiques; la liturgie, les lectures hagiographiques et bibliques, les chants liturgiques, pour ce qui est des composantes rituelles de ce culte. Il est entendu que, sur ces divers points, l'analyse porte sur les textes dont je dresse autant que possible l'inventaire.

1. H. DELEHAYE, « La méthode historique et l'hagiographie ».

I. Les temps et lieux de culte

La célébration des martyrs est liée à l'anniversaire de leur mort et au lieu de leur ensevelissement. C'est là une tradition ancienne et universelle dans l'Église[2]. Sur le modèle du culte des martyrs s'est organisé celui d'autres saints, qui commence à apparaître alors.

1. *Le temps de culte : l'anniversaire*

Il est inutile d'entrer dans tous les détails de la célébration de l'anniversaire. Il suffit de marquer ici la position d'Augustin.

Pour désigner le jour de cette célébration, il recourt à des termes variés : *dies anniuersarius, dies natalis, sollemnitas ;* souvent *natale* ou *natalis* sont utilisés comme substantifs. Ces mots sont relevés dans tous les *indices* augustiniens[3]. Voici, à titre d'exemple, quelques emplois de *natalitium :*

> Ce repas, le Seigneur nous l'a offert pour l'anniversaire du martyr Vincent (*Serm.* 4, 36, p. 47, 816-817).
>
> Quand vous célébrez l'anniversaire des martyrs, imitez les martyrs (*Ibid.*, ligne 850).
>
> Pourquoi te réjouis-tu de célébrer leur anniversaire par des banquets honteux, et ne te réjouis-tu pas de suivre leur vie par des mœurs honnêtes ? (*Serm.* 351, 4, col. 1548).
>
> Non pas le seul Primien, mais un grand nombre de vos évêques sont venus en foule serrée célébrer l'anniversaire d'Optat de Timgad (*Ep.* 108, 5, p. 516, 17-19).

Quant au sens de ces mots, il suffit de rappeler ce que dit Augustin de celui qui peut les résumer tous, *natale*, dans le fameux parallèle entre la naissance du Christ et l'anniversaire d'Étienne :

> Nous célébrâmes hier l'anniversaire du Seigneur, nous célébrons aujourd'hui l'anniversaire du serviteur. Mais si ce fut

---

2. On ne trouvera que des généralités dans *DACL* X (1932) 2430-2432 : L'anniversaire des martyrs. En revanche, pour une documentation critique, cf. H. Delehaye, *Les origines du culte des martyrs*, p. 24-49 ; L'anniversaire et le tombeau ; du même, *Sanctus*, p. 122-161 : Le culte.

3. Cf. par exemple *PL* 46, 457, ou mieux *MA* I, 813. Il n'y a rien dans David Lenfant, *Concordantiae Augustinianae sive collectio omnium sententiarum quae sparsim reperiuntur in omnibus S. Augustini operibus* (Paris, 1656 et 1665), 2 vol.

> hier l'anniversaire de la naissance du Seigneur, c'est aujourd'hui l'anniversaire du couronnement du serviteur. Si ce fut l'anniversaire du jour où le Seigneur revêtit notre chair, c'est l'anniversaire de celui où le serviteur déposa la sienne. Si ce fut l'anniversaire du jour où le Seigneur est devenu semblable à nous, c'est l'anniversaire de celui où le serviteur est devenu proche du Christ. En effet, de même que la naissance du Christ rapprocha celui-ci d'Étienne, ainsi la mort d'Étienne unit ce dernier au Christ. Mais dans le cas de notre Seigneur Jésus-Christ, l'Église célèbre avec dévotion les deux fêtes de sa naissance et de sa mort. La raison en est qu'elles portent l'une et l'autre un remède. Le Christ, en effet, est né pour que nous puissions renaître ; il est mort pour que nous puissions vivre pour toujours. Les martyrs, au contraire, sont venus par leur naissance à des combats mauvais, parce qu'ils avaient contracté le péché originel ; leur mort les fit passer à des biens assurés, parce qu'il avaient mis fin à tout péché (*Serm.* 314, 1, col. 1425).

Des idées semblables se retrouvent dans les sermons sur l'anniversaire de Cyprien ou des apôtres Pierre et Paul [4]. Elles se retrouvent pareillement chez les successeurs d'Augustin [5]. Aussi bien est-ce l'époque, dans l'Église de Carthage, de réglementer les célébrations liturgiques de l'anniversaire des martyrs et de constituer le calendrier dans lequel seraient inscrits, mois après mois, jour après jour, les martyrs et les évêques dont on faisait la commémoraison :

> Hic continentur dies nataliciorum martyrum et depositiones episcoporum, quos ecclesia Carthagenis *(sic)* anniuersaria celebrant *(sic)* [6].

Tel est le titre du calendrier de Carthage dont la première ébauche remonte bien, semble-t-il, au temps d'Augustin, sinon au IVe siècle.

On note que la notion de *natale* tend à s'élargir et à inclure tous les

---

4. *Serm.* 310, 1, col. 1412 ; *Mai* 19, p. 307-310.

5. QUODVULTDEUS, *De tempore barbarico serm.* 1, 5, 3-4 (*CC* 60, 430). Parmi les exemples italiens, on retiendra PAULIN. NOL. *Carm.* 12-16, 18-21, 23, 26-29 ; ou encore *Sacram. Leon.* éd. MOHLBERG, nn. 48, 85, 115, 122, 167, 234, 311, 338, 378, 387, 397, 694, 723, 733, 771, 773, 801, 825, 838, 1165, 1166, 1190, 1231, 1253, 1276, 1278. Il est inutile de recourir au *Sacram. Gelas.* qui reprend les matériaux du Léonien.

6. J. MABILLON, *Vetera analecta,* IV, p. 398 ; Th. RUINART, *AMS,* p. 693 ; L. DUCHESNE, dans *Acta SS.*, Nov. II/1, p. 20 ; *DACL* VIII (1928) 644.

anniversaires pouvant intéresser l'ensemble d'une communauté ecclésiale. Non seulement Augustin avait ainsi célébré le *natale* de sa propre ordination épiscopale (*Frangip*. 2) et fêté des saints non martyrs de la même manière que les martyrs (*Serm*. 262, *Lambot* 22), mais le rituel même de ces célébrations non martyriales se conformait à celui des martyrs, comme on le voit dans le cas de saint Léonce d'Hippone (*Ep*. 29).

Ainsi se constituent, non seulement pour chaque Église particulière, comme en témoigne la prédication d'Augustin à Hippone ou à Carthage, mais encore à l'échelle d'une ou plusieurs provinces, témoin le calendrier de Carthage, des sanctoraux locaux ou régionaux. Celui de Carthage reflète en réalité le sanctoral commun à la Proconsulaire et à la Numidie. Cette particularité me semble s'expliquer, non seulement par le rôle que la métrople de Carthage jouait traditionnellement dans l'ensemble de l'Église d'Afrique, mais encore par l'influence qu'Augustin y a exercée personnellement tout au long de sa carrière ecclésiastique.

2. *Les lieux de culte*

a) *basiliques martyriales d'Hippone*

Si du temps, nous passons aux lieux de culte des saints et des martyrs, l'œuvre d'Augustin permet de relever plusieurs sanctuaires qui leur sont dédiés à Hippone. Il connaît et signale en effet ceux des saints Théogène, Vingt et Huit martyrs, Léonce et Étienne. L'exposé que j'en fais bénéficie des recherches complémentaires que firent à leur sujet, Erwan Marec du point de vue de l'archéologie, Othmar Perler de celui des textes [7].

Memoria Theogenis. Cette première *memoria* est expressément nommée deux fois en *Serm*. 273, 7, et *Mai* 158, 2. Othmar Perler propose d'y ajouter *Lambot* 2 *de uno martyre*, en raison de l'allusion à la saison d'hiver qui pourrait effectivement convenir au saint (7, col. 751), si Augustin ne laissait entendre, comme Cyrille Lambot le faisait observer de son côté, que la prédication a eu lieu en dehors

---

7. E. MAREC, *Monuments chrétiens d'Hippone*, p. 215-234 ; O. PERLER, « L'église principale et les autres sanctuaires d'Hippone ».

d'Hippone (1, col. 750)[8]. C'est pourquoi je laisse ce dernier texte en dehors du dossier de saint Théogène.

Qui était ce saint? Un Théogène, évêque d'Hippone, siégea au concile de Carthage du 1er septembre 256 et mourut peut-être martyr le 26 janvier 259[9].

Quant à la *memoria* du saint, mentionnée en deux sermons, elle ne figure pas dans la *Cité de Dieu,* XXII, 8. De ce silence, Perler concluait que la chapelle ne devait pas être très fréquentée. Peut-être convient-il de nuancer l'affirmation, si nous tenons compte du fait que le livre XXII de la *Cité de Dieu* ne décrit la topographie chrétienne d'Hippone que telle qu'elle était vers les années 426-427. En effet, dans un sermon du début de son épiscopat, Augustin semble se référer à une situation différente. Il veut faire comprendre à ses auditeurs que les martyrs ne sont pas les destinataires du culte à eux rendu, mais seulement les intermédiaires de celui qui est dû à Dieu. C'est pourquoi, dit-il, l'eucharistie n'est pas offerte aux martyrs :

> Quand est-ce que vous m'avez entendu dire, dans la *memoria* de saint Théogène, à moi, ou à l'un de mes frères et collègues, ou à un prêtre : Je t'offre (le sacrifice) à toi, saint Théogène ? (*Serm.* 273, 7, col. 1251).

Cette question n'a de sens que si, en 396, les réunions liturgiques se faisaient avec une certaine fréquence dans la chapelle du saint. Plus tard encore elles s'y tiennent, même en dehors de l'anniversaire du saint, ainsi qu'en témoigne un sermon de la Pentecôte 417 : ce jour-là, une réunion liturgique avait eu lieu le matin dans la chapelle et le livre de Tobie y avait été lu (*Mai* 158, 2, p. 381, 23-24)[10]. Si donc, en 426-427, au moment où s'achève la rédaction de la *Cité de Dieu,* la chapelle n'est pas nommée parmi celles qui font courir alors les foules d'Hippone en raison des miracles dont elles sont le théâtre (*Ciu. Dei,* XXII, 8), on en conclura tout au plus qu'elle a perdu la

8. O. PERLER, « L'église principale », p. 237 ; C. LAMBOT, « Nouveau sermon de saint Augustin pour la fête d'un martyr », *Revue bénédictine,* 46 (1934) 409 ; p.-p. VERBRAKEN, *Études critiques,* p. 168.

9. *Sent. epp.* 14, p. 443 ; *Mart. hier,* éd. H. QUENTIN, comm. H. DELEHAYE, p. 63-64. Le Père Delehaye se refuse à considérer Théogène comme martyr.

10. A.-M. LA BONNARDIÈRE, *Bibl. Aug. A.T. Les livres historiques,* p. 91, 93 ; C. LAMBOT, « Les sermons de saint Augustin pour les fêtes des martyrs », p. 95 ; H. DELEHAYE, *Les origines du culte des martyrs,* p. 381 ; O. PERLER, « L'église principale », p. 327 ; P.-P. VERBRAKEN, *Études critiques,* p. 178.

faveur dont elle avait pu jouir autrefois, au bénéfice de sanctaires plus à la mode. Cette désaffection était récente en 426-427, si mon observation est juste sur les changements qu'entraîna vers cette époque la nouvelle vogue du culte des reliques [11].

Memoria XX martyrum. La chapelle des Vingt martyrs semble avoir connu une faveur durable de la part des gens d'Hippone durant l'épiscopat d'Augustin, si nous en croyons les sermons qu'il lui a consacrés :

dimanche octave de Pâques vers 401 :	*Serm*. 148 ad sanctos martyres viginti (*PL* 38, 799) ;
même jour :	*Serm*. 257 ad memoriam sanctorum (*PL* 38, 1193 et n. b) ;
15 nov. 408 :	*Serm*. 325 in natali viginti martyrum (*PL* 38, 1447) ;
?	*Serm*. 326 item sermo cuius supra de eodem unde supra (*PL* 38, 1448 et n. c.). — NB. — La tradition manuscrite autorise l'attribution de ce sermon aux mêmes martyrs, sinon au même jour ;
10 déc. 410-412 :	*Morin* 2, 3, sermon en l'honneur d'Eulalie de Merida comparée aux martyrs d'Afrique Crispine et Cyprien, d'Hippone les Huit et Vingt martyrs (*MA* 1, 595, 3-6, 13-14).
426-427 :	*Ciu. Dei,* XXII, 8, 10 : ad viginti martyres, quorum memoria apud nos celeberrima (*CC* 48, 821, 250-251).

Augustin y prêcha donc souvent et en des occasions variées. Elle est même le théâtre d'un miracle en 426-427 en faveur d'un pêcheur pauvre. Du récit de ce miracle, Perler conclut que le sanctaire devait être proche de la mer. Mais il s'agit évidemment, comme le fait remarquer Marec, d'un emplacement près du rivage ancien, et non pas du tracé actuel de la côte. De toute façon, la *memoria* n'a pas été retrouvée [12].

Quant aux martyrs désignés sous ce nom, ils sont peu connus. Leurs actes étaient lus le jour anniversaire de leur mort (*Serm*. 326,

11. Cf. *infra*, p. 266.
12. E. MAREC, *Monuments chrétiens d'Hippone*, p. 216-217.

2), mais sont perdus aujourd'hui. Augustin a cité le nom de trois d'entre eux, l'évêque Fidentius et les femmes Valeriana et Victoria (*Serm.* 325, 1 ; *Morin,* 2, 3). Ils semblent avoir péri le 15 novembre 304[13].

Basilica VIII martyrum. Nous ne savons rien de ces martyrs en dehors de leur nom de groupe et de leur sanctuaire. Ils ne semblent pas avoir joui d'une grande popularité. Le motif de ce manque d'intérêt nous échappe. Une petite chapelle leur était consacrée. En 425 environ, une basilique la remplaça, construite par le prêtre Leporius sur l'ordre d'Augustin avec les fonds recueillis auprès des fidèles. La nouvelle basilique était achevée depuis peu en décembre 425-janvier 426 (*Serm.* 356, 10, col. 1578). Une allusion à leur culte est faite dans le sermon *Morin* 2, 3 (p. 595, 6 et 13). Le Père Hippolyte Delehaye conjecture que les Huit sont visés par le calendrier de Carthage le 1er novembre. Leur basilique n'est pas identifiée[14].

Basilica Leontiana. La basilique de saint Léonce est abondamment documentée par les écrits d'Augustin. Les données de l'archéologie sont discutées.

ap. 5. 5. 395 :	*Ep.* 29 : epistola presbyteri Hipponensium Regiorum ad Alypium episcopum Thagastensium de die natali Leontii quondam episcopi Hipponensis (*CSEL* 34, 114-122). — NB. — Ce titre figurait dans le ms perdu de Sainte-Croix-de-Jérusalem à Rome et se retrouve dans celui de Cheltenham 12261, actuel LONDRES *Addit. 43460.* Cf. O. PERLER, « L'église principale », p. 302-305 ;
18. 4. 396 :	*Serm.* 252, 4 : allusion aux événements de l'année précédente (*PL* 38, 1174) ;
dim. oct. de Pâques ap. 409-412 :	*Serm.* 260 habitus *eodem die* in basilica Leontiana (*PL 38, 1201) ;*

13. *Mart. hier.* éd. H. QUENTIN, comm. H. DELEHAYE, p. 600 ; C. LAMBOT, « Les sermons... des martyrs », p. 93-94 ; O. PERLER, « L'église principale », p. 328 ; H. DELEHAYE, *Les origines du culte des martyrs,* p. 393.

14. *Cal. Carth.* éd. L. DUCHESNE, p. LXXI ; *Mart. hier.* éd. H. QUENTIN, comm. H. DELEHAYE, *Les origines du culte des martyrs,* p. 393 ; C. LAMBOT, « Les sermons... des martyrs », p. 93 ; O. PERLER, « L'église principale », p. 329 ; P.-P. VERBRAKEN, *Études critiques,* p. 149 ; E. MAREC, *Monuments chrétiens d'Hippone,* p. 218-219.

4. 5. 411 (Ascension) :	*Serm.* 262 habitus in basilica Leontiana, 2 : Occurrit autem huic ecclesiae alia uernacula sollemnitas. Conditoris basilicae huius sancti Leontii hodie depositio est (*PL* 38, 1208) ;
24. 9. 427 :	*Conc. Hippon. 427* in basilica Leontiana (*CC* 149, 250).

Remarquons, pour commencer, que le titre de basilique Léontienne ne figure que dans les documents officiels : ainsi le concile d'Hippone de 427, et dans les titres des sermons, jamais dans leur texte proprement dit qui, seul, reflète les paroles d'Augustin. Cela signifie sans doute que l'appellation courante de l'église était différente de son titre officiel. Quant à son titulaire, il est dit « jadis évêque d'Hippone » dans le titre que certains manuscrits donnent à la *Lettre* 29 et dont la paternité a été revendiquée pour Augustin lui-même. Cette appellation n'est pas sûre, car lorsqu'Augustin s'exprime sur le compte de Léonce, il l'appelle « fondateur de la basilique ». Ce titre n'exclut certes pas celui d'évêque, mais ne l'exige pas non plus.

Quant à la fête qui était annuellement célébrée dans sa basilique le 4 mai, Augustin affirme aussi que c'était celle de « sa déposition ». Tout le contexte de la *Lettre* 29, une partie de l'argumentation qu'Augustin y développe, confirment cette identité. La fête était célébrée comme les plus grandes solennités de martyrs. Le peuple lui-même lui avait donné le nom de *Laetitia,* « Liesse », ce qui laisse entendre de grandes démonstrations de joie. Effectivement, chez les catholiques comme chez les donatistes, les banquets étaient de tradition ce jour-là dans les sanctuaires des deux Églises. Comme nous l'avons vu, Augustin n'eut de cesse, aux alentours du 4 mai 395, avant de les avoir fait disparaître de la communauté catholique[15].

L'église dans laquelle Augustin prêcha trois jours consécutifs, selon l'*Épître* 29, était grande (*Ibid.* 6, p. 118, 2), pourvue d'une exèdre (*Ibid.* 8, p. 119, 8), voisine de la maison épiscopale[16], mais

15. Cf. *supra*, p. 141-142 ; H. Delehaye, *Sanctus*, p. 118 ; C. Lambot, « Les sermons... des martyrs », p. 95 ; O. Perler, « L'église principale », p. 300-307.

16. O. Perler, *Ibid.*, p. 304 fin.

non pas nécessairement proche de la basilique donatiste[17]. Son ampleur est confirmée par la tenue, dans son enceinte, du concile général d'Afrique de 427. Deux indices donnent à penser qu'elle était du début du IVe siècle, sinon déjà du IIIe : d'une part, les banquets de la Saint-Léonce y étaient apparemment célébrés dès l'origine, c'est-à-dire dès l'époque de la tolérance de cet usage par la hiérarchie[18]; d'autre part, catholiques et donatistes l'ont également observé. Ce double fait donne à penser que l'église catholique qui abritait ces banquets était antérieure à la paix de 313, voire au schisme donatiste.

Cette église a été identifiée par Erwan Marec avec le sanctuaire chrétien à cinq nefs que ses fouilles ont exhumé dans le voisinage immédiat du « quartier chrétien » et dont les caractéristiques pourraient effectivement convenir à l'église dont parle Augustin. C'est une salle ample de 15 m de long pour 16 m de façade, précédée par un atrium carré, prolongée par un *presbyterium* rectangulaire de 14 m de long et 8,5 m de large, et flanquée d'un complexe attenant qui a dû être la maison épiscopale[19]. Le fait que l'*exedra* dont parle Augustin dans la *Lettre* 29 ne soit pas ici semi-circulaire, mais rectangulaire, ne me paraît pas une objection dirimante : en effet, la définition que donnent les lexiques de l'exèdre part de présupposés archéologiques et vise avant tout l'abside classique[20]; des textes, au contraire, il résulte que l'exèdre a toujours deux caractéristiques essentielles, d'une part, sa surélévation en comparaison du *quadratum populi*, d'autre part, les sièges des prêtres entourant la cathèdre épiscopale[21]. Cette double condition est réalisée par l'abside de la basilique à cinq nefs. Aussi, pour ma part, je ne vois pas d'inconvénients à accepter la proposition de Marec. Il est vrai que la validité de sa démonstration dépend du sort qu'on fait à l'*ecclesia antiqua* dont il est question dans la lettre d'Augustin[22]. Erwan Marec

---

17. O. PERLER, *Ibid.*, p. 305, a montré que le verbe *audiebat* d'*Ep*. 29, 10, p. 121, 23-26, comporte en principe deux sens, « entendre de ses propres oreilles » et « entendre dire à d'autres », et que le plus probable est ici le second.

18. Cf. *supra*, p. 142.

19. E. MAREC, *Monuments chrétiens d'Hippone*, p. 222-225.

20. *TLL* V, 1318; A. BLAISE, *Dictionnaire*, p. 327.

21. AUG. *Emerit*. 1, p. 181, 6; *Ciu. Dei*, XXII, 8, 23, p. 581; *Guelf*. 32, 9, p. 571, 7; *Ep*. 29, 8, p. 119, 18; PAULIN. MEDIOL. *Vita Ambr*. 23, col. 37c.

22. *Ep*. 99, 3, p. 535, 8-12.

l'identifie avec la basilique léontienne[23] et tombe d'accord ainsi avec Othmar Perler dont les conclusions, tout en étant plus nuancées, rejoignent finalement celles de l'archéologie[24].

Ce sanctuaire a été présenté comme un exemple de la « canonisation » des fondateurs d'église. Le *Serm.* 260 est dit *habitus in ecclesia Leontiana*. Dans le manuscrit de Vérone qui contient les actes du concile d'Hippone de 427, elle devient la *basilica sancta Leontina*[25] ; ce que Perler suggère de traduire par « la basilique de sainte Léontine ». Que l'on ait fini par croire à Hippone à une basilique de sainte Léontine ou qu'il s'agisse d'une simple distraction de copiste dans la transcription du nom, peu importe. Ce en quoi il n'y a pas d'erreur, c'est dans le qualificatif de sainte donné directement à l'église, indirectement à son fondateur. Ainsi, le processus de « canonisation » de ce dernier est en cours. Le tout est de savoir s'il arriva à son terme, et où et quand. Nous ne pouvons le savoir sûrement. La prudence nous incline à une comparaison avec les changements qui se produisirent dans la titulature des églises romaines aux Ve-VIe siècles. Perler rappelle l'exemple romain du *titulus Clementis* qui devient « l'église de Saint-Clément ». Il ajoute que « de telles métamorphoses n'étaient pas rares » dans la ville des papes. C'est ce que nous apprennent effectivement les signatures apposées par les prêtres des titres romains aux actes des synodes de 499 et 595 : telle église qui portait encore purement et simplement le nom de son fondateur au Ve siècle devient celle de Sainte-Pudentienne, de Sainte-Praxède sous Grégoire le Grand. C'est à la même période qu'il faudrait sans doute assigner la mutation qui affecte le titre de l'église Léontienne d'Hippone. Mais alors on peut se demander, en raison du manuscrit qui est du VIIIe siècle, si la mutation ne s'est pas faite beaucoup plutôt à Vérone qu'à Hippone !

Memoria sancti Stephani. Il reste un dernier sanctuaire de martyr dans la ville d'Augustin, la *memoria* de saint Étienne, qui est documentée par une douzaine de textes augustiniens :

---

23. E. MAREC, *Monuments chrétiens d'Hippone*, p. 22-225.
24. O. PERLER, « L'église principale », p. 318-321.
25. Le *Cod. LX (58)* de la Bibl. Cap. de Vérone est de la fin du VIIIe siècle, probablement écrit à Vérone sur un modèle africain. Cf. E. A. LOWE, *Codices latini antiquiores* IV, p. 31.

hiver 424-425 :	*Serm.* 317 (*PL* 38, 1435-1437);
ap. 424-425 :	*Wilmart* 12, 5 (*PLS* 2, 834);
fin 6.-déb. 7. 425 :	*Serm.* 318 (*PL* 38, 1437-1440);
Pâques 425-426 :	*Serm.* 320 (*PL* 38, 1442);
lundi Pâq. 425-426 :	*Serm.* 321 (*PL* 38, 1442);
mardi Pâq. 425-426 :	*Serm.* 322 (*PL* 38, 1443);
même jour :	*libellus* de la guérison de Paul (*PL* 38, 1443-1445);
même jour :	*Serm.* 323 (*PL* 38, 1445-1446);
merc. Pâq. 425-426 :	*Serm.* 324 (*PL* 38, 1446-1447);
ap. 425-426 :	*Serm.* 319 (*PL* 38, 1440-1442);
av. 426-427 :	*Ciu. Dei,* XXII, 8, 23 (*CC* 48, 825-827);
déc.-janv. 425-426 :	*Serm.* 356, 7 (*PL* 39, 1577).

Il résulte de ces textes que la *memoria* a été construite en 424-425 par le diacre Eraclius et à ses propres frais pour recevoir les reliques du protomartyr récemment arrivées à Hippone. La dédicace en a été célébrée entre le 18 juin et le début juillet 425 (*Serm.* 318). A partir de cette date elle est le théâtre de nombreux miracles dont le mieux connu est la guérison de Paul, venu à Hippone de Césarée de Cappadoce après avoir inutilement visité les sanctuaires de Laurent à Ravenne, d'Étienne à Ancône et à Uzali. De ce miracle nous a été conservé, inséré entre les *Serm.* 322 et 323, le *libellus* qui en fait foi. Des autres miracles aussi Augustin avait fait rédiger de semblables comptes rendus malheureusement perdus. Ceux qui sont conservés en abrégé dans la *Cité de Dieu* seront étudiés dans le chapitre des reliques. Ils nous renseignent d'ailleurs sur la *memoria* elle-même et ont déjà été utilisés dans le chapitre consacré aux *memoriae* funéraires [26].

Les textes laissent aussi supposer que cette chapelle était dans le voisinage immédiat de la basilique Majeure ou basilique de la Paix. Le récit du miracle de Paul donne même à entendre, non seulement qu'on accédait directement de l'une à l'autre, mais encore que de l'une on entendait ce qui se passait dans l'autre. Ces circonstances, ainsi que certains détails architecturaux [27], ont conduit Erwan Marec à l'identifier avec le bâtiment tréflé qui s'ouvre sur le péristyle du *secretarium* de la basilique Majeure et communique par un passage

26. Cf. *supra*, p. 131-132; *infra*, p. 271-274.
27. E. Marec, *Monuments chrétiens d'Hippone*, p. 232, et surtout p. 163-168.

couvert avec la basilique elle-même[28]. L'identification de cette chapelle et du groupe épiscopal auquel elle appartient semble une des hypothèses les plus séduisantes des travaux de Marec.

La *memoria* de Saint-Étienne, pas plus que la basilique Majeure, ne sont cependant sûrement identifiées par les découvertes d'Erwan Marec. Ces identifications ont été contestées pour plusieurs raisons par les archéologues[29]. D'abord, il n'est pas sûr que le « quartier chrétien » où Marec situe ces deux sanctuaires soit le quartier catholique : après tout, il pourrait être tout aussi bien donatiste. Aucune certitude n'est possible sur ce point, tant que l'on ne connaît pas tous les édifices cultuels de l'antique Hippone chrétienne. A ces considérations générales s'ajoutent des difficultés particulières. La basilique Majeure, si elle ne nous intéresse pas ici comme sanctuaire de martyr, est cependant étroitement liée par les textes à la *memoria* de Saint-Étienne. Or, si la villa dont la basilique a pris la place a continué à servir comme habitation au Ve siècle, on ne voit pas comment Augustin aurait pu y établir sa cathédrale. Elle serait mieux explicable comme église vandale; ce que suggèrent d'ailleurs aussi quelques inscriptions comportant des noms germaniques : je pense à l'épitaphe d'Hildeguns. Quant au bâtiment tréflé que Marec considérait comme la *memoria* de Saint-Étienne, sa destination religieuse, à plus forte raison martyriale, n'est pas assurée. En particulier a été remise en question dans les vestiges retrouvés l'existence du passage de la basilique au *martyrium* postulée par les textes et que Marec croyait confirmée par l'archéologie. Dans ces conditions, il vaut mieux s'abstenir de parler du « quartier chrétien » d'Hippone comme s'il conservait à coup sûr les vestiges des sanctuaires augustiniens.

Sanctaires extra-urbains. En dehors de la ville, mais dans le diocèse d'Hippone, existait le sanctuaire de Fussala dans lequel Augustin prononça le sermon *Guelf*. 32 pour l'ordination épiscopale d'Antoninus; mais nous ne savons s'il s'agit d'un sanctuaire de martyr. Par contre, un 19 juin entre 426 et 430, existait à Argentarium, dans le voisinage d'Hippone, une chapelle en l'honneur

28. Ce sont les pièces a3 et b4 du plan p. 132, fig. 21, décrites par E. MAREC, *Monuments chrétiens d'Hippone*, p. 140 et 150.

29. G.-Ch. PICARD, dans *Revue des études latines*, 36 (1959) 412-414; H.-I. MARROU, « La basilique chrétienne d'Hippone d'après le résultat des dernières fouilles », *Revue des études augustiniennes*, 6 (1960) 109-154.

des saints Gervais et Protais. Augustin y tint le *Serm.* 286[30]. C'est le même sanctuaire, sans doute, qui est placé *in villa Victoriana* par la *Cité de Dieu,* XXII, 8, 8 (p. 820, 215ss.). Si cette identification est exacte, Argentarium est le nom du village ou de la petite ville, Victoriana celui du domaine, où la chapelle se trouvait. Il paraît vraisemblable d'attribuer à l'influence, sinon à l'intervention d'Augustin, le culte des saints milanais dans son diocèse.

b. *basiliques martyriales de Carthage*

A Carthage, le témoignage d'Augustin permet de retenir de cinq à huit sanctuaires dans lesquels il a prêché, selon que certains doivent être identifiés les uns avec les autres.

Basilica Maiorum. Cette basilique carthaginoise fut le lieu de divers sermons d'Augustin. D'après Victor de Vite, y étaient enterrés les corps des saintes Perpétue et Félicité. Voici les textes :

18. 6. (411 ?) :	*Serm.* 16A = *Denis* 20, habitus in basilica Maiorum die dominica XIIII. Kal. Iul (*CC* 41, 218-229; *MA* I, 111-124);
412-413 :	*Morin* 12 habitus in basilica Maiorum (*MA* I, 635-640);
27. 6. 413 :	*Serm.* 294 habitus in basilica Maiorum in natali martyris Guddenis V. Kal. Iul. (*PL* 38, 1335-1347);
24. 9. 417 :	*Serm.* 165 habitus in basilica Maiorum (*PL* 38, 902-907);
17-24. 5. 418 :	*Serm.* 34 habitus Carthagine ad Maiores (*CC* 41, 424-427);
486 :	VICT. VIT. *Hist. pers.* I, 9 (*CSEL* 7, 5, 20-21).

Ces données littéraires peuvent-elles se mettre en rapport avec les découvertes archéologiques ? Au lieu dit Mcidfa a été exhumée une basilique cémétériale extrêmement ruinée, aujourd'hui réenterrée. Des fragments d'inscription y furent trouvés par le Père Delattre ; ils mentionnent la présence de reliques de martyrs en cet endroit ; la pierre reconstituée est conservée au Musée du Bardo :

---

30. *MA* 1, 666.

+ hic svnt mart*yres*
+ satvrvs sat*urninus*
+ rebocatvs sec*undulus*
+ felicit*as* per*pe*tva/
passi nonas mart*ias*
maivlvs [31].

Plusieurs auteurs ont pensé que la *basilica Maiorum* avait été retrouvée dans les ruines de Mcidfa et identifiée grâce à l'inscription. L'hypothèse offre une certaine vraisemblance, mais elle n'a pas de garantie définitive. L'inscription, en effet, est apparemment d'époque byzantine en raison de sa paléographie. De plus, dans la liste des martyrs, le dernier n'appartient sûrement pas au groupe de Perpétue : il s'agit sans doute du martyr d'Hadrumète [32]. Dès lors, toutes les reliques pourraient, non pas avoir été déposées à l'origine, mais transférées après coup à Mcidfa. Dans ce cas, la basilique ne serait que commémorative [33].

Basiliques cyprianiques. Les basiliques élevées en l'honneur de Cyprien font l'objet de discussions quant à leur nombre dans l'antiquité et quant à leur identification avec des vestiges retrouvés [34]. Victor de Vite mentionne deux basiliques [35]. Les textes augustiniens paraissent, au contraire, en faveur de trois. La première est l'église du martyre que les Actes mettent *in agro Sexti (Acta Cyrpiani*, 5,

---

31. *CIL* VIII 25038, *ILCV* 2041, *DACL* II (1910) 2240, fig. 2124.

32. H. DELEHAYE, *Les origines du culte des martyrs*, p. 378-379.

33. *DACL* II (1910) 2233-2252 ; *DHGE* XI (1939) 1227 ; G.-Ch. PICARD, *La Carthage de saint Augustin*, p. 199-200 ; O. PERLER, « Les basiliques chrétiennes de Carthage », p. 419 ; N. DUVAL, « Études d'architecture chrétienne », p. 1116-1119.

34. A. AUDOLLENT, *Carthage romaine*, p. 176-182 : Les basiliques cypriennes ; P. MONCEAUX, *Histoire littéraire de l'Afrique chrétienne*, t. 2, 371-386 : Le tombeau et les basiliques de saint Cyprien à Carthage ; Ch. SAUMAGNE, « Les basiliques cypriennes » ; J. VAULTRIN, *Les basiliques chrétiennes de Carthage*, p. 141-158 ; O. PERLER, « Les basiliques chrétiennes de Carthage ».

35. VICT. VIT. *Hist. Pers.*, I, 16 : Sed etiam foris muro quascumque uoluit occupauit, et praecipue duas egregias et amplas sancti martyris Cypriani, unam ubi sanguinem fudit, aliam ubi eius sepultum est corpus, qui locus Mappalia uocitatur (*CSEL* 7, p. 8, 14-17).

Victor de Vite dit *aliam* et non *alteram* pour la deuxième église et ne semble donc pas exclure l'existence d'une troisième basilique cyprianique. En fait, l'incertitude demeure sur leur nombre. Elle n'existerait pas si Victor de Vite suivait un usage constant d'*alius* et d'*alter* et s'il n'employait pas le premier parfois pour le second. Cf. *TLL* I, 1623-1624. L'édition de Victor de Vite dans le *Corpus* de Vienne, t. 7, p. 147, indique les emplois suivants de l'un pour l'autre : *Hist. pers.* I, 16, 49, II, 31, III, 27, 41.

p. cxiii, 13-14). Ce lieu, bien que ce ne soit pas avec l'appellation d'origine, est plusieurs fois rappelé par les sermons d'Augustin, qui la nomme habituellement *mensa Cypriani,* une fois *domus Cypriani.* Ces expressions seront examinées plus loin dans le présent chapitre[36]. Le deuxième sanctuaire est celui du quartier des Mappales où se trouvait *l'area Macrobii Candidiani* dans laquelle le corps du martyr avait été enseveli (*Ibid.* p. cxiii, 25-26). L'indication topographique *in Mappalibus* se lit dans le titre de certains sermons, l'allusion au tombeau ou aux restes du martyr, dans le texte de quelques autres. Le troisième sanctuaire n'est mentionné que dans les *Confessions,* V, 8 (p. 102, 2) : lorsqu'Augustin eut décidé de quitter Carthage pour Rome en 383 et que sa mère essayait de le retenir, il la persuada de passer la nuit en prières dans la chapelle de saint Cyprien dont l'emplacement était proche de la mer, et partit pendant ce temps. Il nomme cette chapelle *memoria beati Cypriani.* Voici un relevé des textes dans lesquels apparaissent l'église des Mappales et la *memoria* de Cyprien :

Basilica in Mappalibus

18. 8. 397 :	*Serm.* 330 habitus in basilica beati martyris Cypriani die XV. Kal. Sept. in natali Massae Candidae (*PL* 38, 1456-1459; *MA* I, 666);
13. 9. 397 :	*Denis* 11 habitus in Mappalibus, id est in basilica beati martyris Cypriani per uigilias natalis eius (*MA* I, 43);
14. 9. 397 :	*Denis* 22 habitus in basilica beati martyris Cypriani in Mappalibus die natalis eius ad collectam (*MA* I, 133-141);
13. 9. 403 :	*En. Ps. 32,* s. 1 habitus in Mappalibus per uigilias sancti martyris Cypriani (*CC* 38, 247-257);
14. 9. 403 :	*Guelf.* 26 de natali sancti Cypriani (*MA* I, 529-531);
405 (?) :	*Serm.* 311, 5 : vigiles célébrées au tombeau de Cyprien (*PL* 38, 1414-1420);
13. 9. 416 :	*En. Ps. 85* habitus in natali sancti Cypriani uigiliis in Mappalibus (*CC* 39, 1176);

36. Cf. *infra*, p. 191-197.

non daté : *Serm.* 313, 5 : mention de l'autel élevé sur la tombe de Cyprien (*PL* 38, 1423-1425);
486 : VICT. VIT. *Hist. pers.* I, 16 : mention des deux basiliques du martyre et du tombeau de Cyprien (*CSEL* 7, 8, 16-17).

Memoria Cypriani

383, 397-401 : *Conf.* V, 8 (*CSEL* 33, 102, 2);
535 : PROCOP. *Bell. vandal.* I, 21, 17-18 : mention de l'église suburbaine de Cyprien, située près de la mer.

Si les textes augustiniens semblent bien assurer l'existence de trois sanctuaires cyprianiques à Carthage, on est loin de s'accorder sur leur emplacement. Les vues optimistes de Paul Monceaux, qui croyait pouvoir retrouver à Mégara la basilique de l'*ager Sexti*, à Koudiat Soussou, près de La Malga, celle de l'*area Macrobii Candidiani*, n'ont pas été retenues par la suite. Les réserves des archéologues se sont exprimées dans la mise au point des questions, publiées en 1939 par les Pères Ferron et Lapeyre. Les positions n'ont guère varié depuis. La seule hypothèse nouvelle a été formulée, voici maintenant treize ans et plus, par Gilbert-Charles Picard : il proposait de voir dans l'énigmatique rotonde, trouvée à l'ouest du théâtre, la *memoria* de Cyprien. Son hypothèse, si séduisante en elle-même, obligea malheureusement l'auteur à des suppositions en chaîne dans le domaine de l'histoire cultuelle et ne trouvait pas de garantie dans les textes : elle n'a pas été retenue par la suite [37]. Il vaudrait sans doute mieux revenir à la proposition du Père Delattre et identifier la *memoria* avec la basilique dite de Sainte-Monique ou de Saint-Cyprien : dans ce cas, la chapelle de 383 aurait cédé la place à un vaste édifice au VIe plutôt qu'au Ve siècle : ainsi s'expliquerait à la fois le silence de Victor de Vite à son sujet et sa mention par Procope.

Autres sanctuaires carthaginois. Restent quelques basiliques à propos desquelles se posent de nombreux problèmes d'identité. Celle des martyrs Scillitains est appelée de ce nom dans le titre d'un sermon qu'y prononça Augustin :

---

37. *Actes du Ve C. I. A. C.*, p. 45-46; G.-Ch. PICARD, *La Carthage de saint Augustin*, p. 190-195; N. DUVAL, « Études d'architecture chrétienne », p. 1103-1107.

15. 10. 419 : *Serm.* 155 habitus in basilica sanctorum martyrum Scilitanorum (*PL* 38, 840-849).

D'autres prédications en l'honneur des mêmes martyrs furent faites dans la basilique dite *Nouarum*. Aussi a-t-on pensé qu'il s'agissait de la même église :

17. 7. 397 : *Serm.* 37 habitus in die martyrum Scilitanorum in basilica Nouarum (*CC* 41, 446ss.);
soir du même jour : *Guelf.* 30 de natali sanctorum Scilitanorum in basilica Nouarum (*MA* I, 550-557);
17. 7. 413 : *Denis* 16 habitus in natali martyrum Scilitanorum in basilica Nouarum (*MA* I, 75-80).

Faut-il, en plus, identifier cette église avec celle de Celerina, comme pourrait le suggérer Victor de Vite : *Celerinae uel Scilitanorum?*[38] Selon l'Abrégé de la conférence de 411, cette basilique existait avant le schisme donatiste et serait donc préconstantinienne (AUG. *Breu. coll.* III, 25, 13, p. 74, 1). En outre, comme il s'agissait d'une basilique cémétériale, le cimetière devait porter le même nom que la basilique. En ce cas, c'est celui dans lequel fut enterré Libosus de Vaga. A côté de son nom, qui figure à la trentième place des *Sententiae episcoporum*, l'annotateur du concile de 256 avait ajouté : *confessor et martyr in nouis areis positus*[39]. Ces *areae nouae* ont sans doute donné leur nom à la *basilica nouarum*, sous-entendez : *arearum*.

Le même raisonnement vaut pour une autre église carthaginoise dans laquelle Augustin se fit entendre quelquefois et où se tinrent plusieurs conciles :

ap. 14. 5. 397 : *Serm.* 101 habitus in basilica Fausti (*PL* 38, 605ss.);
20. 1. 410-415 : *Serm.* 23 habitus in basilica Fausti (*CC* 41, 309ss.);
été 413 : *Serm.* 134 habitus Carthagine die dominica (*PL* 38, 742-746);
1. 5. 418 : *Conc. Carth. 418* in basilica Fausti *vel* in secretario basilicae Fausti (*CC* 149, 59 et 220);

38. VICT. VIT 1. *Hist. pers.* I, 9, p. 5, 22.
39. Cf. *supra*, p. 93.

19. 5. 410 ou 16. 5. 418 :	*Serm.* 261 habitus Carthagine in basilica Fausti quadragesima Ascensionis (*PL* 38, 1202-1207);
25. 5. 419 :	*Conc. Carth. 419* in secretario basilicae Fausti (*CC* 149, 89);
v. 419-421 :	*In Ioan. eu. tr.* 51 (*CC* 36, 439-445).

Nous savons que Leucius de Théveste fut enterré dans le cimetière de Faustus : *confessor et martyr in Fausti positus* (*Sent. epp.* 31). L'église de Faustus est donc sans doute celle du cimetière[40].

Possidius mentionne un sermon d'Augustin en l'honneur du martyr Agilée (POSS. X⁶. 139) : ce sermon est perdu. Dans la basilique du saint se tint, les 5-6 février 525, un concile de Carthage (*Conc. Carth. 525*, p. 255). On a proposé d'identifier cette basilique avec les ruines de Bir Knissia. De même est-il question du monastère carthaginois de Saint-Étienne dans le *Liber promissionum* de Quodvultdeus. Pour des raisons qui tiennent à la diffusion du culte de saint Étienne en Afrique, ce sanctuaire ne peut être antérieur aux années 420 environ au plus tôt. On a cru pareillement le retrouver à proximité immédiate de l'enceinte de Théodose, à l'est de la ville[41].

Quant au cimetière de Tertullus qui fut le lieu de sépulture de Successus d'Abbir Germaniciana : *positus in Tertulli* (*Sent. epp.* 16), il n'est pas marqué par une basilique dans laquelle Augustin ait prêché. Ferron et Lapeyre l'identifient avec celle des *nouae areae*. Mais ce doit être à tort, puisque l'annotateur du concile de 256 les distingue.

c) *autres basiliques de martyrs en Afrique*

Augustin a enfin prêché dans des églises de martyrs en d'autres villes d'Afrique : à Bulla Regia (Hammam Darradj, Tun.), à Hippo Diarrhytus (Bizerte, Tun.), à Utique (Hr Bouchateur, Tun.), à Thagaste (Souk Ahras, Alg.), à Milev (Mila, Alg.), et à Césarée de Mauritanie (Cherchel, Alg.)[42]. Certaines de ces églises sont de

40. *Ibid.*; O. PERLER, « Les basiliques chrétiennes », p. 418-419.
41. QUODVULTDEUS *Dimidium*, VI, 9, p. 196, 39-40; N. DUVAL, « Études d'architecture chrétienne », p. 1096-1098.
42. Je laisse de côté les églises de Boset, Chusa, Siniti, Thignica, Tuneba, Vallis, où saint Augustin a prêché, mais qui n'ont pas été identifiées. Cf. O. PERLER, *Les voyages de saint Augustin*, p. 407-413.

martyrs. Pour Thagaste, Milev et Césarée, l'église mentionnée ou supposée dans laquelle Augustin parut ou parla, est chaque fois, apparemment, l'église cathédrale. Dans les autres villes, il est permis de se demander s'il s'agit de sanctuaires de martyrs.

A Bulla Regia fut donné le sermon *Denis* 17 pour la fête des saints Macchabées, le 1er août 399. Y avait-il en cette ville une basilique des martyrs d'Antioche ? On ne sait. Tout ce qu'on peut dire, c'est qu'Augustin y célébra leur fête[43].

Hippo Diarrhytus avait trois basiliques connues grâce à Augustin. Les 22 et 25 septembre 410, il fit deux discours en cette ville, le premier *in basilica Margarita* dont il souligne l'exiguïté, le second *in basilica sancti martyris Quadrati*. Il devait s'agir de la cathédrale et d'une église cémétériale ou votive. Cette dernière, dite de saint Quadratus, ne possédait sans doute pas le corps de l'évêque-martyr d'Utique, mais tout au plus des reliques. Augustin retourna à Hippo Diarrhytus en deux autres occasions : en 411 pour la dédicace de la nouvelle cathédrale que son ami Florentius venait d'achever et qui prit son nom ; le 17 avril 419 pour les funérailles de cet évêque[44]. Voici les textes concernant les basiliques d'Hippo Diarrhytus :

22. 9. 410 :	*Denis* 21 habitus Hipponi Zarito in basilica Margarita X. Kal. Oct. V. feria (*MA* I, 124-133) ;
25. 9. 410 :	*Denis* 24 habitus Hipponi Diarrhyto in basilica sancti martyris Quadrati die dominica VII. Kal. Oct. (*MA* I, 141-145) ;
aut. 411 :	*Serm.* 359 habitus post collationem (*PL* 39, 1590-1598) ;
19. 4. 419 :	*Serm.* 396 habitus in basilica Florentia apud Ypponi Zarito urbem de consolatione cuiusdam episcopi ad plebem eius XV. Kal. Maias (*PL* 39, 1717-1719 ; titre dans ms *Casin. XVII*, f. 261).

Utique enfin, plus proche de Carthage, accueillit aussi Augustin plusieurs fois. Othmar Perler y place deux sermons augustiniens concernant les martyrs de cette ville, la Massa Candida et Quadratus,

43. *Ibid.*, p. 227 ; *MA* I, 81-89 ; P.-P. Verbraken, *Études critiques*, p. 163.

44. A.-M. La Bonnardière, *Bibl. Aug. A. T. Le livre de la Sagesse*, 75-78 ; O. Perler, *Les voyages de saint Augustin*, p. 280, 298, 353. Cf. *supra*, p. 159-160.

à savoir *Serm.* 306 et *Denis* 18, mais aucune de ces prédications n'est expressément localisée dans cette ville. De plus, s'il y avait effectivement une basilique dédiée à la Massa Candida, où Augustin commenta le Ps. 144, on ne sait rien d'un sanctuaire qui y aurait été consacré à Quadratus : peut-être l'évêque reposait-il dans le même que la Massa Candida. Quelques sermons sont placés à Utique, mais sans que l'église soit précisée[45]. Voici les textes :

11. 9. 410 :	*Denis* 23 habitus Uticae die VI. Id. Sept. (*MA* I, 139-141) ;
janv. 413 :	*En. Ps. 138* habitus Utica (*CC* 40, 1990) ;
18. 8. 417 :	*En. Ps. 144* habitus Uticae in basilica Massae Candidae (*CC* 40, 2088-2105).

Je signale, pour finir, une *ecclesia apostolorum* à Thala (Tun.) : un concile s'y est tenu le 24 février 418 (*Conc. Thel. 418*). Deux basiliques chrétiennes y sont actuellement connues : la basilique II dont Noël Duval présente le plan et les photos comporte une *mensa* aux noms des saints Laurent, Xyste et Hippolyte. S'il s'agit des titulaires de cette église, la basilique des apôtres pourrait être la basilique I de Gauckler[46]. Mais ce ne sont que des suppositions.

Quoi qu'il en soit, le tableau suivant présente en bref la liste des basiliques nommées ou supposées dans l'œuvre et au temps d'Augustin. Les références entre parenthèses désignent les basiliques assurées, entre crochets, les basiliques supposées. Le nom de celles-ci, quand il n'est pas expressément indiqué, est toujours censé être celui de *basilica* :

Antioche, Syrie : *Macchabaeorum* (*Serm.* 300)

Argentarium, près d'Hippone, *SS. Geruasi et Protasi* (*Serm.* 284)

Bulla Regia, Hammam Darradj, Tun. (*Denis* 17)

Caesarea Mauritaniae, Cherchel, Alg. (*Serm. ad pleb. Caesar. eccles., Emerit.)*

Carthage, Tun.

Ad Maiores : Cf. *Maiores (ad)*

45. O. PERLER, *Les voyages de saint Augustin,* p. 228, note 1, 338, 411-412.
46. P. GAUCKLER, *Basiliques chrétiennes,* p. XIX ; N. Duval, *Les églises chrétiennes à deux absides. II,* p. 293-297.

Agilaei (Conc. Carth. 525)

Celerinae (Serm. 48, 174, *En. Ps. 99)*

Cypriani (Serm. 330, *Denis* 11, 22). Cf. *in Mappalibus domus Cypriani (En. Ps. 32,* s. 2)

Fausti (*Serm.* 23, 101, 134, 261; *Conc. Carth. 418, 419, 421*)

Gratiani (*Serm.* 156)

Honoriana (*Serm.* 163)

in Mappalibus (*En. Ps. 32,* s. 1, *En. Ps. 85, Denis* 11, 22) [*Serm.* 311, 313, 330, *Guelf.* 26]

Maiores (ad) (*Serm.* 34)

Maiorum (*Serm.* 165, 294, *Denis* 20, *Morin* 12)

memoria Cypriani (*Conf.* V, 8)

mensa Cypriani (En. Ps. 38) En. Ps. 80 (*Serm.* 8, 13, 49, 114, 131, 154, 169, 305, 309, *Denis* 14, 15, *Frangip.* 5, *Morin* 15)

Nouarum (*Serm.* 14, 37, *Guelf.* 30, *Denis* 16)

Pauli regionis VI (*Serm.* 119)

Petri regionis III (*Serm.* 18)

Restituta (*Serm.* 19, 29, 90, 112, 277, 341, 369, *Denis* 13, *En. Ps. 31,* s. 2, *44,* 45, 57, 72; Conc. Carth. *390, 397, 399, 401, 408, 418, 419*)

Scilitanorum (*Serm.* 155)

Fussala, région d'Hippone (*Guelf.* 32)

Hippo Diarrhytus, Bizerte, Tun.

Florentia, 2e cathédrale (*Serm.* 359, 396)

Margarita, 1re cathédrale (*Denis* 21)

Quadrati (*Denis* 24)

Hippo Regius, Hippone, Annaba, Alg.

Leontiana (Ep. 29, Serm. 260; 262; *Conc. Hippon. 427*) [*Serm.* 252]

Maior [*Serm.* 258, 325, 326]

Octo martyrum (*Serm.* 148, 260) [*Serm.* 356, 10]

Pacis (Conc. Hippon. 393)

Viginti martyrum [*Serm.* 148, 325] (*Ciu. Dei,* XXII, 8, 10)

Milev, Mila, Alg. (*Conc. Milev.* 402)

Rome, *S. Petri* (*Ep.* 29, 10)

Sinitum, région d'Hippone (*Serm.* 10)

Thagaste, Souk Ahras, Alg. (*En. Ps. 34, 68, 93, 139*)

Thala, Tun., *Apostolorum (Conc. Thel. 418)*

Utique, Hr Bouchateur, Tun.

Massae Candidae (*En. Ps.* 144)

Sans indication d'église (*En. Ps. 138, Denis* 23)

d) *la mensa*

La première mention de *mensa* que nous trouvions au IVe siècle pourrait être celle que fait Optat de Milev. Rappelant la terreur que les circoncellions faisaient peser sur les campagnes de Numidie vers 340, il en vient à parler de la bataille rangée qui les opposa à l'armée du comte Taurinus. Les évêques donatistes eux-mêmes, lassés des exactions des bandits, avaient fait appel aux troupes romaines. La rencontre eut lieu à Octava. Beaucoup de circoncellions y furent tués, beaucoup décapités. Optat continue :

> Jusqu'à nos jours, leurs corps peuvent se compter au nombre des autels ou tables blanches, *dealbatas aras aut mensas*. Certains furent même enterrés dans les basiliques, alors qu'il n'était pas permis d'accorder la sépulture à l'intérieur de la maison de Dieu *(Schism. donat.* III, 4, p. 82-83).

Paul Monceaux, quand il fait état de ce texte, parle d'autels en forme de tables[47]. La *mensa* funéraire est un monument bien connu grâce à l'archéologie. On notera que celles d'Octava sont liées aux sépultures dont chacune marque l'emplacement. Ce dispositif aussi est illustré par une abondante documentation monumentale[48].

Dans le vocabulaire d'Augustin, le mot a pareillement son importance. Mais, pour autant que je sache, l'évêque d'Hippone ne l'emploie, dans le sens monumental, que pour désigner un sanctuaire cyprianique, la *mensa Cypriani*. C'est l'édifice élevé sur le lieu de son martyre, et plus précisément, l'autel dressé à cet endroit. L'expression se lit une douzaine de fois dans le titre, moins souvent dans le texte des sermons d'Augustin, pour indiquer en quel lieu ils furent prononcés.

---

47. P. Monceaux, *Histoire littéraire de l'Afrique chrétienne*, t. 4, p.32.
48. Cf. *infra*, p. 303 ss.

Dans le titre :

21. 1. 397 :	*Morin* 15 ad mensam Cypriani de sancto Quadrato (*MA* I, 646-653);
14. 9. 401 :	*Denis* 14 sermo habitus Carthagine ad mensam beati martyris Cypriani de eius natale. XVIII. Kal. Oct. (*MA* I, 65-70);
même jour :	*Denis* 15 habitus eodem loco et die de martyris supradicti natale (*MA* I, 70-74);
8. 9. 410 :	*Frangip.* 5 habitus Carthagine ad mensam martyris Cypriani IV. Id. Sept. (*MA* I 212-219);
10. 8. 413 :	*Serm.* 305 in solemnitate martyris Laurentii ad mensam sancti Cypriani (*PL* 38, 1397-1400);
ap. 14. 9. 416 :	*En. Ps. 38* habita Carthagine ad mensam sancti martyris Cypriani (*CC* 38, 401-422);
ap. 14. 9. (416 ?) :	*Serm.* 169 habitus ad mensam sancti martyris Cypriani (*PL* 38, 915-929);
23. 9. 417 :	*Serm.* 131 habitus ad mensam sancti martyris Cypriani IX. Kal. Oct. die dominica (*PL* 38, 729-734);
27. 5. 418 :	*Serm.* 13 habitus ad mensam sancti Cypriani VI. Kal. Iun. (*CC* 41, 177-183);
ap. 27. 5. 418 :	*Serm.* 49 habitus ad mensam sancti Cypriani in die dominica (*CC* 41, 614-623);
14. 9. 419 :	*Serm.* 154 habitus ad mensam sancti martyris Cypriani (*PL* 38, 833-840);
14. 9. :	*Serm.* 309 in natale Cypriani martyris (*PL* 38, 1410-1412); habitus Carthagine ad mensam beati martyris Cypriani de eius natale (*MA* I, 666).

Dans le texte :

19. 9. 401 :	*Denis* 14, 5 : non enim aram constituimus tamquam deo Cypriano, sed Deo uero aram fecimus Cyprianum (*MA* I, 70, 1-3);
même jour :	*Denis* 15, 1 : Quando in isto loco beatissimus martyr sacrum sanguinem fudit... (*MA* I, 70, 10-11);
ap. 14. 5. 411 :	*Frangip.* 1, 16 : Sanctus, cuius mensa est ista, Cyprianus (*MA* I, 183, 1-2);
début sept. 411 :	*En. Ps. 80,* 4 : ad illam mensam beati martyris (= Cypriani) exhortati sumus (*CC* 39, 1122, 12-13); 23 : Sed quoniam perendino die... crastino ad ipsam mensam conueniamus *(Ibid.* 1135, 9-12);

14. 9. : *Serm.* 310, 2 : in eodem loco mensa Deo constructa est, et tamen mensa dicitur Cypriani (*PL* 38, 1413).

Les deux sermons *Denis* 14 et 15 furent prononcés, l'un le matin, l'autre le soir du 14 septembre 401. Leurs titres placent le premier « à la *mensa* de saint Cyprien pour son anniversaire le 18 des calendes d'octobre », le second « aux mêmes lieu et jour ». Diverses allusions de leur développement confirment cette localisation. Dans *Denis* 14, Augustin désigne le lieu où il parle : *locus hic, in isto loco* (3, p. 68, 19), mais sans l'identifier expressément avec celui du martyre de Cyprien. Car les allusions qu'il y fait à la passion du martyr s'expliquent suffisamment par la lecture qui venait d'avoir lieu : *modo legebatur passio beati Cypriani* (2, p. 67, 24). Dans *Denis* 15, en revanche, les allusions sont claires : la prédication est donnée à l'endroit même où l'évêque de Carthage subit le martyre. Voici les passages dans lesquels l'identification est faite :

> Quand, en ce lieu, le bienheureux martyr répandit son sang, je ne sais si la foule furieuse fut aussi dense ici que l'est aujourd'hui la multitude louangeuse (*Denis* 15, 1, p. 70, 10-12).
>
> Qu'on dise bien vite en ce lieu : Il se remplira du peuple de ceux qui louent, il se remplira du peuple de ceux qui adorent le seul vrai Dieu. Qu'on le dise en ce lieu. C'est alors, en effet, que fut semée cette moisson, lorsque ce lieu fut arrosé par le sang du martyr. Ne t'étonne donc pas, ô terre, si tu as été arrosée en vue de cette abondance (*Ibid.,* 2, p. 72, 14-18).
>
> Cette foi, les persécuteurs ne la partageaient pas, quand ceux qui, voyant le bienheureux Cyprien répandre son sang, fléchir les genoux, présenter son cou au bourreau, le virent ici, le contemplèrent ici, se réjouirent ici de ce spectacle, insultèrent ici, oui, ici, le mourant... De ceux qui furent alors présents en ce lieu, qui virent Cyprien frappé en ce lieu, on ne sait s'il y en eut qui crurent. Mais il est certain que tous ceux, ou presque tous, dont j'entends aujourd'hui la voix exulter, sont les fils de ceux qui l'insultaient (*Ibid.*, 4, p. 73-74, 4, 21-24).

Dans ces deux sermons, le texte ne nomme certes pas la *mensa Cypriani*, elle n'est nommée que dans le titre; mais le texte la désigne avec insistance comme le lieu de son supplice. On notera, en outre, qu'il le fait en prenant appui sur les *Acta* de son martyre. En d'autres termes, le titre ne comporte qu'une indication topographique générale, parce que le lieu était connu des Carthaginois ; si le texte la précise et l'explique, c'est en raison de la leçon spirituelle que le prédicateur en veut tirer et qui est un développement oratoire de l'aphorisme de Tertullien : *semen est sanguis christianorum*.

En d'autres sermons aussi les indications sont passagères, comme concernant un monument familier. Dans *Frangip.* 1, 16, Cyprien est le saint dont la *mensa* est présente. Dans l'*Enarratio in Ps. 80*, les indications sont données à propos de prédications différentes. Un premier passage renvoie à une prédication déjà faite ; le second invite les fidèles à une prédication à venir ; l'une et l'autre sont placées *ad mensam Cypriani* :

> C'est auprès de cette *mensa* du bienheureux martyr que je vous ai exhortés à faire des dons matériels en échange de ceux que vous recevez spirituellement (*En. Ps. 80*, 4, p. 1122, 12-13).
>
> Comme dans trois jours, c'est-à-dire mercredi, nous ne pouvons pas nous réunir à la *mensa* de Cyprien en raison de la fête des martyrs, c'est demain que nous nous réunirons auprès de la *mensa* (*Ibid.* 23, p.1135, 9-12).

C'est surtout dans un dernier sermon qu'Augustin s'est expliqué longuement sur la *mensa* de Cyprien, pour en dégager la fonction commémorative et liturgique. Il convient de citer ce texte tout au long :

> L'Église de Carthage, vivant, Cyprien l'a gouvernée, mourant, il l'a honorée. C'est là qu'il remplit la charge épiscopale, là qu'il accomplit son martyre. En ce lieu où il déposa sa dépouille charnelle, une foule cruelle était alors assemblée pour répandre, par haine du Christ, le sang de Cyprien ; mais aujourd'hui, avec vénération, y accourt la foule qui, en raison de l'anniversaire de Cyprien, est venue boire le sang du Christ. C'est avec une douceur d'autant plus grande qu'en ce lieu le Christ donne à boire son sang, qu'avec plus de dévotion Cyprien y répandit le sien. Finalement, comme vous le savez bien vous tous qui connaissez Carthage, c'est en ce même lieu qu'une mensa fut construite pour Dieu ; et pourtant on l'appelle la *mensa* de Cyprien. Non pas que Cyprien y ait jamais festoyé, mais parce qu'il y a été immolé, et que, dans cette immolation de sa propre vie, il y a dressé cette table. Non pas pour y donner ou recevoir une nourriture, mais pour y faire

> offrir le sacrifice à Dieu à qui il s'était lui-même offert en sacrifice. La raison pour laquelle cette *mensa* est celle de Dieu aussi bien que celle de Cyprien est donc la suivante : de même que maintenant elle est assiégée par des gens pieux, en ce même endroit Cyprien fut assailli par des gens furieux ; là où elle est honorée par des amis en prière, Cyprien avait été piétiné par des ennemis en délire ; bref, là où elle a été dressée, il avait été abattu (*Serm.* 310, 2, col. 1413).

On aura remarqué comment Augustin précise progressivement la localisation de son sermon. Il parle d'abord de Carthage à propos de Cyprien, mais d'une manière générale sans dire qu'il parle en cette ville. Puis il s'adresse nommément aux fidèles de Carthage : *sicut nostis quicumque Carthaginem nostis*. Parmi ces fidèles peuvent se trouver des gens de passage comme lui, mais tous savent de quoi il parle. Enfin, à deux reprises, il nomme le sanctuaire carthaginois : *mensa Cypriani dicitur*, et encore : *etiam Cypriani uocatur*. Il s'agit évidemment de la même *mensa* mentionnée ailleurs. Ainsi nous est confirmé ce que nous savions déjà, à savoir que *mensa Cypriani* était le nom usuel et sans doute populaire du sanctuaire.

Augustin a néanmoins le souci d'expliquer la raison d'être historique de cet usage. Il le fait avec une insistance voulue. La construction de la période repose en effet sur une triple répétition : *in eo quippe loco...in illo loco... in eodem loco*. Ce lieu est celui du martyre de Cyprien : là il laisse son corps ; là il verse son sang ; là il fait le sacrifice de sa vie. La *mensa Cypriani* est donc le monument commémoratif de son martyre. C'est pourquoi elle porte son nom.

Mais elle est aussi, et d'abord, la table de Dieu : *mensa illa Dei est*. C'est en effet la table eucharistique autour de laquelle les fidèles se constituent en assemblée, où ils viennent boire le sang du Christ, où est offert à Dieu le sacrifice par excellence, qu'Augustin n'éprouve pas le besoin de qualifier ici autrement. Qu'il mette en relief le caractère eucharistique de la *mensa Cypriani*, n'est pas un fait isolé. Déjà le sermon *Denis* 14 avait évoqué l'autel de ce sanctuaire :

> Cet autel, dit-il, nous ne l'avons pas élevé à Cyprien comme à un dieu. C'est bien plutôt de Cyprien lui-même que nous avons fait un autel en l'honneur du vrai Dieu (*Denis* 14, 5, p. 70, 1-3).

Le vocabulaire et la dialectique du passage appartiennent à ce genre de traités dans lesquels Augustin définit la spécificité du culte chrétien par opposition au culte païen : tout en employant les mots du vocabulaire liturgique païen pour désigner l'autel (*ara*), il rappelle le caractère subordonné et médiateur du culte des martyrs qui ne s'adresse pas à eux comme à des dieux, par rapport aux exigences supérieures et monothéistes de celui de Dieu qui lui est dû comme au vrai Dieu (*Deo uero*). Dans ce raisonnement, il est vrai qu'il n'est pas explicitement question de la *mensa*. Mais il ne peut s'agir que d'elle, si l'on tient compte d'une double concordance : en effet, d'une part, le sermon où il est parlé d'*ara* a été prononcé *ad mensam Cypriani (Denis* 14, p. 65, 1); d'autre part, le *Serm.* 310, 2 (col. 1413), atteste formellement l'identité entre la *mensa Cypriani* et la *mensa Dei*.

C'est pourquoi on peut dire qu'Augustin tend à charger l'expression populaire *mensa Cypriani* de toute la doctrine de la « table eucharistique » qu'il développe en d'autres endroits. Qu'il parle simplement de « table » (*In Ioan. eu. tr.* 84, 1, p. 537, 16-17, 28), ou explicitement de « table du Seigneur »[49], il s'agit de la table liturgique à laquelle se célèbre l'eucharistie. Pour ne citer qu'un exemple, voici un texte dans lequel la fréquentation de la « table du Seigneur » est conseillée en imitation de ce que les martyrs avaient fait eux-mêmes :

> Quelle est donc cette « table du Puissant » (Prov 23, 1-2, version africaine), sinon celle où nous recevons le corps et le sang de celui qui a donné sa vie pour nous ?... C'est ce qu'un ardent amour inspira aux martyrs. Si nous ne voulons pas vainement célébrer leurs mémoires ; si, au banquet où ils se sont eux-mêmes rassasiés, nous nous approchons de la table du Seigneur, il faut nous y préparer comme eux. Aussi bien, à cette même table, nous ne les commémorons pas de la même manière que les autres qui reposent en paix en priant pour eux, mais bien plutôt afin qu'eux-mêmes prient pour nous et que nous-mêmes nous suivions leurs traces. Car ils ont accompli cette charité hors de laquelle le Seigneur a dit qu'il n'en existe pas de plus grande. En effet, les exemples qu'ils ont donnés à

49. *In Ioan. ev. tr.* 84, 1, p. 537, 29-32, 34-35 ; *Denis* 3, 1, p. 18, 4-5 ; *Serm.* 174, 7, col. 944.

leurs frères, ils les ont eux-mêmes reçus à la table du Seigneur (*In Ioan. eu. tr.* 84, 1, p. 537, 16-17, 25-35).

C'est la doctrine traditionnelle de l'eucharistie, source à laquelle les martyrs puisent la force de porter à d'autres le témoignage de leur foi[50].

II. Les composantes du culte

Le culte des martyrs qu'Augustin a célébré et dont nous retrouvons les composantes à travers son œuvre, est essentiellement un culte ecclésial et liturgique, dans lequel il n'y a plus de place pour les survivances païennes des banquets et n'a pas encore acquis droit de cité la dévotion envers les reliques. C'est à ces composantes liturgiques que je consacre ce paragraphe.

1. *La liturgie des martyrs :* memoria, uigiliae, nomina martyrum

Sous ce titre, je réunis quelques notes sur *memoria* au sens de commémoraison liturgique, sur la célébration des vigiles et sur l'inscription des martyrs aux diptiques.

Le mot *memoria* a été examiné au sens de « monument funéraire », il le sera dans celui de « relique ». Il n'a parfois ni l'une ni l'autre de ces acceptions, mais une troisième, plus ou moins voisine de celle de « commémoraison liturgique ». Celle-ci est encore assez proche du sens courant de « souvenir » dans les expressions *martyrum memorias* ou *memoriam* (*Faust.* XX, 4, p. 538), ou *memoriam iusti celebrare* (*Lambot* 22, col. 825). Mais il ne s'agit pas d'une célébration quelconque ; elle est à un jour précis : *beatus Cyprianus, cuius hodie memoriam celebramus* (*Serm.* 311, 3, col. 1415) ; *memoriam iusti hodie celebramus* (*Lambot* cité) ; elle rappelle un événement précis : *in quorum memoriis celebramus diem passionis illorum* (*Serm.* 273, 2, col. 1248), et cet événement est la passion des martyrs. La commémoraison a donc un relief particulier. C'est pourquoi, « le peuple chrétien célèbre la mémoire des martyrs avec une religieuse solennité » (*Faust.* XX, 21, p. 562, 8). Toutes ces nuances invitent à

50. M. Pellegrino, « Cristo et il martire nel pensiero di S. Agostino ».

traduire quelquefois le mot *memoria* par « commémoraison liturgique ».

C'est que la fête des martyrs est effectivement solennisée par des rites précis : la vigile d'une part, la synaxe eucharistique de l'autre.

La célébration des vigiles n'est clairement attestée qu'en l'honneur de Cyprien de Carthage et dans un seul de ses sanctuaires. Quelques sermons furent prononcés, nous le savons, aux Mappales pendant cette cérémonie : *Denis* 11, *En. Ps. 32*, serm. 1, *En. Ps. 85*. Un des commentaires du Ps. 32 fut fait précisément en ce lieu et à cette occasion, et il rappelle que les vigiles sont d'institution récente en 403. Elles avaient pour but de faciliter la suppression des excès qui accompagnaient les banquets en l'honneur de Cyprien : « L'institution des vigiles n'eut-elle pas pour effet de chasser les cithares de ce lieu ? » (*En. Ps. 32*, s. 1, 5, p. 250, 1-2). Une autre prédication, datée de 405, nous apprend que l'auteur de ces vigiles est Aurèle de Carthage lui-même. Augustin le dit expressément :

> Notre vénérable frère votre évêque institua ici la célébration des vigiles (*Serm.* 311, 5, col. 1415).

On se doute qu'il le fit en réponse aux doléances que son ami Augustin lui fit dans sa lettre de 392 (*Ep.* 22). Cette circonstance nous invite sans doute à reculer jusqu'après cette date les origines de l'usage nouveau.

On est moins bien renseigné sur son déroulement. Un commentaire de psaume, fait pour une solennité de martyrs et sans doute pendant les vigiles, nous permet de dire que celles-ci avaient duré trois heures : *tres horae uigiliae* (*En. Ps. 69*, 9, p. 939, 16-17). D'un autre discours, prononcé pendant la vigile de saint Cyprien, nous pouvons tirer l'information que la cérémonie avait commencé à l'heure du lucernaire, c'est-à-dire au début de la nuit : *tempus agimus lucernarium* (*Denis* 11, 7, p. 49, 11). C'est sans doute cette circonstance de temps qui avait orienté le choix, comme chant, du Ps 131, 17. Il y est, en effet, question de « la lampe préparée par Dieu à son Christ »[51]. Les autres psaumes commentés durant une vigile n'ont pas nécessairement de rapport avec l'heure de la nuit : ainsi les

51. Sur le lucernaire comme heure liturgique, df. *DACL* IX (1930) 2614-2616 ; G.-A MARTIMORT, *L'Église en prière*, p. 795, 807, 816-817 ; surtout J. PINELL, « Vestigis del lucernari a Occident », p. 91-149.

Ps 32, 69, 85, 88. Le Ps 32 a même été commenté en plusieurs fois, une première pour la vigile de saint Cyprien (*En. Ps. 32*, s. 1, p. 247 ss.), la deuxième, de jour quelque temps plus tard (*En. Ps. 32*, s. 2, p. 257ss.)

Ces prédications ne nous disent rien, ou très peu, sur la structure des vigiles. Il ne semble pas que celles qui se célébraient en l'honneur de Cyprien aient déjà été fixées du temps d'Augustin. Dom Germain Morin a noté, à propos de *Denis* 11, qu'il n'y a « rien trouvé qui se rapporte proprement à Cyprien et à son anniversaire »[52]. Seule l'*Enarratio in Ps. 32*, s. 2, 2 (p. 258, 15) suppose, à mon avis, la lecture antécédente de Lc 19, 23 ; rien de semblable ne ressort des autres commentaires psalmiques. Faut-il conclure de ces faits que la structuration des vigiles était encore laissée à l'initiative personnelle du célébrant en raison de leur création récente ? On ne peut que poser la question. Il reste néanmoins probable que les vigiles des martyrs se déroulaient sur le modèle de celle de Pâques. Augustin appelle celle-ci en effet « la mère de toutes les vigiles »[53] : comme celle-ci, celles-là comportaient chant de psaumes et lectures bibliques. Mais il est difficile d'en dire plus.

Quant à la lecture des diptyques, elle s'insère dans la liturgie eucharistique. Pendant cette lecture étaient mentionnés les saints du jour, à l'intercession desquels se confiait la prière de l'Église. Les textes d'Augustin qui retiennent cette coutume ont été relevés à propos du mémento des morts[54]. Aussi suffit-il ici d'une remarque générale que confirment deux considérations plus particulières. Les textes mentionnant la commémoraison des martyrs sont des sermons en leur honneur, mettant en valeur la spécificité de leur culte. De fait, l'Église qui prie pour les morts ordinaires, ne prie pas pour les martyrs ; elle se recommande bien plutôt à leurs prières. De plus, Augustin ne fait allusion au mémento des morts que pour en distinguer la commémoraison des martyrs et marquer la place propre de cette dernière : *quo loco* (*Serm.* 284, 5 ; *Virgin.* 45), *loco suo* (*Serm.* 297, 3), *eo loco ... ubi* (*Serm.* 159, 1), *loco meliore* (*Serm.* 273, 7). Quant à savoir quel était cet endroit de la liturgie

---

52. Atqui fateor, nihil in ea reperiri, quod ad Cyprianum eiusque natale proprie referatur (*MA* I, 42).

53. *Serm.* 219, 1, col. 1088.

54. Cf. *supra*, p. 162.

eucharistique africaine, je ne puis que renvoyer à ce que j'en ai dit à propos des morts[55].

2. *Les lectures et les chants liturgiques*

La prédication d'Augustin signale de nombreuses lectures et de nombreux chants faits au cours des réunions liturgiques dans lesquelles il prit la parole. Sur les trente-quatre fêtes du sanctoral augustinien, quatre ne nous sont connues que par l'*Indiculus* de Possidius. Parmi les trente autres, une vingtaine sont pourvues de sermons parvenus jusqu'à nous. Grâce à eux, nous connaissons pour sept fêtes la lecture hagiographique, pour six la lecture prophétique, pour neuf celle de l'épître, pour dix celle de l'évangile, pour six ou sept le chant du psaume. Le tableau des pages 315-321 récapitule ces renseignements[56]. Je voudrais les commenter ici, en distinguant les lectures hagiographiques des bibliques, et les unes et les autres des chants.

3. *Les lectures hagiographiques*

Telle qu'elle est attestée par Augustin, la lecture hagiographique répond au vœu des conciles africains de la fin du IVe siècle. Celui d'Hippone, du 3 octobre 393, dont les dispositions sur ce point furent reprises par celui de Carthage du 28 août 397, porta le canon que voici :

> Que soit autorisée la lecture des Passions des martyrs dans la célébration de leur jour anniversaire (*Conc. Hippon. 393*, c. 5, p. 21 ; *Conc. Carth. 397*, c. 36b p. 43, 46, 183 etc.)

---

55. *Ibid.*, p. 164-165.

56. Dans ce tableau, les fêtes sont données dans l'ordre du calendrier, les usages locaux ne sont pas distingués, les lectures assurées sont indiquées sans, celles qui sont supposées, entre parenthèses ; les preuves sont exposées, les problèmes discutés dans le commentaire.

Bibliographie : B. de GAIFFIER, « La lecture des Actes des martyrs dans la prière liturgique en Occident » ; G. GODU, « Épîtres » et « Évangiles » ; C. LAMBOT, « Les sermons de saint Augustin pour les fêtes de martyrs » ; G. LAPOINTE, *La célébration des martyrs en Afrique d'après les Sermons de saint Augustin ;* W. ROETZER, *Des hl. Augustinus Schriften,* p. 60-63, 104, 107-108 ; H. URNER, *Die ausserbiblische Lesung ;* Fr. VAN DER MEER, *Augustin pasteur d'âmes ;* P.-P. VERBRAKEN, *Études critiques ;* G. G. WILLIS, *St Augustine's Lectionary.*

Comment cette lecture s'intégrait-elle dans la célébration ? L'opinion commune est que la lecture hagiographique était une de celles de la synaxe eucharistique, plus précisément de « la messe des catéchumènes entre la lecture de l'Écriture et le sermon »[57]. Cette affirmation méritera d'être vérifiée au cours de l'analyse. Cette lecture est identifiable cinq fois sur sept chez Augustin, soit par des allusions, soit par des emprunts tacites, soit par des citations expresses. En deux autres cas, le texte hagiographique cité n'a pas été l'objet d'une lecture liturgique.

Fructueux, Augure et Euloge, Vincent. Pour la fête du 21 janvier en l'honneur des saints espagnols Fructueux, Augure et Euloge de Tarragone, la lecture de la passion *BHL* 3196 est attestée, deux passages en sont cités dans le sermon qu'Augustin leur consacra[58]. A la fête du lendemain, Augustin se réfère de diverses manières à la Passion de saint Vincent *BHL* 8627-8630 : comme elle, il joue sur le nom de Vincent ; il fait des allusions aux supplices subis par le martyr, à la conservation et à la découverte miraculeuses de son corps rejeté par la mer, au corbeau qui, au lieu de s'attaquer au cadavre, l'avait veillé ; il affirme que le texte hagiographique servait de lecture[59].

---

57. B. de GAIFFIER, « La lecture des Actes des martyrs », p. 144.

58. *Lecture. Serm.* 273, 2 : audistis confitentium responsiones, cum sanctorum passio legeretur (col. 1249) = 6 : Beati quorum passio recitata est (col. 1250).

Citation. Ibid. 2 : Me orare necesse est pro ecclesia catholica ab oriente usque in occidente diffusa (col. 1249) = *Passio Fructuosi,* 3 : In mente me habere necesse est ecclesiam catholicam ab oriente usque in occidente diffusam (p. 222) ; *Ibid.* 3 : At illi iudex : Numquid et tu Fructuosum colis ? Et ille : Ego non colo Fructuosum, sed Deum colo, quem colit et Fructuosus (col. 1249) ; *Acta,* 2 : Aemilianus praeses Eulogio diacono dixit : Numquid et tu Fructuosum colis ? Eulogius uero dixit : Ego Fructuosum non colo, sed eum colo, quem et Fructuosus (p. 221).

59. *Jeux sur le nom de Vincent.* La passion tout entière est présentée par l'hagiographe comme un combat entre le martyr et le magistrat et, à travers eux, entre le Christ et le diable. Vincent est vainqueur durant sa vie et après sa mort grâce au Christ. Chez Augustin, au lieu du jeu diffus et continu de l'hagiographe, il est massif et ramassé. Cf. *Serm.* 274, 1, col. 1252, 1253 ; *Serm.* 276, 4, col. 1257.

Allusions à la Passion. Les supplices : *Serm.* 274, col. 1252 ; *Serm. 276, 3,* col. 1257 = *Passio Vincentii,* 7-8, p. 393-394. Conservation et découverte miraculeuse du corps : *Serm.* 274, col. 1252 ; *Serm.* 275, 3, col. 1255 = *Passio,* 11, p. 396. Épisode du corbeau : *Serm.* 277, 1, col. 1258 = *Passio,* 10, p. 395.

Lecture de la Passion. Serm. 274 : Longam lectionem audiuimus... nouimus quod patienter audistis, et diu stando et audiendo, tamquam martyri compassi estis (col. 1253) ;

Perpétue et Félicité. A propos de la fête du 7 mars, qui est celle des saintes Perpétue et Félicité, se pose une question préalable. On dit que le carême exclut la célébration des fêtes des saints. On ajoute que dans les Églises d'Occident leurs anciens calendriers en font foi[60]. Effectivement, celui de Carthage n'assigne pas de fêtes de martyrs à la période qui s'étend du 17 février au 18 avril, si bien que Perpétue et Félicité n'y figurent pas. En revanche, on sait qu'Augustin a prêché plusieurs fois en l'honneur des deux saintes : Possidius signale trois sermons qui pourraient être ceux que les Mauristes ont édités. Or, selon toutes les apparences, ils ont été donnés dans des synaxes eucharistiques du même type que les autres qui se sont tenues en dehors du carême. En particulier, a-t-on fait, pendant la synaxe du 7 mars, la lecture de la Passion des saintes. J'ajoute que les conciles africains n'ont pas légiféré sur la célébration des martyrs pendant le carême. Le premier africain qui en parle pour l'interdire, c'est Ferrand au VIe siècle, et il le fait en se référant au concile de Laodicée[61]. Il faut se souvenir que, dans la rédaction qui nous est parvenue, le calendrier de Carthage est précisément du VIe siècle, et que nous en sommes réduits à des conjectures sur son état antérieur. Que vaut donc, en ce qui concerne l'Afrique ancienne, l'interdiction de célébrer les martyrs en carême au cours de l'eucharistie ? Faut-il interpréter ce silence africain, qui pourrait avoir été un silence occidental, en l'alignant sur les usages de l'Orient, qui interdisaient la célébration ? Faut-il, au contraire, penser que l'alignement est tardif, pratiquement de la reconquête byzantine, et suppose pour la période antérieure un usage différent ? Je me contente de poser le problème. Quoi qu'il en soit, le 7 mars on lisait la *Passio Perpetuae BHL* 6633 au temps et au témoignage d'Augustin : non seulement est affirmé son usage liturgique, mais encore sont relevés et exploités divers épisodes et reprises certaines expressions de la Passion par Augustin[62].

Caillau I, 47, 1 : Lectione personante auribus nostris (p. 243, 8) ; 2 : Audiuimus loquentem conseruum, sed prius audiuimus Dominum dicentem : Mt 10, 20 (p. 244, 9-13) ; *Serm*. 275, 1 : Cum beati Vincentii gloriosa passio legeretur… decursa lectio (col. 1254) ; *Serm*. 275, 1 : In passione, quae nobis hodie recitata est (col. 1255).

60. E. Vacandard, « Carême », *DACL* II (1910) 2154.

61. Ferr. *Brev. can*. 209, p. 304.

62. *Lecture*. *Serm*. 280, 1 : Exhortationes earum in diuinis reuelationibus triumphosque passionum, cum legerentur, audiuimus (col. 1281) ; *Serm*. 282, 2 : sicut audiuimus, cum earum passio legeretur (col. 1285).

Marien et Jacques; les Scillitains. Le 6 mai, en revanche, la Passion de Marien et Jacques *BHL* 131 ne donne qu'une fois l'occasion à Augustin de développer un de ses thèmes : celui de Marie, mère de Marien, comparée à Marie, mère du Sauveur[63]. Le 17 juillet, la réunion eucharistique donnait lieu à la lecture des Actes des martyrs Scillitains *BHL* 7527. Augustin fit plusieurs allusions à leur lecture[64].

Cyprien. Quant à la fête de saint Cyprien, qui tombait le 14 septembre, Augustin la célébra de nombreuses fois dans la ville même du martyr. Les conciles d'automne se tenaient souvent à Carthage les jours proches de la fête. Aussi, une douzaine de sermons nous gardent-ils l'écho des prédications qu'y fit l'évêque d'Hippone. Celles-ci ne contiennent aucune allusion ni aucun emprunt à la Vie de Cyprien, écrite par le diacre Pontius *BHL* 2041, mais elles se réfèrent souvent aux Actes dits proconsulaires *BHL* 2037. Il est remarquable qu'Augustin ne cite jamais le dernier paragraphe des Actes : on en a conclu fort valablement que celui-ci

---

Allusions et citations. Serm. 280, 1 : Calcatus est ergo draco pede casto et uictore uestigio, cum erectae demonstrarentur scalae, per quas beata Perpetua iret ad Deum (col. 1281) = *Passio Perpetuae*, 4, p. 66, 8-68, 2 ; *Serm.* 280, 4 : Haec uarie sibilantis calcantes caput serpentis ascendunt (col. 1282) = *Passio, ibid ; Serm.* 280, 4 : Nam ubi erat illa femina, quando ad asperrimam uaccam se pugnare non sensit (col. 1282) = *Passio,* 20 : Ferocissimam uaccam (p. 90, 8) ; *Serm.* 281, 3 : Felicitas uero in carcere praegnans fuit... Denique editus est partus immaturo mense maturus. Actum est enim diuinitus, ut non suo tempore onus uteri poneretur, ne suo tempore honor martyrii differretur (col. 1284-1285) = *Passio,* 15, p. 82-83 ; *Serm.* 282, 3 : In hoc insignis gloriae comitatu etiam uiri martyres fuerunt, eodem ipso die etiam uiri fortissimi passione uicerunt (col. 1286) = *Passio,* 2, p. 62, 18-20.

63. *Serm.* 284, 2, col. 1289 = *Passio Mariani,* 13, p. 61.

64. *Lecture des Actes. Serm.* 37, 1 : Quamquam et in recitatione passionis martyrum audiuimus feminas (col. 222) ; *Denis* 16, 1 : Nos quod passi sunt, cum legeretur, audire potuimus (p. 75, 10) ; *Ibid.* 7 : Audiuimus uiros fortiter agentes, uiriliter confitentes, audiuimus et feminas non tanquam feminas tenentes Christum, oblitas sexum (p.80, 3-4) ; *Lambot* 9, 2 : Confessiones matyrum, quorum hodie sollemnitas celebratur, cum recitarentur, audiuimus (col. 789) :

Citation des Actes. Guelf. 30, 2 : Illo edocta magisterio fortissima femina : Honore (m), inquit, Caesari tamquam Caesari, timorem autem Deo (p. 553, 8-9) = *Acta Scillitanorum,* p. 114, 9-10 ; *Lambot* 9, 3 : Vanitatis persuasionem... Uanitatis persuasio est homicidium facere, falsum testimonium dicere (col. 789) = *Acta, ibid.* 1-4 ; *Serm.* 37, 23 : Et Paulo ante audiuimus confessionem... Honorem, inquit... Deo (p. 467, 504-506) = *Acta,* ibid. 9-10.

ne figurait pas dans la recension dont disposait Augustin[65]. En tout cas, le *Serm.* 309 des Mauristes n'est qu'un résumé et commentaire des quatre premiers paragraphes des Actes. La lecture liturgique de la pièce y est équivalemment affirmée. Elle l'est expressément en d'autres sermons, dans lesquels on relève en outre des citations. L'un de ces sermons contient une liste d'ouvrages de Cyprien. Dom Germain Morin en a relevé les titres dans les notes de son édition. Dans un autre sermon enfin, Augustin pourrait avoir indiqué l'ordre dans lequel les lecture liturgiques se sont suivies : évangile, texte hagiographique, chant du psaume[66].

Alors que les fêtes précédentes offrent des lectures liturgiques faciles à identifier, quelques autres posent des problèmes.

Laurent. Il en est ainsi pour la fête de saint Laurent, le 10 août. Augustin cite plusieurs fois la Passion du saint[67]. Il le fait,

---

65. P. MONCEAUX, *Histoire littéraire de l'Afrique chrétienne*, t. 2, p.182, note 1, p. 186, note 2.

66. *Serm.* 309 : Exil à Curubis. Deuxième arrestation. Veillée des chrétiens devant la maison où l'évêque passe la nuit et préoccupation de celui-ci pour la sécurité des jeunes filles. Jugement et exécution de Cyprien.

Citations implicites. Serm. 309, 2 : In hortis suis manebat... sicut ostensum erat illi (col. 1411) = *Acta Cypriani*, 2, p. CXI, 19 ; *Ibid.* 3 : Duo missi... in medioque posuerunt (col. 1411) = *Acta, ibid.* 21-22.

Citations littérales. Serm. 309, 3 : Consule tibi. Iusserunt te principes caerimoniari (col. 1412) = *Acta*, 3, p. CXII, 18 ; *Ibid.* 6 : Fac, inquit, quod tibi praeceptum est, in re tam iusta nulla est consultatio (*Ib.*) = *Acta, Ib.* 29, 31 ; *Ibid.* 6 : Cum enim Galerius Maximus decretum ex libello recitasset : Thascium Cyprianum gladio animaduerti placet, respondit ille : Deo gratias (*ibid.*) = *Acta*, 4, p. CVIII, 8-10 ; *Guelf.* 27, 2 : Audiuimus confessionem beatissimi Cypriani : Ego unum Deum colo, qui fecit caelum et terram, mare et omnia quae in eis sunt (p. 532, 33-533, 2) = *Acta*, 1, p. CX, 15-16 ; *Ibid.* 4 : De qua ipse in sua passione locutus est : Bona uoluntas, quae Deum nouit, mutari non potest (p. 534, 18-19) = *Acta, ibid.* 18-19 ; *Ibid.* 4 : In re tam iusta nulla est consultatio (p. 535, 6-7) = *Acta*, 3, p. CXII, 20-21 ; *Ibid.* 4 : In ultimo, cum diceret iudex : Tascium Cyprianum animaduerti gladio placet, Cyprianus dixit : Deo gratias (p. 535, 16-18) = *Acta ;* 4, p. CVIII, 8-10.

Lecture des Actes. Serm. 309, 1 : Cuncta quae tunc gesta sunt, legendo et diligendo recolimus (col. 1410) ; *Serm.* 310, 4 : (la gloire de Cyprien est connue dans le monde entier) partim per famam gloriosissimae passionis, partim per dulcedinem suauissimae lectionis (col. 1414) ; *Denis* 14, 3 : Modo legebatur passio beati Cypriani : aure audiebamus, mente spectabamus, certantem uidebamus, periclitanti quodammodo timebamus, sed Dei adiutorium sperabamus (p. 67, 24-26) ; *Guelf.* 27, 2 : audiuimus confessionem beatissimi martyris Cypriani (p. 532, 33).

67. *Serm.* 302, 8 : Laurentius archidiaconus fuit. Opes ecclesiae ab illo a persecutore quaerebantur, sicut traditur ; unde tam multa passus est, quae horrent audiri. Impositus craticulae, omnibus membris adustus est, paenis atrocissimis flammarum excruciatus est

semble-t-il, non pas selon le texte qu'en rapporte Ambroise, mais selon la recension déjà transformée qui se retrouvera dans la *Passio Polychronii*[68] : comme celle-ci, Augustin appelle Laurent « archidiacre » ; les dialogues entre Sixte II et Laurent ou entre celui-ci et son juge Valérien sont connus d'Augustin dans une version différente de celle que reproduisent identiquement Ambroise et la *Passio Polychronii*. C'est pourquoi, on est en droit de se demander si la recension augustinienne de la Passion de saint Laurent n'est pas plus proche de l'original hagiographique que la forme retravaillée qu'en donne Ambroise et qui, de l'avis du Père H. Delehaye, a été substituée à l'original dans le *textus receptus* de la *Passio Polychronii*.

On pourrait croire que la recension augustinienne de la Passion a servi de lecture liturgique pour le 10 août. Augustin dit en effet à son propos, que ses auditeurs « ont l'habitude de l'entendre », *sicut soletis audire (Serm.* 304, 1, col. 1395). Cette même expression est employée par lui une autre fois dans un semblable contexte, quand il parle de la lecture traditionnelle des Actes des Apôtres, chapitres 6 et 7, pour la fête de saint Étienne. Il dit alors : *quae in Actuum apostolorum libro soletis audire* (*Serm.* 314, 1, col. 1425). Dans ce dernier cas, la référence à la lecture liturgique est certaine. Faut-il l'admettre aussi pour la Passion de saint Laurent ? J'hésite à le faire, non seulement parce que, nulle part ailleurs, cette lecture n'est attestée pour le diacre romain, alors que celle des Actes l'est pour le protomartyr; mais encore en raison des précautions prises par Augustin dans le cas de Laurent. En citant sa Passion, il se réfère à une « tradition »[69], ce qu'il ne fait pour aucune Passion dont la lecture est assurée. Pour celles de cette dernière catégorie, il n'y a

---

(col. 1388)... Pergant, inquit, mecum uehicula, in quibus apportem opes ecclesiae. Missa sunt uehicula, onerauit ea pauperibus et redire iussit dicens : Hae sunt opes ecclesiae (col. 1389) ; *Serm.* 303, 1 : Cum... tamquam archidiacono postulatae essent res ecclesiae, ille respondisse fertur : Mittantur mecum uehicula, in quibus apportem opes ecclesiae... Impleuit uehicula pauperibus et reuersus est cum eis... : Hae sunt diuitiae ecclesiae... Denique flamma ustus, sed patientia tranquillus : Iam, inquit, coctum est ; quod superest, uersate me et manducate (col. 1494) ; *Serm.* 304, 1 : In ipsa enim ecclesia, sicut soletis audire, diaconi gerebat officium (col. 1395) ; *Ibid.* 4 : Quando autem beatus Laurentius apositos extrinsecus ignes non timeret, nisi intus flamma caritatis arderet ? (col. 1397).

68. AMBR. *Off.* I, 41, 204-205 (*PL* 16, 90-91) ; II, 27, 140 (*Ibid.* 149-150) ; *Ep.* 37, 36-37 (*Ibid* 1139). — *Anal. boll.* 51 (1933) 82-83, 85-86, 88, 97.

69. *Serm.* 302, 8 : sicut traditur (col. 1388); *Serm.* 303, 1 : fertur (col. 1394).

pas de problème : leur lecture a été sanctionnée par la liturgie ; elles sont devenues ainsi des *sanctae lectiones* au même titre que les lectures bibliques[70] ; elles ont pour ainsi dire la même autorité ; Augustin les cite aussi souvent que celles-ci et avec des formules analogues. Pourquoi dès lors ne procède-t-il pas de la même manière avec la *Passio Laurentii,* sinon parce qu'elle n'est pas une lecture liturgique de son temps en Afrique ?

L'impression est renforcée, si on compare le traitement réservé à la Passion de saint Laurent avec celui que reçoit un autre texte à l'occasion de la fête du martyr romain. Il s'agit du traité de Cyprien *Ad Fortunatum de exhortatione martyrii*. Un extrait du traité a servi de lecture liturgique le 10 août. Augustin en cite deux fois la fin du dernier chapitre ; la deuxième fois, il dit expressément que la lecture vient d'en être faite. Voici en présentation synoptique le texte de Cyprien et les deux citations augustiniennes :

CYPR. *Fort.* 13 :	AUG. *Denis* 13, 2 :	AUG. *Serm.* 303, 2 :
offerre Domino acceptissimum munus ... In pace conscientia coronatur (*CC* 3, 215-216)	audistis beatum Cyprianum ... : In persecutione, inquit, militia ; in pace conscientia coronatur (*MA* I, 56)	offerre Deo aceptissimum munus ... in pace constantia coronatur (*PL* 38, 1394-1395)

On peut estimer que c'est, au minimum, le dernier chapitre de Cyprien qui fournit la matière de la lecture liturgique. Les Mauristes l'avait mise en doute, ne connaissant alors que le seul *Serm.* 303. Ils avaient même formulé des réserves sur l'authenticité augustinienne du sermon qu'ils préféraient attribuer à un auteur précarolingien ou carolingien. Dom Germain Morin, en republiant *Denis* 13, n'a pas hésité à maintenir sous le patronage d'Augustin les deux sermons où l'exhortation au martyre était citée[71]. On en conclura que ce texte était lu à Carthage pour la fête de saint Laurent à la messe du 10 août.

70. *Serm.* 302, 1 : Huic solemnitati sanctae lectiones congruae sonuerunt (col. 1385).

71. *PL* 38, 1394, note a. Cette objection est sans objet : Augustin se réfère à un usage liturgique, selon lequel le nom des auteurs ecclésiastiques n'est pas donné. D'où le bien fondé de la note de Dom Germain Morin à propos de *Denis* 13, 2, *MA* I, 56, note 22.

Vingt martyrs, Crispine. Des Vingt martyrs d'Hippone, fêtés le 15 novembre, Augustin connaissait le nom. Il disposait du texte de leur Passion, dont il extrait le dialogue des martyrs avec leur juge[72]. Mais il ne dit pas qu'elle ait été lue au cours de la synaxe. De plus, elle n'est pas conservée de nos jours. Quant à la Passion de sainte Crispine, nous en connaissons une version qui ne semble pas être celle que consultait Augustin, même si nous l'amputons avec Pio Franchi de' Cavalieri du passage interpolé sur les saintes Tuburbitaines Maxima, Donatilla et Secunda[73]. En comparaison de ce texte, Augustin semblait mieux informé, en appelant Crispine « clarissime, noble, riche » (*En. Ps. 120*, 13; *En. Ps. 137*, 3 et 7). Comme pour les Vingt martyrs d'Hippone, il ne dit pas que la *Passio Crispinae* ait servi de lecture liturgique.

Bref, ces analyses montrent que l'Église d'Afrique usait largement des facultés accordées par les conciles pour la lecture des Passions. Il résulte en outre des sermons sur saint Vincent, Cyprien, etc, que les pièces hagiographiques étaient lues au cours de la liturgie de la parole qui précédait celle de l'eucharistie. Il semble effectivement que les lectures se soient suivies ainsi, avant d'être commentées dans le sermon : péricopes bibliques, texte hagiographique, chant du psaume.

Mais les Africains n'ont lu les Passions des martyrs que s'ils disposaient de leur texte, et d'un texte propre à cet usage. Augustin se plaint, en effet, de la difficulté qu'éprouve parfois la hiérarchie africaine à le trouver[74]. De fait, il est intéressant de savoir quels

---

72. *Serm*. 325, 1 : Postremo impar es pueris ? impar es puellis ? impar es sanctae Valerianae ? Si adhuc sequi piget, non uis adhaerere Victoriae ? Sic enim nobis sanctorum Viginti martyrum series recitata est. Cepit ab episcopo Fidentio, clausit ad fidelem feminam sanctam Victoriam (col. 1448) ; *Serm*. 326. 2 : Nam cum persecutor diceret : Sacrificate idolis, responderunt : Non facimus quia aeternum Deum in caelis habemus, cui semper sacrificamus ; nam daemoniis non immolamus. Et iudex : Quare ergo contra praeceptum sacrum facitis ? Responderunt : Quia magister caelestis in euangelio nobis dicit : Qui reliquerit... et uitam aeternam possidebit (Mt 19, 29). Et iudex : Ergo non obtemperabitis praeceptis imperatorum ? Et responderunt : Non. Et ille : Quam ergo auctoritatem potestis habere, cum uos uideatis supplicio subiacere ? Et martyres dixerunt : Auctoritatem regis aeterni portamus, ideo auctoritatem mortalis hominis non curamus. Tunc in carceribus missi, catenis onerati sunt (col. 1450).

73. *Passio Crispinae*, 32-35 ; RUINART, *AMS*, p. 495, avait déjà noté les informations supplémentaires dont disposait Augustin : *En. Ps. 120*, 13, p. 1799, 14-17 ; *En Ps. 137*, 3, p. 1980, 8-11 ; 7, p. 1982, 18-19.

74. Cf. *infra*, p. 211 : *Serm*. 315, 1.

saints ont été honorés de cette lecture hagiographique et de compter parmi eux — mis à part le groupe romain Sixte-Laurent — deux fêtes espagnoles et six africaines[75]. Il est non moins significatif de relever certaines absences. Augustin ne dit rien de la Passion d'Agnès, de la Massa Candida, de Quadratus. Sur ces personnages il se contente de jeux de mots populaires; rien de celle d'Eulalie de Merida dont Prudence connaissait pourtant la Passion; ni de celle de Castus et Emilius à propos desquels il n'est pas plus renseigné que Cyprien[76]. Il y a des chances qu'il n'ait pas connu la Passion de ces saints. Qu'en revanche il ne dise rien de celle de Guddenis ne doit pas nous surprendre, puisque le sermon qu'il prononça le jour de sa fête le 27 juin roule sur le problème du baptême des petits enfants qu'il avait traité les jours précédents et qui le préoccupe en 413[77]. Mais qu'il soit muet sur les faits et gestes d'africains comme les Maxulitains, les Tuburbitaines, les Volitains ou les *Carterienses,* ou a fortiori sur certains martyrs d'Hippone, comme les Huit ou Théogène, est beaucoup plus intéressant. Ces silences ne signifient-ils pas que la Passion de ces saints n'existait pas en Afrique au temps de saint Augustin ?

4. *Les lectures bibliques*

Le tableau le plus complet des lectures bibliques nous est fourni par Augustin à propos des saints de la Bible. C'est pour la fête de l'un d'entre eux, saint Jean Baptiste, qu'il rapporte la coutume ancienne des trois lectures scripturaires et qu'il semble la présenter comme une règle :

> Lorsque nous verrons Dieu comme il est, nous lira-t-on encore l'évangile? écouterons-nous encore la lecture des prophètes? lirons-nous encore les épîtres des apôtres? (*Serm.* 288, 5, col. 1307).

Comment les péricopes attestées chez Augustin correspondent-elles à ce canevas idéal? Elles le font différemment selon les fêtes, mais

---

75. 21 janv. : Fructueux, Euloge et Augure, Tarragone; 22 janv. : Vincent, Saragosse-Valence; 7 mars : Perpétue, Félicité et comp.; 6 mai : Marien et Jacques, Lambèse; 17 juill. : Scillitains, Carthage; 15 nov. : Vingt martyrs, Hippone; 5 déc. : Crispine, Tagora-Tébessa.

76. PRUD. *Perist.* III, p. 318, 325; CYPR. *Laps.* 13, p. 228, 259-266.

77. O.PERLER, *Les voyages de saint Augustin,* p. 318.

elles ne le remplissent jamais entièrement. C'est ce qui ressort des textes augustiniens concernant les saints bibliques qui seront examinés en premier lieu aussi bien que les non-bibliques qui viendront après.

Jean-Baptiste. Pour la Saint-Jean-Baptiste, le 24 juin, on lisait les péricopes que voici :

Prophétie	Is 40, 3-8 :	*Serm.* 288, 2, (*Serm.* 289, 1), *Serm.* 289, 3, *Serm.* 290, 4, (*Guelf.* 22)
Épître	Act 13, 25 :	*Guelf.* 22, 1
Évangile	Lc I, 5-80 :	*Serm.* 289, 1, *Serm.* 290, 2, *Serm.* 291, 1, *Guelf.* 22, 1, *Lambot* 20, 1
Chant	Ps 131, 17-18 :	*Serm.* 293, 4, *Guelf.* 22, 4.

L'ordre des deux premières lectures pose un problème. Des deux, en effet, Augustin dit qu'elles furent chacune « la première » [78]. Les deux n'ont pu être « la première » ensemble le même jour et au même endroit. Cela veut-il dire que les deux textes bibliques témoignent d'un usage différent pour deux églises différentes ou d'un usage qui a changé dans le temps en une seule et même église ? Le lieu où les sermons furent prononcés n'a pas été retenu par la tradition manuscrite, leur datation n'a guère préoccupé les historiens. Dans ces conditions, il faut renoncer à une solution du problème précis qui nous intéresse. Par voie de conséquence, il faut renoncer aussi, non seulement à savoir à quelle ou quelles églises les lectures avaient été destinées, mais encore quel en était le jeu complet pour la fête de Jean-Baptiste.

Pierre et Paul. Les apôtres Pierre et Paul étaient fêtés ensemble le 29 juin en Afrique comme à Rome. Onze sermons augustiniens nous sont parvenus à leur sujet ; ils attestent les lectures de la Bible que voici :

---

78. *Serm.* 289, 3 : Audistis, si intenti fuistis, lectionem propheticam, quae *primo* recitata est ; Is 40, 3-8 (col. 1309) ; *Guelf.* 22, 1 : Audistis, quando *prima* lectio recitata est de Actibus apostolorum ; Act 13, 25 (p. 510, 18).

Épître	2 Tim 4, 6-8 :	*Serm.* 297, 5, *Serm.* 298, 3, *Serm.* 299, 3, *Guelf.* 23, 5, (*Guelf.* 24, 5)
Évangile	Jn 21, 15-19 :	(*Serm.* 295, 4-5), *Serm.* 296, 1, *Serm.* 298, *Serm.* 299, 7, *Cas.* I, 133, 1, *Guelf.* 23, 1, *Lambot* 3, 2, *Mai* 13, 1
Chant	Ps 18, 5 :	(*Serm.* 295, 1 et 5), (*Serm.* 298, 1), (*Guelf.* 23, 3), (*Guelf.* 24, 4)

Ces textes attestent sûrement deux lectures bibliques du jour : 2 Tim 4, 6-8, et Jn 21, 15-19, que saint Augustin appelle « épître » et « évangile » ou « lecture évangélique » [79]. Mais il n'est nulle part question d'une lecture prophétique pour la fête.

Macchabées. Trois sermons d'Augustin ont été prononcés en l'honneur des saints Macchabées. Que nous apprennent-ils sur les lectures du jour, le 1er août ?

Prophétie	2 Macc 7, 1-41 :	*Serm.* 300, 1 et 2, *Serm.* 301, 1, *Denis* 17, 1
Évangile	Lc 14, 28-33 :	*Denis* 17, titre et 1.

Le récit du martyre des Macchabées était donc lu en entier à la messe comme première lecture sans doute. L'évangile n'est attesté que pour la liturgie qu'Augustin célébra à Bulla Regia en 399 : il s'agit d'une péricope lucanienne sur les exigences de l'imitation du Christ [80].

Étienne. Le dernier martyr biblique est le protomartyr. Étienne se fêtait en Afrique le même jour qu'aujourd'hui, le 26 décembre. Cette date résulte clairement du texte que j'ai eu l'occasion de citer à propos de la notion d'anniversaire [81]. Voici les sermons qui nous renseignent sur les lectures du jour :

---

79. Epistola : *Mai* 19, 1, p. 308, 12 ; *Serm.* 297, 5, col. 1361 ; *Serm.* 299, 3, col. 1368. Euangelium : *Serm.* 299, 7, col. 1372 ; *Guelf.* 23, 1, p. 516, 16, *Mai* 19, 1, p. 308, 12 ; *Serm.* 296, 1, col. 1352 ; *Cas.* I, 133, 1, p. 401, 3 et 9.

80. *Denis* 17...ubi docet quid etiam significetur in turre aedificanda uel sumptibus praeparandis, uel in rege qui cum decem millibus occurrit illi qui habet viginti millia ; 1 : sicut euangelium cum legeretur audiuimus (p. 81, 2-5, 12).

81. Cf. *supra*, p. 171-172 : *Serm.* 314, 1.

Épître	Act 6-7 :	*Serm.* 314, 1 (et 2), *Serm.* 315, 1 (et 7), *Serm.* 316, 1 (et 2-3), (*Serm.* 317, 5), *Serm.* 318, 1, *Serm.* 319, 7 (et 1, 2, 4)
Évangile	Jn 12, 26 :	*Serm.* 319, 3
Chant	Ps 138, 17 :	*Serm.* 316, 1.

Pour l'épître, la lecture obligée était et demeure celle des Actes, chapitres 6 et 7 : à la suite de l'institution des premiers diacres, y est raconté le martyre de l'un d'entre eux, Étienne. Cette lecture est affirmée ou supposée en de nombreux sermons. L'un d'eux contient, en plus, d'utiles renseignements, non seulement sur la lecture du jour, mais sur la lecture continue des Actes pendant le temps pascal dans l'ancienne Église d'Afrique :

> Comment Étienne est parvenu à la couronne d'en haut, vous l'avez entendu pendant la lecture elle-même. Elle a recommandé à votre charité ce premier mérite du premier martyr : alors que pour d'autres martyrs, en effet, c'est à grand peine qu'il nous arrive de trouver des actes susceptibles d'être lus au jour de leur solennité, la passion de celui-ci est écrite dans un livre canonique. Les Actes des apôtres sont un livre du canon des Écritures. On en commence la lecture au jour de Pâques, selon la coutume de l'Église. C'est donc dans ce livre, intitulé Actes des apôtres, que vous avez entendu comment les apôtres choisirent et ordonnèrent sept diacres au nombre desquels se trouvait Étienne (*Serm.* 315, 1, col. 1426).

Ce texte est un des témoignages majeurs, chez Augustin, de l'usage africain de lire les Actes des apôtres au temps de Pâques. Cet usage existait aussi en d'autres Églises anciennes[82]. Mais il nous apprend aussi que, pour le jour de la Saint-Étienne, la lecture commençait au premier verset du chapitre 6 des Actes.

Quant à l'évangile, il est tiré de Jn 12, 26 : *Ubi ego sum, illic et minister meus*. Le sermon qui nous en informe nous donne aussi la raison de ce choix :

---

82. St. BEISSEL, *Entstehung der Perikopen,* p. 43-46 ; W. ROETZER, *Des hl. Augustinus Schriften,* p. 103 et n. 57 ; qui renvoie à *Serm.* 307, col. 1406, et à *In Ioan. ev. tr.* 6, 18, p. 62. — Rome : G. MORIN, « Le plus ancien comes ou lectionnaire de l'Église romaine », p. 41-74 ; et *DACL* VIII (1928) 2290 ; — Gaule : P. SALMON, *Le lectionnaire de Luxeuil,* p. CXII, col. 1, 2 et 4 ; — Espagne : J. PEREZ DE URBEL, *Liber commicus,* t. 2, p. 392-426.

> Vous avez entendu pendant la lecture de l'évangile : « Là où je suis, là aussi sera mon serviteur ». Mais lisez le verset dans le texte grec et vous y trouverez le mot « diacre » qui signifie en latin « ministre ». Nous avons pris l'habitude des termes grecs à la place des latins. Beaucoup de manuscrits des évangiles portent en effet : « Là où je suis, là aussi sera mon diacre »... Aussi le diacre (Étienne) a-t-il eu raison de dire à son maître : « Seigneur Jésus, reçois mon esprit » (*Serm.* 319, 3, col. 1441).

En comparaison des martyrs bibliques, il ne semble pas qu'Augustin nous livre pour les autres un jeu aussi complet de lectures liturgiques tirées de la Bible.

Éliminons d'abord du répertoire des saints quelques textes bibliques qui ressortissent en fait à la lecture courante de l'Écriture, que ce fait recouvre un usage liturgique traditionnel ou résulte de l'initiative personnelle du prédicateur. Rentrent dans l'une ou l'autre de ces catégories les textes bibliques que voici : Gen 27, Jn 3, 1-21, et 6, 60-72, Rom 8, 12-17. Effectivement, *Serm.* 4, 1, 3, etc., prononcé pour la Saint-Vincent et commentant le chapitre 27 de la Genèse, affirme que le même livre biblique avait été lu la veille en un sermon perdu en l'honneur de sainte Agnès : la lecture de la Genèse et son commentaire par Augustin ont donc dû être faits plusieurs jours de suite. Dans le *Serm.* 294, il ne s'agit pas à proprement parler de lecture continue de l'évangile de Jean, mais d'une suite de sermons sur le thème du salut des petits enfants morts sans baptême dans le cadre de la controverse pélagienne. Augustin l'explique en propres termes dans l'exorde du sermon. En fonction de ce thème avait été choisie la péricope de Nicodème. Son verset : « Si quelqu'un ne renaît de l'eau et de l'esprit, il n'entrera point dans le royaume de Dieu » est traditionnellement interprété du baptême. L'autre lecture johannique fut faite le jour de la Saint-Laurent selon *In Ioan. ev. tr.* 27 : l'évangile n'y a pas été choisi en raison de la fête ; au contraire, ce sont les mentions de celle-ci qui apparaissent occasionnelles dans le commentaire de l'évangile. Cela veut dire que le traité appartient à un commentaire suivi du discours sur le pain de vie. Reste enfin le cas de Rom 8, 12-17. A son propos Augustin déclare lui-même, en commençant le *Serm.* 156, 1, qu'il le consacre à expliquer la suite de l'épître qu'il avait précédemment commentée ; pour cette raison, il l'a fait lire au préalable : *quod restat et hodie recitatum est* (col. 850). Il me semble que bien des *Enarrationes in Psalmos* sont dans une situation analogue, encore que certains psaumes aient pu être commentés le jour de fête des martyrs précisément parce qu'ils étaient chantés ce jour-là.

Quoi qu'il en soit de la *lectio currens* de l'Écriture aux fêtes des martyrs, d'autres lectures bibliques leur sont propres. J'ai relevé les suivantes. Mt 5, 3-8 (1-12 ?), a été lu et commenté *in basilica Tricillarum* de Carthage le 21 janvier 413 en l'honneur de sainte Agnès au témoignage du *Serm*. 53, 1 (col. 364). Prov 31, 10-36, le fut pour les martyrs Scillitains le 17 juillet 397, dans la même ville *in basilica Nouarum* selon *Serm*. 37 : la femme forte dont parle le livre biblique est l'Église, la mère des martyrs : « Il ne conviendrait pas, dit Augustin, que nous parlions d'une autre femme » en pareille circonstance (p. 447, 27-28). Pour la fête des martyres Tuburbitaines, le *Serm*. 345 = *Frangip*. 3, 1, indique la lecture d'1 Tim 6, 17-19, comme *prima apostolica lectio,* et *Mai* 20, 2, non daté, celle de Mt 10, 19-20 (16-22 ?), comme évangile. Le *Serm*. 334, 2, présente, de son côté, Rom 8, 30-31, comme faisant partie d'une épître de martyr : si l'homéliaire d'Agimond a raison d'assigner ce sermon à la fête du 6 août en l'honneur du pape Sixte II, nous tenons dans ce passage de saint Paul la péricope du jour[83].

Laurent. A la fête de saint Laurent, comme pour les lectures hagiographiques, des difficultés se présentent au sujet des lectures bibliques. Voici le dossier de ces dernières pour le 10 août :

Prophétie	Prov 23, 1-2 :	*Serm*. 304, 1, col. 1395
Épître	2 Cor 1, 5-14 :	*Denis* 13, 4, p. 59, 9-11
Évangile	Mt 5, 12 :	*Serm*. 302 (+ *Guelf*. 25), 1, col. 1385
	Lc 21, 19 :	*Serm*. 303, 1, col. 1394
	Mt 23, 29-32 (27-32 ?):	*Denis* 13, 3, p. 57, 14-19
Chant	Ps 54, 5-6 :	*Denis* 13, 5, p. 60, 1-3.

83. Agnès : *Serm*. 53, 1, col. 364 ; cf. O. PERLER, *Les voyages de saint Augustin*, p. 310-311 et n. 9. — Scillitains : *Serm*. 37, 1, p. 446 ; cf. O. PERLER. *Ibid*., p. 220 ; Tuburbitaines : *Frangip*. 3, 1, p. 202 ; *Mai* 20, titre et 2, p. 310 ; cf. O. PERLER, *Ibid*., p. 296-297 ; — Sixte II : *Serm*. 334, 2, col. 1468 ; cf. C. LAMBOT, « Les sermons... de martyrs », p. 88.

De ces sermons, un seul est daté et localisé : *Denis* 13. Il faut lui ajouter *Serm.* 305, bien qu'il ne comporte malheureusement aucune indication de lectures bibliques. Ils offrent les précisions topographiques et chronologiques suivantes :

10. 8. 401 : *Denis* 13 habitus in basilica Restituta IIII. Id. Aug. (p. 55);
10. 8. 413-417 : *Serm.* 305 in solemnitate martyris Laurentii ad mensam sancti Cypriani (col. 1397).

Ces deux sermons, localisés à Carthage, reflètent l'usage de Carthage. On se souvient qu'ils sont les deux seuls en l'honneur de saint Laurent à présenter comme lecture hagiographique l'extrait de l'*Ad Fortunatum* de Cyprien. On peut légitimement supposer qu'ils postulent aussi les mêmes lectures bibliques. Je veux dire que celles de *Denis* 13 furent aussi celles de la synaxe du *Serm.* 305, à savoir l'épître 2 Cor 1, 5-14, l'évangile Mt 23, 29-32, le chant Ps 54, 6-7. On en conclura aussi que les autres sermons ne reflètent pas l'usage de Carthage, mais celui d'une autre église ou de deux autres églises.

Massa Candida. Les prédications d'Augustin en l'honneur de la Massa Candida comportent des indications de lectures, elles aussi, fort embrouillées. Les *Enarrationes in Psalmos 49, 147,* ne donnent avec certitude que le chant antécédent des psaumes qu'elles commentent. Il est d'ailleurs expressément affirmé[84]. Le commentaire du psaume 144 peut prêter à discussion. On y lit en effet une expression fort proche des locutions concrètes dont use Augustin pour désigner une lecture qui vient de se faire : *quod modo in euangelio unus diues audiuit et tristis abscessit (En. Ps. 144,* 2, p. 2088, 13-14). La parabole du jeune homme riche a-t-elle donc fait l'objet de la lecture évangélique du jour? Si j'hésite à répondre affirmativement et d'une manière décisive, c'est pour deux raisons : d'abord Augustin n'affirme pas que la lecture ait été entendue par ses auditeurs; ensuite il ne revient qu'une seule fois à cet évangile au cours de son sermon (*Ibid.* 6, p. 2092, 32), alors qu'en d'autres commentaires la péricope fait l'objet de citations nombreuses.

---

84. *En Ps. 147,* 1, P.2138, 1. Cf. aussi *En Ps. 127,* 1, p. 1867, 5-6; En Ps. 137, 1, p. 1979, 5.

Quant aux sermons en leur honneur publiés par les Mauristes, je laisse de côté le 305 qui ne comporte aucune allusion aux lectures bibliques, pour examiner les données des 306 et 330, dont voici les passages qui nous importent :

18. 8. av. 400 : *Serm.* 306 in natali martyrum Massae Candidae,
1 : sicut audiuimus et cantauimus : Pretiosa est mors sanctorum, sed in conspectu eius = Ps 115, 15, puis citation de Sag 3, 2-5 (col. 1400);
5 : sicut euangelium loquitur : Jn 5, 28-29, ... ex testimonio quod commemoraui (col. 1402);
7 : et gloriam sanctorum Dei, quorum mors est pretiosa in conspectu eius = Ps 115, 15, cum sapientia demonstraret, ait, sicut in fine lectione audistis : Et regnabit Dominus eorum in perpetuum = Sag 3, 8 (col. 1404).

18. 8. 397 : *Serm.* 330 habitus Carthagine in basilica beati martyris Cypriani die XV. Kal. Sept. in natale Massae Candidae (*MA* I, 666),
4 : modo cum sanctum euangelium legeretur, audistis quid beatus Petrus responderit saluatori = Mt 16, 22-23 (*PL* 38, col. 1458).

J'enregistre d'abord le témoignage du dernier sermon : Mt 16, 22-23 (21-28 ?), avait été lu à la synaxe où le sermon fut fait. Le témoignage de l'autre prédication est plus complexe. Qu'on y note la différence entre les deux manières d'amener les citations bibliques : celles dont l'usage liturgique est affirmé au cours de la synaxe, et les autres. Quand le texte a été lu ou chanté auparavant, Augustin ne craint pas les précisions concrètes : « Nous l'avons entendu et chanté », dit-il du psaume ; « vous avez entendu la fin de la lecture », dit-il du verset de la Sagesse. De même avait-il dit dans l'autre sermon : « Vous avez entendu tout à l'heure, quand on lisait l'évangile, ce que Pierre répondit au Sauveur ». Lorsqu'au contraire il s'exprime différemment et se contente d'affirmer : « L'évangile dit », ou « je viens de rappeler son témoignage », ces deux expressions ne désignent qu'une citation qu'il prend à son propre compte et qui n'a pas l'actualité d'une lecture antécédente. Aussi peut-on et doit-on conclure de ces différences que Jn 5, 28-29, cité dans *Serm.* 306, 5, n'appartient pas à l'évangile qui vient d'être lu et dont Augustin ne dit rien dans ce sermon.

C'est en vertu de ces mêmes règles qu'il convient d'examiner la proposition faite par Dom Germain Morin au sujet des lectures liturgiques que supposerait le sermon *Morin* 14. Y sont cités Mt 5, 3-10, et Ps 35, 9-10, que l'éditeur considère comme lecture et chant liturgiques du jour. A l'appui de la lecture évangélique, il ajoute le témoignage du *Serm.* 53, à l'appui du chant psalmique, celui du *Serm.* 306[85]. Je me suis laissé prendre, en un premier temps, à cette argumentation. En considérant plus attentivement les textes, je crois devoir prendre mes distances avec elle.

Les témoignages appelés en renfort ne prouvent rien. En effet, Mt 5, 3-10, appartient sans doute à la *lectio currens* le jour de la Sainte-Agnès en *Serm.* 53. Il lui sert de texte épigraphe. Il a donc certainement été commenté ce jour-là, mais à quel titre ? C'est sur la réponse à cette question que je me sépare de Dom Germain Morin et pense qu'il s'agit du commentaire d'une lecture courante. Le deuxième texte de renfort est dans le *Serm.* 306 : le Ps 35, 10, y serait le chant du jour. Cela ne peut être le cas, puisque nous avons vu ce rôle explicitement attribué au Ps 115, 15, dans la même prédication.

Nous voici donc réduits à examiner *Morin* 14 en lui-même. A le lire avec soin, nous sommes obligés de reconnaître qu'il ne contient aucune des tournures concrètes, grâce auxquelles Augustin aime à désigner les textes bibliques dont la lecture vient d'être faite.

Dans ces conditions, deux seuls sermons nous renseignent sur les textes bibliques qui faisaient partie de la liturgie du 18 août, les *Serm.* 306 et 330. Ce dernier a été « tenu à Carthage dans la basilique du martyr Cyprien le 15 des calendes de septembre pour le *natale* de la Massa Candida » (*MA* I, 666) et suit donc l'usage de Carthage. Le premier a été fait « pour le *natale* des martyrs de la Massa Candida » (*PL* 38, 1400), lui aussi, mais révèle une coutume différente que je suppose être celle d'Utique. Il résulte de cette distinction que, le 18 août, on lisait à Carthage : Mt 16, 22-23 (21-28 ?), à Utique : Sag 3, 1-8, et Ps 115 ; on ne sait rien des autres lectures du jour en ces deux villes.

---

85. *MA* I, 645, notes 7 et 21.

Quadratus. Pour la fête de l'évêque d'Utique Quadratus, martyrisé quatre jours après la Massa Candida, c'est-à-dire le 21 août, le dossier comporte traditionnellement trois pièces. J'avais cru pouvoir l'enrichir de deux autres, mais mon espoir s'est révélé sans fondement. Voici les textes :

21. 8. :	Fragm. *PL* 39, 1731 : citation 2 Cor 4, 13 ;
21. 8. av. 399 :	*Denis* 18 habitus XII. Kal. Sept. in natale martyris Quadrati, ubi multa exhortatur de eo quod dicit apostolus : Humanum dico propter infirmitatem carnis uestrae (p. 90, 1-4) ; 4 : Ait idem apostolus : Rom 6, 19 (p. 93, 20-23), ipsa uerba apostoli, quae commemoraui (p. 93, 30-94, 1) ; 5 : Audistis euangelium : Mt 10, 34-35 (p. 94, 19-20), audi hoc a Domino : Mt 10, 27-28 (p. 95, 15) ; 6 : Ubi est quod audistis : Ps 33, 6 (p. 96, 25-27) ; 7 : Modo audiuimus omnes. Dominus terreat : qui amandus est, ipse metuendus : Mt 10, 33, 32 (p. 97, 12-18).
21. 8. :	*Lambot* 8 sermo sancti Augustini episcopi de natale sancti Quadrati ; 1. Beatus apostolus adhibuit testimonium in scripturis, in quo nobis gloriam martyrum commendauit ; 2 Cor 4, 13 (col. 785) ; 2 : commentaire de Mt 16, 13-16 (col. 787) ; 3 : commentaire d'Apoc 7, 14 (col. 788).
21. 8. 396-397 :	*Morin* 15 sermo s. Augustini episcopi ad mensam Cypriani de sancto Quadrato (p. 646, 13-14) ; 1 : Euangelica tuba exhortans martyres ad certamen, quo uincerent mundum, quomodo increpuerit audiuimus : Mt 16, 25 (p. 646, 15-647, 1).

Dans ce dossier je n'ai pas fait figurer *Lambot* 7 que je discuterai à part. Pour ceux qui y sont, remarquons que le fragment publié par Migne (*PL* 39, 1731) appartient au sermon *Lambot* 8 dont il est le premier paragraphe. Aussi mon dossier, lui aussi, ne comporte en définitive que trois textes. Leur témoignage sur les lectures liturgiques du jour est inégal et discordant.

Denis 18 n'atteste sûrement que Mt 10, 27-33, comme évangile du jour. Le prédicateur finit en effet par dire de cette péricope, après l'avoir utilisée tout au long de la prédication : *modo audiuimus omnes* (7, p. 97, 12). Il ne nous donne pas, en revanche, la même assurance au sujet de Rom 6, 19, qui non seulement figure en épigraphe dans le titre du sermon (p. 90, 2-4), mais se trouve repris de nombreuse fois dans son développement (p. 93, 23, p. 94, 1, 11, 23, p. 95, 1, 3, 14), mais jamais avec la moindre précision circonstantielle. Aussi se pourrait-il que la mention du verset paulinien dans le titre dût être attribuée à une initiative de scribe, même si elle doit être placée très haut dans la tradition manuscrite au témoignage du manuscrit *Casin*. XVII, p. 316, qu'elle ne et remonte pas à Augustin lui-même. C'est pourquoi, je crois plus prudent de ne pas considérer ce texte comme ayant fait l'objet d'une lecture du jour. J'en dirai autant du Ps 33, 6, dont l'introduction : *ubi est, quod audistis* (p. 96, 25-26), est elle aussi trop générale et peut s'entendre d'une lecture non-liturgique.

De son côte, l'examen du sermon *Lambot* 8 est décevante. Quatre textes scripturaires y sont cités longuement : 2 Cor 4, 13 (col. 785), Mt 16, 13-16 (col. 787), Apoc 7, 14 (col. 788), Ps 35, 7-8 (col. 786), qui se prêteraient fort bien à un usage liturgique en l'honneur d'un martyr, mais celui-ci n'est hélas nulle part affirmé, voire seulement suggéré. Aussi leur cas doit rester pendant.

Reste enfin *Morin* 15 dans lequel la lecture antécédente de Mt 16, 26, est affirmée d'entrée : *euangelica tuba exhortans martyres ad certamen, quo uincerent mundum, quomodo increpuerit audiuimus* (p. 646, 15-16). Ce qui n'est pas le cas des autres textes scripturaires utilisés dans le sermon. Parmi eux, cependant, Prov 24, 16-28, pourrait convenir à un martyr; l'éxégèse augustinienne de *quadratus* = stable pourrait même désigner comme destinataire le martyr de ce nom (p. 648, 1-12, et note 1). Mais ces convenances ne valent pas une preuve.

En définitive, sont donc sûrement attestés deux évangiles : Mt 10, 27-33, en *Denis* 18, Mt 16, 13-16 (13-19 ou 20?), en *Morin* 15. Comme l'usage liturgique de la deuxième péricope de Mathieu est expressément affirmée en *Morin* 15, on peut penser qu'elle l'était aussi en *Lambot* 8, malgré l'absence de preuves formelles; elles y sont suppléées par le témoignage exprès de *Morin* 15. Ces péricopes différentes reflètent l'usage de deux Églises différentes. Si l'on se souvient que *Morin* 15 a été prêché *ad mensam Cypriani* et reflète donc l'usage carthaginois, il faut en dire autant de *Lambot* 8. *Denis* 18 fait écho à un usage autre : bien que le sermon n'ait retenu aucune attache topographique, je pense qu'il a été prononcé à Utique.

Cyprien. Cette diversité d'usages n'est pas attestée pour Cyprien, fêté à Carthage le 14 septembre. En revanche, les indications sûres, relatives aux lectures liturgiques, sont rares. Il n'y en a même qu'une d'explicite, qui concerne l'évangile du jour. Curieusement sont mélangés dans cette lecture des extraits de Mc 8, 34-35, et de Jn 12, 25. Cet amalgame est deux fois attesté par Augustin; la deuxième fois, il est explicitement présenté comme lecture évangélique[86]. On aimerait savoir comment les deux extraits se combinaient et quelle était leur étendue.

Il existe un autre cas de citation biblique, faite par Augustin pour la fête de Cyprien, dont le texte n'est pas conforme au texte reçu de l'Écriture. Il s'agit de 2 Cor 2, 15-14, dont les deux versets sont donnés par Augustin dans l'ordre inverse de celui qu'ils ont dans la Bible : les mots *in omni loco* du verset 14 sont en effet mis à la suite du verset 15 : *Christi bonus odor sumus Deo (Guelf.* 26, 2, p. 530, 15). Dom Germain Morin avertit, dans une note de son édition, que la même inversion se retrouve ailleurs chez saint Augustin, mais ne donne aucune référence. On peut se demander si cette manière de faire ne trahit pas non plus une particularité de l'usage liturgique et si, par conséquent, les versets se présentaient avec cette suite dans la lecture de l'épître du jour.

Martyrs divers. Pour quelques martyrs de la fin de l'année, les lectures sont identifiables. Le *Serm.* 156 en l'honneur des Volitains (15. 10.) signale « les lectures précédentes » : il s'agit de Rom 8, 12-17[87]. De l'*Enarratio in Ps. 120,* 3 et 12, il ressort que Mt 24,

86. *Guelf.* 26, 1, p. 529, 21-22 ; *Guelf.* 27, 1, p. 532, 15-18. Ce mélange n'est pas, en revanche, dans le commentaire sur saint Jean : *In Ioan. ev. tr.* 51, 10-13, p. 443-445. Il n'est pas attesté, d'autre part, chez Cyprien ; *Ep.* 6, 2, *Ép.* 58, 7, *Fort.* 5 fin, *Test.* III, 16 (*CSEL* 3, 482, 662-663, *CC* 3, 193, 108). Mc 8, 34, se trouve dans *Laps.* 28, p. 237, 558-559, mais ce n'est pas la partie du verset du centon augustinien.

87. Hoc tamen quod restat et hodie recitatum est… in superioribus lectionibus (*Serm.* 56, 1, col. 850).

23-43, formait la lecture évangélique de la fête de sainte Crispine (5. 12.); et de *Morin* 2, 1 (p. 594, 2-6 et 10), que Jn 15, 18-19, appartenait à celle de sainte Eulalie (10. 12).

Restent deux fêtes à la date incertaine ou inconnue : les martyrs d'Abitina et saint Domitien. Pour les premiers deux sermons sont en cause : *Frangip.* 6 et *Lambot* 7. Dans *Frangip.* 6 (p. 219-222), que Cyrille Lambot qualifie par erreur de 7, trois martyrs sont nommés, le chef de file du groupe qui s'appelait *Primus,* les derniers qui étaient des femmes *Victoria et Perpetua.* Si quelques données du sermon concordent avec les Actes que nous connaissons *BHL* 7492, il y a de grosses divergences qui ont fait abandonner l'identification aujourd'hui [88]. Quoi qu'il en soit de l'identité des martyrs, le sermon signale la lecture antécédente d'un centon évangélique, analogue à celui de la Saint-Cyprien et composé de Mt 10, 17, et Lc 21, 16-19 (p. 222, 3-7).

Le *Lambot* 7 est lui aussi sans destinataire connu. Ses premiers mots nous offrent néanmoins deux repères sûrs : il est consacré à un groupe de martyrs, il a été prêché en dehors d'Hippone : *beatissimorum martyrum solemnem diem uoluit nos Dominus celebrare uobiscum* (col. 781). Cyrille Lambot signalait un troisième repère dans le cours du sermon, lorsque les martyrs reconnaissent « avoir célébré la collecte (= la synaxe) contrairement aux ordres des rois alors païens » (col. 783); selon lui, pareille réponse au juge n'a été faite, dans l'état actuel de notre information, que par les martyrs d'Abitina; il ajoute toutefois que notre documentation étant lacuneuse, il pourrait s'agir d'autres martyrs de la persécution de Dioclétien [89]. J'avais pensé faire valoir en faveur d'une autre attribution les faits suivants. Le *Lambot* 7 précède dans le même manuscrit madrilène d'où Cyrille Lambot l'a tiré le *Lambot* 8 en l'honneur de saint Quadratus; comme celui-ci, il contient un long commentaire sur la confession de Pierre en Mt 16, 16; comme deux autres sermons en l'honneur de l'évêque-martyr d'Utique, *Denis* 18, 2, et *Morin* 15, 2, il contient le jeu de mot sur *quadratus* = carré, par lequel Augustin illustre la stabilité du martyr dans la foi. Il est vrai que ce dernier argument ne vaut pas seulement en faveur de saint

88. *MA* I, 219, introd.; C LAMBOT, « Les sermons... de martyrs », p. 95-96.
89. C. LAMBOT, « Nouveaux sermons de saint Augustin. IV-VII de martyribus », *Revue bénédictine* 50 (1938) 8-9.

Quadratus, puisque le jeu de mots semble un lieu commun augustinien sur la fermeté de n'importe quel martyr[90]; c'est pourquoi, j'ai finalement renoncé à attribuer *Lambot* 7 à Quadratus, d'autant plus qu'une autre difficulté surgirait à propos du groupe dont il est question au début du sermon. Il reste donc sans destinataire pour le moment.

Il n'empêche que *Lambot* 7 offre une belle panoplie de textes liturgiques. Leur lecture est d'abord affirmée globalement (col. 781-782) puis détaillée comme suit. L'épître est désignée : « au livre de Jean qu'on appelle l'Apocalypse, dans la lecture au sujet de la gloire des martyrs, on disait d'eux : Apoc. 14, 5 » (col. 782, 3-7). Suit l'indication du psaume : « Un autre texte convient aussi aux martyrs. Ce psaume qui a été chanté, nous l'avons écouté : Ps 115, 11 ». Il est encore cité plus loin (col. 782, 7-12, 44-46). De la même manière est finalement signalé l'évangile : « N'avez-vous pas écouté la lecture qui a été faite de l'évangile d'aujourd'hui ? = Lc 21, 14-15… Car ainsi s'est terminée la lecture de l'évangile : C'est par votre patience que vous sauverez vos âmes = Lc 21, 19 » (col. 784, 15-19, 48-50).

En publiant le sermon qui commence par ces mots : *Diem celebramus hodie mortui iusti,* Dom Cyrille Lambot cherchait à expliquer les conditions curieuses dans lesquelles s'était faite la transmission de son titre, en restituant le texte à Augustin et en confirmant qu'il avait bien été pronconcé en l'honneur de saint Domitien[91]. D'après ce sermon, Sag 4, 7,[92] avait été lu auparavant au cours de la synaxe. Le prédicateur s'adresse en effet à ses auditeurs par ces mots : « Si vous voulez savoir où est (le saint), interrogez la lecture que vous avez entendue : Le juste, même s'il meurt avant l'âge, se trouvera dans le repos ; Sag 4, 7 » (p. 78, 11-12). Quant au Ps 115, 11, s'il convient à une célébration de saint, nous ne pouvons dire avec certitude qu'il ait fait partie de celle de saint Domitien. Car les expressions dont use Augustin sont trop générales pour qu'on puisse l'affirmer.

---

90. *En. Ps. 86,* 3, p. 1201, 60-70.

91. C. LAMBOT, « Sermons inédits de saint Augustin pour les fêtes des saints », *Revue bénédictine* 59 (1949) 76-77, texte 78-80.

92. Il faut donc ajouter ce verset au dossier constitué par A.-M. LA BONNARDIÈRE, *Bibl. Aug. A. T. Le libre de la Sagesse,* p. 75-78, sur l'usage liturgique de Sag 4, 7-14 dans la liturgie des défunts.

En conclusion de cette enquête sur les lectures bibliques, on peut dire que leur compte est vite fait. Elles sont attestées pour un peu plus d'une quinzaine de fêtes, mais leur jeu n'est jamais complet et des deux lectures prophétique et apostolique une seule subsiste. D'un autre côté, au fil de ses voyages, Augustin a été amené à célébrer les mêmes fêtes en des églises différentes, si bien que ses prédications reflètent des usages différents. Cela me paraît sûr pour les Macchabées, la Massa Candida, Quadratus, Laurent. Toutes ces fêtes tombent pendant le mois d'août. Or, c'est pendant l'été qu'Augustin a le plus voyagé. Pour cette raison, je crois qu'on peut interpréter dans le même sens les sermons de la Saint-Jean-Baptiste, qui posent le problème de la double *prima lectio : Serm.* 289, 3; *Guelf.* 22, 1. Ils doivent refléter deux usages différents. Il est possible de déterminer celui de *Serm.* 289, qui s'accorde avec celui de *Serm.* 288, en donnant Is 40, 3-8, comme lecture prophétique. Comme le dernier a sûrement été prononcé à Carthage[93], l'autre l'a été pareillement. En conséquence, *Guelf* 22 témoigne d'un autre usage que celui de la métropole africaine : je suppose que c'est celui de la cité épiscopale d'Augustin. Quant à dater *Serm.* 289 et *Guelf.* 22 à l'aide de ce seul critère liturgique, cela est impossible. Il faut, en plus, tenir compte d'autres éléments qu'il n'entre pas dans mon propos ici d'examiner.

5. *Le chant des psaumes*

Nous savons que le chant d'un psaume accompagnait la lecture scripturaire. Cet usage est attesté en Afrique depuis la plus haute antiquité[94]. Il n'y a donc pas à s'étonner qu'il le soit aussi chez Augustin[95]. Les psaumes chantés aux fêtes des martyrs ne sont cependant pas toujours vérifiables d'une manière certaine. Voici ceux que j'ai relevés. Quelques-uns l'ont déjà été à propos des lectures. Ils sont repris ici.

Pour la Saint-Jean-Baptiste d'été, le Ps 131, 17-18, est attesté deux fois : *Serm.* 293, 4 (col. 1329), *Guelf.* 22, 4 (p. 514, 17). Le

93. Cf. supra, p. 208 et note 77 ; sur la date de *Serm.* 288, cf. O. PERLER, *Les voyages de saint Augustin,* p. 233-236.

94. E. DEKKERS, *Tertullianus,* p. 31-36; V. SAXER, *Vie liturgique,* p. 219-221.

95. W. ROETZER, *Des hl Augustinus Schriften,* p. 100-102;

29 juin, le psaume choisi pour les apôtres Pierre et Paul l'est en raison du verset : *In omnem terram exiuit sonus eorum et in fines orbis terrae uerba eorum* (Ps 18, 5). Celui-ci est abondamment cité : *Serm.* 295, 1 (col. 1348), 5 (col. 1351), *Serm.* 298, 1 (col. 1365); et deux fois expressément comme chant : *Serm.* 299, 1 (col. 1367), *Guelf.* 24, 4 (p. 523, 12-14). Le Ps 61, 6, a été chanté en l'honneur des Maxulitains : *Serm.* 283, 1 (col. 1288). Dans un sermon sur saint Laurent, il est question du chant auquel les fidèles ont pris part, mais il n'est pas précisé : *Serm.* 302, 1 (col. 1395); on pourrait croire qu'il est cité dans le cours du sermon; mais au lieu d'un, deux psaumes sont cités à la fin du sermon : Ps 102, 10 et 12, Ps 78, 9-10; d'aucun des deux on n'a de raison de croire que l'un ou l'autre ait pu servir de chant; l'hypothèse de leur utilisation liturgique n'est confirmée par aucun autre sermon en l'honneur du diacre romain. En revanche, selon *Denis* 13, 5 (p. 59, 32), le Ps 54, 6-7, a été chanté le 10 août en son honneur dans la basilique Restituta de Carthage. Pour la Massa Candida, le 18 août, c'est le Ps 115, 15. Son verset : *Pretiosa in conspectu Domini mors sanctorum eius* était même le répons chanté par les fidèles. Augustin le dit : « Comme nous l'avons entendu et chanté dans le répons, *et cantando respondimus:* Précieuse est la mort des saints, mais au regard du Seigneur, et non des insensés » (col. 1400). Le même psaume figurait au répertoire le jour d'un saint non identifié, en l'honneur duquel Augustin prononça le sermon *Lambot* 7 (col. 782)[96]. Pour la vigile de saint Cyprien, le 13 septembre, les psaumes commentés par Augustin et préalablement chanté par les fidèles[97], ne semblent pas avoir été choisis en fonction du martyr. Témoin le Ps 131 commenté en *Denis* 11, que nous venons de trouver en l'honneur de Jean-Baptiste. Le choix a dû se faire pour d'autres raisons que nous ne voyons pas toujours. Le jour de la fête, par contre, comportait sûrement le chant des Ps 123 et 125[98]; mais je ne puis dire quelle raison dictait le choix tantôt de l'un tantôt de l'autre. Il faut leur ajouter le Ps 51 qui est attesté par *Denis* 22[99]. Dom Germain Morin voulait inclure dans le répertoire

96. Cf. *supra*, p. 221.

97. *Denis* 11, 1 : praesens psalmus admonuit (p. 43, 6); *En. Ps. 32*, s. 2, 1 : quod modo cantauimus (p. 257, 2); *En. Ps. 88*, s. 1, 3 : hoc canto (p. 1220, 2).

98. Ps 123 dans *Denis* 14, 1, p. 65, 9-10; *Denis* 15, 1, p .70, 6-9; Ps 125 dans *Guelf.* 27, 3, p. 534, 4-6.

99. *Denis* 22, tit., p. 133, 12-14; 1, p. 134, 1.

cyprianique le Ps 33[100] : il n'est cependant nulle part indiqué comme chant de la liturgie du saint, bien qu'il fasse partie de l'arsenal de la théologie du martyre. Le Ps 57, 5-6, est dans une situation semblable le jour de la Saint-Étienne : cité en deux sermons, *Serm.* 315, 5 (col. 1428), *Serm.* 316, 2 (col. 1432), il est chaque fois introduit avec des formules trop générales pour que son usage liturgique soit assuré le 26 décembre.

En somme, sur le chant des psaumes en l'honneur des martyrs, il y a peu à dire. L'usage qu'on en fait à leur occasion est conforme à ce qu'on en sait dans la liturgie en général. En particulier, Cyprien nous renseigne-t-il à leur propos sur l'usage du chant responsorial des psaumes[101].

6. *Les lectures liturgiques : méthode et résultats*

Je voudrais terminer par quelques réflexions générales sur cet office des lectures. La première concerne la méthode que j'ai suivie dans mon analyse, la seconde, les résultats qu'elle a permis d'obtenir.

Pour dire qu'un texte scripturaire ou hagiographique était employé comme lecture, un psaume comme chant, je m'en suis tenu aux affirmations explicites d'Augustin. Je n'ai considéré comme tels que ceux qui comportaient des indications concrètes sur l'usage étudié. Les expressions *audire prophetam,* ou *apostolum,* ou *euangelium,* ou *martyrem,* voire *passionem,* peuvent s'entendre de la lecture privée et non pas nécessairement de la lecture liturgique. Je ne les ai entendues de cette dernière que dans le cas où l'expression était circonstantiellement déterminée, par l'adverbe *modo,* par la mise en rapport de l'auditoire et de la lecture : *cum legeretur audiuimus,* à plus forte raison : *modo cum legeretur audiuimus*. Cette dernière manière de s'exprimer est familière à saint Augustin dans le sens technique de lecture liturgique. Il en est de même du chant : habituellement, seule la présence de mots comme *cantare* ou *cantus* l'assure comme rite ; ils peuvent être à leur tour précisés au moyen d'adverbes ou d'autres expressions circonstantielles. En définitive, les résultats obtenus

---

100. *MA* I, 69, note 27, p. 529, note 7 ; p. 530, 19-20 ; *Serm.* 312, 1, col. 1420.
101. *Denis* 11, tit., p. 43, 3 ; *Denis* 20, tit., p. 111, 11 ; *Denis* 21, tit., p. 124, 10 ; *Denis* 22, tit., p. 133, 12-13 ; *Serm.* 306, 1, col. 1400.

peuvent paraître moins riches que dans certains travaux antérieurs : je pense en particulier à ceux de Willis et de Lapointe. Moins riches, ils sont cependant plus sûrs. C'est pourquoi, dans le tableau que j'ai dressé des textes liturgiques et hagiographiques utilisés, j'ai distingué les usages sûrs de ceux qui sont supposés, en mettant ces derniers entre parenthèses.

De ces faits se dégagent plusieurs conclusions. On a fait remarquer le rôle que la liturgie africaine a joué dans la conservation des pièces hagiographiques de ce pays[102]. Le témoignage d'Augustin nous permet, de surcroît, une appréciation critique de ce rôle. D'abord dans le choix des textes. Si l'on peut être frappé, à juste titre, par la qualité documentaire exceptionnelle de la plupart des pièces d'origine africaine, le jugement doit être nuancé sur celles de provenance extérieure. En effet, d'une part, la liturgie africaine a fait place à des légendes aussi remaniées que celle de saint Vincent : de nombreux épisodes merveilleux s'y sont greffés sur le tissu d'une recension antérieure, au point d'y provoquer, à la manière d'un cancer, des métastases nombreuses et profondes. Mais, d'autre part, la liturgie n'a pas accueilli la légende de saint Laurent qui est souvent littérairement supérieure à celle de saint Vincent. La différence de traitement s'expliquerait-elle par le décalage chronologique de leur composition ? Dans ce cas, la Passion de saint Vincent a dû être admise en Afrique comme lecture liturgique avant les décrets conciliaires de 393-397 ; celle de saint Laurent n'y aura été connue qu'après cette date.

Une autre conclusion touche les textes scripturaires. A l'exception des saints bibliques, aucun texte sacré ne peut être rapporté à un martyr d'une manière propre. Son choix résulte toujours dans ce cas d'une appropriation plus ou moins réussie. En fait, les péricopes bibliques dont la lecture est assurée sont rarement attribuées à plusieurs titulaires. Elles méritent donc d'être remarquées. Les voici dans l'ordre des livres de la Bible, avec l'indication de la fête pour laquelle elles ont été employées :

---

102. L. DUCHESNE, *Le Liber Pontificalis*, t. 1, p. CL ; H. DELEHAYE, *Les origines du culte des martyrs*, p. 372 ; B. de GAIFFER, « La lecture des Actes des martyrs », p. 145.

Psaumes 18, 5	SS. Pierre et Paul (29. 6.)	Chant
33, 6?	S. Quadratus (21. 8.)	—
42, 2	S. Vincent (22. 1.)	—
51, 10	S. Cyprien (14. 9.)	—
54, 5-6	S. Laurent (10. 8.)	—
61, 6	SS. Maxulitains (22. 7.)	—
115, 11	SS. d'Abitina ? S. Quadratus ?	—
115, 15	SS. Massa Candida (18. 8.)	—
123, 6-8	S. Cyprien (14. 9.)	—
125, 5-6	S. Cyprien (14. 9.)	—
131, 17-18	S. Jean Baptiste (24. 6.)	—
138, 17	S. Laurent (10. 8.)	—
Proverbes 23, 1-2	S. Laurent (10. 8.)	Épître
24, 16-28 ?	S. Quadratus (21. 8.)	—
31, 10-36	SS. Scillitains (17. 7.)	—
Sagesse 3, 2-8	SS. Massa Candida (18. 8.)	—
4, 7	S. Domitien (?)	—
Isaïe 40, 3-8	S. Jean Baptiste (24. 6.)	—
2 Macchabées 7, 1-41	SS. Macchabées (1. 8.)	—
Matthieu 5, 3-8	S. Agnès (21. 1.)	Évangile
5, 12	S. Laurent (10. 8.)	—
10, 17 + Lc 21, 16-19	SS. d'Abitina ?	—
10, 19-20	SS. Tuburbitaines (30. 7.)	—
10, 27-33	S. Quadratus (21. 8.)	—
16, 22-23	SS. Massa Candida (18. 8.)	—
16, 26	S. Quadratus (21. 8.)	Évangile
19, 16-22 ?	SS. Massa Candida (18. 8.)	—
23, 29-32	S. Laurent (10. 8.)	—
24, 23-43	S. Crispine (5. 12.)	—
Marc 8, 34-35 + Jn 12, 25	S. Cyprien (14. 9.)	—
Luc 1, 5-80	S. Jean Baptiste (24. 6.)	—
14, 28-33	SS. Macchabées (1.8.)	—
21, 16-19 + Mt 10, 17	SS. d'Abitina ?	—
21, 19	S. Laurent (10. 8.)	—
— —	SS. d'Abitina ? S. Quadratus ?	—
Jean 12, 25 + Mc 8, 34-35	S. Cyprien (14. 9.)	—

Jean 12, 26	S. Étienne (26. 12.)	—
15, 18-19	S. Eulalie (10. 12.)	—
21, 15-19	SS. Pierre et Paul (29. 6.)	—
Actes 6-7	S. Étienne (26. 12.)	Épître
13, 25	S. Jean Baptiste (24. 6.)	—
Romains 6, 19?	S. Quadratus? (21. 8.)	—
8, 12-17	SS. Volitains (14. 10.)	—
8, 30-31	S. Sixte II? (6. 8.)	—
2 Corinthiens 1, 5-14	S. Laurent (10. 8.)	—
2, 15-14?	S. Cyprien (14. 9.)	—
1 Timothée 6, 17-19	SS. Tuburbitaines (30. 7.)	—
2 Timothée 4, 6-8	SS. Pierre et Paul (29. 6.)	—
Apocalypse 14, 5	SS. d'Abitina? S. Quadratus?	—

Rares sont les textes identiques qui pourraient avoir servi en des occasions différentes : le Ps 115 a été chanté pour la Massa Candida et pour l'anonyme (Abitina? Quadratus?); Lc 21, 19, pour Laurent et le même anonyme. Il me paraît difficile dans ces conditions de parler d'un commun des martyrs au sens d'un formulaire passe-partout. En revanche, pour une seule fête sont parfois attestés plusieurs textes bibliques remplissant la même fonction. C'est le cas, pour l'épître, de la Saint-Laurent avec Prov 23, 1-2, et 2 Cor 1, 5-14, de la Saint-Quadratus avec Prov 24, 16-28 peut-être et Rom 6, 19 peut-être; pour l'évangile, de la Saint-Laurent avec Mt 5, 12, Mt 23, 29-32, et Lc 21, 19, de la Saint-Quadratus avec Mt 10, 27-33, et Mt 16, 26, de la Massa Candida avec Mt 16, 22-23, et Mt 19, 16-22 (ce dernier texte étant hypothétique); pour le chant, de la Saint-Laurent avec Ps 54, 5-6, Ps 138, 17, de la Saint-Cyprien avec Ps 51, 10, Ps 123, 6-8, Ps 125, 5-6. Dans ce cas, s'agit-il de doublets indiquant une certaine liberté dans le choix des textes? de parallèles témoignant d'usages différents selon les églises? J'ai relevé des cas dans lesquels c'était cette deuxième hypothèse qui semblait devoir se vérifier. Il y a aussi le cas des péricopes fusionnées comme nous en voyons une sûrement pour la Saint-Cyprien et peut-être une autre pour des martyrs anonymes qui peuvent être ceux d'Abitina.

*
* *

Le bilan de ces analyses sur le culte des martyrs pourrait, à son tour, se situer aux trois niveaux de l'inventaire, de la chronologie et du contenu cultuel des textes.

De l'inventaire d'abord, je ne puis que répéter ce que j'ai dit à l'occasion du culte des morts[103]. La chronologie, de son côté, ne m'a point paru se prêter aux précisions obtenues quelquefois à propos du culte des morts. S'est posé, en revanche, à plusieurs reprises, le problème de la localisation topographique de quelques sermons en l'honneur des martyrs[104]. La solution de ce problème m'est apparue dans la coexistence d'usages, en particulier dans le domaine des lectures liturgiques, divers selon les villes plutôt que, me semble-t-il, dans le changement de ces usages à l'intérieur d'une même église. Il va sans dire que ces propositions demandent à être vérifiées au moyen d'autres critères.

Quant à leur contenu cultuel, les textes relatifs aux martyrs se sont révélés d'une grande richesse. Ils ont d'abord permis la constitution de plusieurs séries parallèles mais distinctes : anniversaire, basilique, *mensa,* diptyques, lectures et chants. La caractéristique commune de ces séries est qu'elles se réfèrent toutes et uniquement au culte chrétien, voire catholique. En effet, d'une part, la comparaison n'est faite par les auteurs avec les coutumes païennes que pour en distinguer l'usage chrétien et mettre en relief le caractère théocentrique du culte chrétien des martyrs. D'autre part, il n'y a de références aux pratiques donatistes que pour les besoins de la polémique contre le schisme, alors que sur le fond il n'y a aucun différence substantielle entre les deux Églises.

Deux points me paraissent cependant comporter des innovations au IVe siècle par rapport à l'époque précédente. C'est, d'abord, l'émergence définitive du culte des martyrs par rapport à celui des morts. Leur commune origine est encore perceptible dans le fait que certaines pratiques et monuments, *memoriae, conuiuia,* leur sont toujours communs. Mais Augustin insiste encore plus sur ce qui les sépare, quand il parle de la lecture des diptyques et de la place respective qu'y occupent les défunts ordinaires et les martyrs, ceux-ci étant nommés à la place d'honneur, *meliore loco*. L'insistance que

103. Cf. *supra*, p. 168.

104. Cf. *supra*, p. 206 et 214 (saint Laurent), 209 (saint Jean-Baptiste), 216 (Massa Candida, saint Quadratus).

met Augustin à inculquer cette différence aux fidèles est un des signes les plus visibles de la manière dont il prend à cœur son rôle de pasteur.

La deuxième nouveauté du IVe siècle en comparaison du IIIe siècle me paraît être dans l'usage des banquets en l'honneur des martyrs. Augustin date de la paix de Constantin en 313 environ leur adoption par l'Église d'Afrique; il les explique comme une concession de circonstance au moment de l'entrée massive des païens dans l'Église; il les présente comme une tolérance provisoire et met celle-ci sur le compte de ses prédécesseurs dans l'épiscopat; il nous apprend enfin que l'usage survivait chez les chrétiens jusque pendant la dernière période de sa vie.

CHAPITRE VI

LES RENSEIGNEMENTS PROPRES AU CULTE DES RELIQUES

C'est à propos des reliques que les renseignements fournis par Augustin sont les plus caractéristiques du changement de mentalité que le culte des saints a suscité de son temps. Mais avant de nous intéresser aux informations de l'époque classique, il convient de considérer celles de la période antérieure, qu'en raison de leur rareté j'ai négligées jusqu'à présent. Ainsi ressortira mieux l'originalité de chacune des deux périodes.

I. LE CULTE ARCHAÏQUE DES RELIQUES

Dans la Passion de Perpétue, nous voyons le diacre Saturus prendre un soin particulier du soldat Pudens qu'il exhorte à se convertir à la foi chrétienne. Puis il est conduit dans l'arène pour être exposé aux bêtes. Il y est mordu par un léopard et en revient tout ensanglanté. Il dit alors à Pudens :

> « Souviens-toi de ma foi. Que ces épreuves ne te troublent point, qu'elles te confirment ». En même temps, il lui demanda l'anneau qu'il portait au doigt, le trempa dans son sang, le lui rendit comme un héritage, lui laissant avec lui le souvenir de sa passion, *memoriam sanguinis* (*Passio Perpetuae*, 21, p. 92, 14-17).

Ce que le diacre donne au soldat, ce n'est pas encore une relique, c'est proprement un souvenir : l'anneau trempé de sang lui rappellera le martyr; ce souvenir est destiné à fortifier la foi du soldat et à l'amener au baptême. Nous sommes encore tout à fait dans la ligne de l'*Apologétique* de Tertullien : *semen est sanguis christianorum*[1].

Le deuxième texte est tiré des *Acta Cypriani* : au moment où, arrivé sur le lieu de son supplice, l'évêque de Carthage fait sa toilette de condamné, « les fidèles étendent des linges et des mouchoirs devant lui » (5, p. cxiii, 19), à l'endroit où il répandra son sang. Leur intention n'est pas expliquée, mais elle est manifeste : eux aussi veulent conserver un souvenir de la passion de leur évêque.

Ces deux textes sont les seuls que nous fournisse apparemment la période primitive sur la préhistoire du culte des reliques en Afrique. Les gestes qu'ils nous décrivent sont tout à fait semblables à ceux qu'Augustin évoque plus tard dans son traité sur le culte des morts :

> Si le vêtement d'un père ou son anneau ou quelqu'autre objet de cette nature est un souvenir d'autant plus cher aux survivants que plus grand a été leur attachement pour eux, il ne faut en aucune manière mépriser leur corps qui nous fut plus familier et plus proche que n'importe quel vêtement qu'ils ont pu nous laisser (*Cur. mort.* I, 5, p. 627, 16-20).

II. Le culte des reliques au IVe siècle

Ces textes primitifs nous font connaître des attitudes qui relèvent de l'affection naturelle et qui n'ont encore aucune valeur proprement religieuse. Il en va tout autrement des textes de l'époque classique qui expriment une mentalité religieuse nouvelle.

1. *Les textes*

Il s'agit des textes suivants :

345/348	*Conc. Carth. 345-348*, c. 2, p. 4
IVe s., 2/2	OPT. MIL. I, 16, p. 18
381, 30. 7.	*Cod. Theod.* IX, xvii, 6, p. 465
386, 26. 2.	— — — — 7, p. 466
397/401	AUG. *Conf.* IX, 7, p. 208-209
v. 401	AUG., *Ep.* 52, 2, p. 150
— —	— *Op. mon.* XXVIII, 36, p. 585, 15-586, 3

1. TERT. *Apol.* 50, 13, p. 171.

401, 13. 9.	*Reg. Carth.*, c. 83, p. 204-205	
v. 402	AUG., *Ep.* 78, 3, p. 325, 15-326, 9	
422/423	—	*Cur. mort.* XI, 13, p. 641-643
v. 424	*Mir. S. Steph. I-II*	
av. 425/426	AUG., *Serm.* 314, col. 1425-1426	
— — —	—	*Serm.* 315, col. 1426-1431
— — —	—	*Serm.* 316, col. 1431-1434
425/426	—	*Serm.* 317, col. 1435-1437
— —	—	*Serm.* 318, col. 1437-1440
— —	—	*Serm.* 320, col. 1442
— —	—	*Serm.* 321, col. 1443
— —	—	*Serm.* 322, col. 1443
— —	—	*Libellus miraculi Pauli sanati,* col. 1443-1445
— —	—	*Serm.* 323, col. 1445-1446
— —	—	*Serm.* 324, col. 1446
ap. 425/426	—	*Wilmart* 12, col. 834-839
426 (?), 28. 9.	—	*Ep.* 212, t. 57, p. 372-373
426/427	—	*Serm.* 319, col. 1440-1442
av. 427	—	*Ciu. Dei,* XXII, 8, p. 815-827
426/430, 19. 6.	—	*Serm.* 286, col. 1297-1301
426/430, ap. 19. 6.	—	*Serm.* 79, col. 493
426/430, juin-juillet	—	*Serm.* 94, col. 480-481

NB. — Pour les *Serm.* d'Augustin, cf. VERBRAKEN, p. 73, 76, 128, 137-140.

Ces vingt-neuf textes sont répartis d'une manière très significative du point de vue chronologique. Au premier abord apparaît une coupure très nette entre *Ep.* 78 vers 402 et *Cur. mort.* en 422/423 : vingt ans séparent ces deux textes. La coupure l'est encore beaucoup plus, en raison de l'esprit qui les anime, entre cette même épître de 402 environ et *Mir. S. Steph.* vers 424 : c'est alors, en effet, qu'Augustin change d'attitude à l'égard des reliques ; cette période intermédiaire sépare deux époques d'inégale durée et d'une densité de témoignages inverse à cette durée. De ceux-ci, neuf datent de 305 à 402 à peu près, vingt de 422/423 à 430. Si le phénomène religieux peut être chiffré et si ces statistiques ont une valeur, la densité des témoignages est plus de trois cents fois plus forte pour les huit dernières années de la vie d'Augustin que pour les cent vingt années qui les ont précédées. Cette constatation, non seulement légitime la division chronologique que je propose, mais nous avertit en outre de l'importance de la dernière période.

2. *L'affaire de Lucille*

Vers 305-306, au temps où Mensurius était évêque de Carthage et Caecilianus son archidiacre, une noble dame de la ville, nommée Lucille, se fit publiquement réprimander pour sa dévotion incontrôlée envers les reliques. En effet,

> avant de recevoir la nourriture et la boisson spirituelles, elle baisait, dit-on, un os de je ne sais quel martyr et faisait passer avant le calice du salut l'os de je ne sais quel mort, car s'il était martyr, il n'était pas encore officiellement reconnu comme tel (OPT. MIL. I, 16, p. 18, 17-20).

Ce texte d'Optat de Milev est extrêmement révélateur de l'état d'esprit nouveau que la grande persécution avait contribué à cristalliser. Lucille considère la relique qu'elle porte sur elle comme un phylactère. Elle en attend la même action que celle qu'on demandait au saint lui-même. Dans le cas précis, elle demandait à la relique de la préparer à la communion. Comprise de cette manière, la dévotion de Lucille n'avait rien que de très acceptable. Si l'archidiacre Cécilien la lui reprocha, ce ne fut pas en raison du geste par lequel elle l'exprimait, ce fut en raison de la personne du martyr auquel elle l'adressait, un martyr inconnu, *nescio cuius martyris*, un martyr non-reconnu, *necdum uindicati*.

Nous découvrons là certains mobiles de la grande crise qui secoua l'Église d'Afrique pendant le schisme donatiste et à l'origine de laquelle Lucille joua son rôle. Les querelles de personnes et les blessures d'amour-propre sont intervenues. La réaction de Lucille nous le fait voir clairement : *correpta cum confusione, irata discessit*. Par vengeance, elle fomente des troubles envers Cécilien, élu et ordonné à la place de Mensurius décédé ; elle soudoie les évêques numides qui, réunis en concile à Carthage, instrumentent contre Cécilien en l'accusant d'être un « traditeur ». C'est que ces réactions superficielles recouvrent des causes profondes de division. Je ne dirai rien du nationalisme berbère et de son opposition à l'influence romaine. Opposition qui peut se conjuguer avec celle de la campagne à la ville, de la province à la métropole. Si ces sentiments ont animé Lucille et ses évêques — ce qu'il faut prouver —, leur analyse dépasse mon propos. L'intéressent, au contraire, directement les implications religieuses de la querelle qui opposait Lucille à Cécilien.

Je suis, en effet, frappé par la différence des attitudes religieuses que fait apparaître l'incident de l'os. D'une part, il révèle le développement pris par la dévotion populaire. Celle-ci s'est attachée, pour commencer, aux confesseurs emprisonnés pendant la grande persécution. Parmi eux, certains ont dû recommencer les erreurs de leurs prédécesseurs du temps de Cyprien et accorder à tort et à travers l'indulgence aux apostats. D'où la réticence de la hiérarchie à leur endroit. Était-ce parmi eux que se trouvait le martyr dont Lucille conservait un ossement ? Quand la persécution prit fin —et on sait qu'elle dura peu en Afrique—, dès 305-306 des fidèles voulurent conserver des souvenirs de ceux qui étaient morts pour leur foi. Ils n'attendirent pas toujours que la qualité de martyrs leur fût reconnue. D'où la réaction de Cécilien contre le martyr inconnu. Ce qui est nouveau dans le geste de Lucille, c'est la conservation individuelle de reliques *ex corpore* : elle suppose la dissection des corps et favorise la prolifération des reliques. Toutes pratiques contraires au vieux droit romain. Dans ces conditions, l'authenticité de ces restes n'avait souvent d'autre garantie que la conscience de leur détenteur et de l'intermédiaire. Nouvelles aussi semblent ces démonstrations extérieures de la piété individuelle en plein office liturgique. Il était inévitable qu'elle se heurtât à une hiérarchie d'autant plus sourcilleuse qu'elle était plus contestée. D'un autre côté, ce même incident aurait pu (ou dû ?) servir de révélateur aux sentiments religieux des membres de cette hiérarchie : mais précisément il n'en révèle rien. Cela ne veut pas dire qu'elle en fût dénuée, mais seulement qu'elle ne les exprima point. Du moins n'exprima-t-elle point d'autre piété que celle de la prière traditionnelle. Les hiérarques manquaient-ils, en outre, d'une certaine sensibilité aux besoins de la piété privée ? Il faut se contenter, je crois, de poser la question.

Il y a plus. L'opposition remonte au temps même de la persécution de 304. Je viens de dire que, comme en d'autres circonstances, il y eut des apostats, il y eut des martyrs. Il y eut aussi des sages qui, traduits devant les tribunaux, échappèrent à la condamnation grâce à leur modération ; il y eut des habiles qui crurent pouvoir sauver leur vie et leur foi en trompant les autorités païennes ; il y eut même des esprits forts pour qui la remise des livres sacrés ou l'équivalent de nos registres de baptême ne constituait pas une apostasie ou une trahison ; il y eut sans doute aussi, parmi les confesseurs, des orgueilleux et des brouillons qui n'étaient pas fâchés d'en remontrer aux chefs hiérarchiques. Dans ces difficultés, quelle conduite exactement avaient tenue Mensurius et Cécilien ? Avaient-ils réellement été des « traditeurs » ? En tout cas, la propagande donatiste les en accusa. Bien plus, elle les rendit responsables du décès des confesseurs morts de faim en prison. L'accusation est expressément portée contre eux par l'auteur de la Passion des martyrs d'Abitina [2]. Il est difficile de dire si et dans quelle mesure elle était fondée. Elle est née dans le climat trouble des querelles autour des *lapsi* et des *traditores*, entre partisans de la sévérité et ceux de l'indulgence, dans l'atmosphère tendue des controverses naissantes entre catholiques et donatistes, sur l'Église qui conservait le droit de se dire « une, vraie, sainte et catholique » [3]. Dès l'origine aussi, le critère de cette vérité avait été remis en question : il n'était plus dans l'union avec le siège romain, mais dans la possession, dans le culte des martyrs, voire dans la capacité de continuer à en produire. Étaient cataloguées ainsi, et opposées pour un siècle, « l'Église des traditeurs » et « l'Église des martyrs ». Que l'exaltation des gestes ait traduit celle des sentiments, qui s'en étonnerait ?

C'est dans de telles circonstances religieuses qu'est née l'attitude nouvelle des chrétiens d'Afrique à l'égard des reliques : l'arrêt des persécutions a entraîné l'arrêt du martyre. Désemparée devant cette mutation brusque, la mentalité populaire a inventé deux succédanés : ou bien on travestit en martyre le suicide ou l'homicide religieusement motivés — c'est le cas des martyrs donastistes — ; ou bien, à défaut de nouveaux martyrs, on s'attache aux restes des anciens, on les dissèque, on les distribue, on les porte sur soi — c'est la « relique-talisman » —. Cette double piste mérite d'être suivie.

3. *Les martyrs et les reliques donatistes*

En raison du milieu schismatique dans lequel l'esprit nouveau se fit jour, il mit beaucoup de temps à s'acclimater dans l'Église

---

2. Éd. RUINART, *AMS*, p. 409-419 ; mieux É. BALUZE, *Miscellanea* (Lucques, 1721), p. 14-18.— Et. : L. DUCHESNE, « Le dossier du donatisme ». Mgr Duchesne a montré que les passages supprimés par Ruinart et qui se lisent dans Baluze, appartiennent en réalité à la rédaction originale de la Passion ; — P.-A. FÉVRIER, « Martyrs, polémique et politique en Afrique aux IVe-Ve siècles », a dû étudier notre Passion, mais son étude ne m'a pas été accessible. Sur l'affaire de Lucille, cf. aussi Fr. J. DÖLGER, « Das Kultvergehen der Donatistin Lucilla ».

3. E. BALUZE, *Miscellanea*, p. 18, paragr. xx.

catholique. Celle-ci, pendant longtemps, se montra hostile aux entraînements populaires. J'ai évoqué dans un autre contexte un exemple de ces mouvements de foule à propos des circoncellions d'Octava[4]. Cela se passait vers 340. Le canon 2 du concile de Carthage qui se tint sous l'évêque Gratus, vers 345/348, légiféra précisément sur la conduite à tenir en matière de « tombes et de vénération de martyrs ». Il visait apparemment des morts dont la situation était semblable à celle des victimes de la bataille d'Octava. Je propose de ce canon à la rédaction heurtée une traduction que j'espère suffisamment fidèle :

> Que personne ne porte atteinte à la dignité des martyrs en élevant à leur rang des défunts ordinaires dont les corps ont été admis à la sépulture par pure miséricorde de la part de l'Église. C'est pourquoi, ceux que la folie a poussés au suicide dans les précipices ou qui ont été ensevelis à part en raison de quelque autre péché, ne peuvent recevoir le titre de martyrs. Et cela, pour aucune des raisons et en aucune des circonstances réservées à la célébration des (vrais) martyrs. Si la gloire des martyrs était attribuée à ces fous et venait à en subir un préjudice, le concile a décidé de punir les responsables : les laïcs seront soumis à la pénitence; s'il s'agit de clercs, ils doivent être déposés (*Conc. Carth. 345-348*, c. 2, p. 4).

Le canon vise les martyrs donatistes à travers les promoteurs de leur culte. Nous savons que le prêtre Clarus, chargé du *locus Subbulensis*, qui avait accordé à des circoncellions la sépulture à l'intérieur des églises contrairement à la coutume en vigueur, fut obligé par son évêque d'annuler ces concessions. C'est ce que nous apprend Optat de Milev[5]. De plus, la suite de son texte place dans le soulèvement populaire que cette interdiction provoqua l'origine de la faveur que rencontra en Numidie l'évêque-condottiere Donat de Bagaï :

> Il trouva ainsi à recruter une troupe de soldats furieux qu'il opposa à l'armée de Macaire (l'un des deux militaires chargés de la répression du donatisme par Constant). Ils étaient de la même race, ceux qui conduisaient ces mercenaires à leur mort

4. OPT. MIL. III, 4, p. 82, 21-p. 83, 5. Cf. *supra*, p. 191.
5. P. MONCEAUX, *Histoire littéraire*, t. 4, p. 32.

> dans le fallacieux espoir du martyre. De là venaient ceux-là aussi qui, du sommet des hautes montagnes, se jetaient dans les précipices. Voilà au nombre de quels hommes le deuxième Donat évêque recrutait ses troupes (OPT. MIL. III, 4, p. 83, 5-11).

Le même canon de Gratus reçoit, en outre, un commentaire très pertinent de la part d'Augustin. Dans un panégyrique de saint Cyprien, il reproche aux donatistes de se réclamer du martyr carthaginois et de ne pas suivre son exemple :

> S'ils faisaient attention à son épiscopat, ils ne se sépareraient pas de l'unité. S'ils tenaient compte de son martyre, ils ne se jetteraient pas dans les précipices (*Guelf.* 28, 2, p. 537, 2-3).

Pour mourir, que ne recourent-ils pas à la corde ? Afin d'éviter, répondent-ils, de ressembler au « traditeur » Judas. Mais en se précipitant du haut des falaises, ils font fi de l'exemple du Christ et obéissent aux suggestions du diable (Mt 4,6) :

> Donatiste, dis-le donc au diable, quand il te suggère le précipice. Car il vous a remplis, vous aussi, pour que vous honoriez des suicidés. Effectivement, mes frères, les donatistes se jettent d'eux-mêmes ou se font pousser dans les précipices par leurs populations perverses. Ils sont de bien plus grands criminels, ceux qui recueillent avec honneur les cadavres dans les précipices, qui conservent leur sang, qui vénèrent leurs tombes, qui s'enivrent sur leurs sépulcres. Voyant comment sont honorés les suicidés, d'autres sont enflammés au suicide ; les uns sont ivres de vin, les autres, de la pire fureur et erreur (*Ibid.* p. 539, 25-33).

La comparaison des deux textes, le conciliaire et l'augustinien, fait voir deux choses : d'une part, que le second s'inspire du premier, comme le prouve l'identité du vocabulaire : *insani, praecipitati* ; d'autre part, que la pratique donatiste reste vivace, la réaction catholique, constante. Bien plus, si le concile de 345/348 légifère sur le sujet, c'est que les catholiques eux-mêmes vénèrent les martyrs donatistes. Enfin, selon Augustin, le culte des reliques, nommément celles du sang, acquiert chez les donatistes, au début du ve siècle, un relief particulier.

Un autre canon, celui du concile de Carthage de 401, révèle à quel point les réactions populaires sont devenues incontrôlables en matière de dévotion. J'ai donné plus haut la traduction de ce texte[6]. Il faut en extraire ici deux détails. Le premier concerne la destruction des fausses *memoriae* de martyrs : elles doivent être abattues, si faire se peut, *si fieri potest*; si cela ne se peut *per tumultus populares*, en raison de soulèvements populaires, les fidèles doivent être avertis de ne plus les fréquenter. Ce qui signifie deux choses : d'une part, la pression populaire, capable d'empêcher l'exécution d'un décret conciliaire et sur laquelle l'Église catholique n'a pas de prise, doit être donatiste; d'autre part, et de nouveau, les catholiques participent aux cultes interdits. Un deuxième détail concerne « les songes et révélations » dont certains se prévalent pour obtenir l'érection des chapelles : ce sont de « vains » prétextes; les *memoriae* érigées pour des motifs pareils doivent également être détruites.

Avant de quitter les donatistes, je signale un autre fait les concernant, rapporté dans une lettre d'Augustin : il montre l'extension de la notion même de la relique. La lettre est adressée à un nommé Severinus qui est donatiste et qu'il appelle « frère »[7]. Il lui objecte les contradictions dans lesquelles lui et ses coreligionnaires se sont mis en raison du schisme : se coupant de l'Église catholique, il se sont coupés des origines orientales du christianisme, alors que c'est d'Orient que nous est venu l'évangile. C'est ici qu'est la contradiction : quand on leur apporte d'Orient un peu de terre sacrée du pays du Christ, ils l'adorent; si c'est un chrétien qui en vient, ils l'exorcisent et le rebaptisent (*Ep.* 52, 2, p. 150, 8-11). Ce que je retiens ici de ce passage, c'est que les donatistes vénèrent à l'égal des reliques corporelles, des objets dont le rapport avec le saint est beaucoup plus lointain. C'est une relique représentative, mais elle est l'équivalent de la relique authentique.

Quoi qu'il en soit, en même temps que s'élabore chez les donatistes une spiritualité nouvelle du martyre et des reliques, s'affirme dans l'Église catholique une attitude hostile aux usages nouveaux et conservatrice des anciens.

---

6. Cf. *supra*, p. 132.

7. Comme Optat de Milev, Augustin appelle « frères » même les évêques donatistes. Un Severinus, évêque donatiste de *Castellum (Tingitanum ?)* a assisté à la 21e place à la Conférence de Carthage de 411. Cf. J.-L. MAIER, *L'épiscopat de l'Afrique*, p. 54, 418. Est-ce le correspondant d'Augustin ?

4. *La prolifération générale des reliques*

La même attitude conservatrice était d'ailleurs celle des autorités civiles. Elle fut affirmée à deux reprises dans des lettres impériales. Une première fut adressée par les trois empereurs au Préfet de la Ville, une seconde par les mêmes au Préfet du Prétoire. Voici ces deux textes :

> Les empereurs Gratien, Valentinien et Théodose, Augustes, à Pancrace, Préfet de la Ville.
> Tous les corps, renfermés en des urnes ou des sarcophages de surface (*supra terram urnis clausa uel sarcofagis corpora*) doivent être déposés hors de la ville. Pour que nul ne mette une industrie trompeuse et rusée à se soustraire aux intentions de la loi en estimant qu'il est permis d'enterrer les morts au siège des apôtres ou des martyrs (*apostolorum uel martyrum sedem*), qu'on sache et comprenne qu'ils doivent aussi être éloignés de ces lieux comme du reste de la ville.
> Donné le 3 des calendes d'août, à Héraclée, sous le consulat d'Eucherius et de Syagrius.

> Les mêmes empereurs à Cynegius, Préfet du Prétoire.
> Que personne ne transfère de cadavre d'un endroit à un autre. Que personne ne divise (celui d')un martyr, ou n'en fasse commerce. Mais qu'on ait le droit, pour les morts enterrés en un quelconque endroit des saints (*quolibet in loco santorum*), d'ajouter (à leur tombe) la construction que l'on voudra, en vénération de ce qu'il faut appeler martyrium.
> Donné le 4 des calendes de mars, à Constantinople, sous le consulat d'Honorius et d'Evodius.

Une remarque formelle s'impose au sujet de la deuxième lettre que l'éditeur attribue aux trois mêmes empereurs que la première. Cela est sans doute le résultat d'une distraction, puisque Gratien mourut en 383 et que le troisième empereur de 386, année de la deuxième lettre, était Maxime (383-388).

Par son objet, le premier texte est un rappel de la loi des Douze Tables : *hominem mortuum in urbe ne sepelito neue urito*. Cette loi doit rester en vigueur, malgré les entorses que le culte des martyrs lui fait subir. Il ne faut donc pas prendre prétexte de la coutume d'enterrer les morts *ad martyres* pour enfreindre cette disposition multi-séculaire. La deuxième disposition concerne le transfert des corps. Celui-ci demeure lui aussi interdit, même quand il s'agit de martyrs. Mais le texte prohibe, en outre, le partage et le commerce de leurs corps.

Ces interdictions impériales sont adressées aux plus hauts magistrats romains et visent peut-être d'abord des faits relevant de leur compétence, le Préfet de la Ville ayant juridiction sur Rome, celui du Prétoire, sur l'Italie, l'Illyrie et l'Afrique. C'est dire l'importance que le prince attachait au maintien de la vieille législation. Mais en même temps savons-nous que celle-ci n'était plus appliquée nulle part avec exactitude, en un temps où se multipliaient les témoignages de son inobservance quotidienne et parfois spectaculaire.

Je rappellerai d'abord un passage du *De opere monachorum* dans lequel, vers 401, Augustin s'en prend vivement aux excès de certains moines qui font du tort à ceux qui prennent au sérieux leur profession monastique. On voit partout, écrit-il,

> tant d'hypocrites sous l'habit monacal : ils parcourent les provinces, sans mission, sans maison, sans stabilité, sans siège. Les uns vendent les membres des martyrs, si toutefois il s'agit bien de martyrs. D'autres « font bien larges leurs phylactères et bien longues leurs franges » (Mt 23, 5). D'autres encore prétendent qu'ils ont entendu parler de parents ou de proches dans tel ou tel pays et disent faussement qu'ils vont les voir. Tous demandent, tous commandent une aumône pour leur fructueuse pauvreté ou le prix d'une prétendue sainteté (*Op. mon*. XXVIII, 36, p. 585, 15-22).

Il stigmatise donc expressément le commerce des reliques et se rencontre sur ce point avec la lettre impériale de 386. Mais il faut s'arrêter surtout aux événements qui, cette même année, eurent Milan pour théâtre, à l'occasion de l'invention et de la translation des corps des saints Gervais et Protais, les 17-19 juin. Ces événements exercèrent une influence décisive sur l'évolution ultérieure du culte des reliques dans l'Église.

Le Père D.P. De Vooght aborda ce problème voici longtemps à propos de la place que tenaient les miracles dans la vie d'Augustin ; il avait été frappé par le changement d'attitude, voire la contradiction, que les écrits du début et de la fin de sa carrière révélaient à cet égard. Pierre Courcelle reprit la question dans ses recherches sur les

Confessions du saint[8]. En faïsant le relevé de tous les textes augustiniens dans lesquels il était parlé de miracles contemporains et en les classant dans l'ordre chronologique, il croyait pouvoir « dessiner le graphique de ce qui fut plutôt une évolution très rapide. Elle est commandée par le fait qu'en une quarantaine d'années les épisodes présumés miraculeux se sont multipliés étonnamment autour des sanctuaires catholiques d'Occident, en Italie d'abord, puis en Afrique, qu'il s'agisse d'inventions de martyrs, d'aveux de démons ou de guérisons »[9]. Si je reprends à mon tour le problème, c'est que l'histoire des reliques milanaises constitue la préhistoire obligée de celle des reliques de saint Étienne et que les unes et les autres, non seulement se sont diffusées en Afrique, mais y ont encore profondément transformé l'esprit chrétien, en particulier chez Augustin.

En 385-386, Ambroise menait une rude bataille contre l'arianisme, renaissant à Milan sous les auspices de l'impératrice-mère Justine. Sommé de donner aux ariens un lieu de culte, Ambroise leur refusa successivement la basilique Portienne (Saint-Victor *ad corpus*) et la basilique neuve à laquelle succéda au moyen âge le Duomo actuel : c'était pour les fêtes de Pâques 385 et 386. Le peuple avec son évêque avait occupé les églises menacées de confiscation. Ambroise tenait les fidèles en haleine en leur apprenant à chanter des hymnes. La mère d'Augustin avait été l'une des zélatrices les plus ardentes de la campagne dont elle rapportait les échos à son fils. C'est dans cette atmosphère de tension religieuse que, selon l'expression de Duchesne, « le ciel vint au secours » de l'évêque[10]. Le 17 juin 386, celui-ci découvrit en effet les restes de deux martyrs inconnus, Protais et Gervais, dont il célébra le surlendemain la translation solennelle dans la basilique Ambrosienne. Il est improbable que, dans les circonstances où elle se fit, il eût demandé et obtenu une autorisation impériale. L'événement provoqua des échos durables en Italie et dans toute la chrétienté. Le même évêque découvrit bientôt, en 393, à Bologne, les tombes des saints Vital et Agricola, en 395,

---

8. P. Courcelle, *Recherches sur les « Confessions »*, p. 139-153, pour l'invention des saints Gervais et Protais ; D.-P. de Vooght, « Les miracles dans la vie de saint Augustin », pour ces faits en général.
9. P. Courcelle, *Recherches sur les « Confessions »*, p. 144.
10. L. Duchesne, *Histoire ancienne de l'Église*, t. 2 (Paris, 1907), p. 553.

encore à Milan, celles des saints Nazaire et Celse. De ces trois inventions ambrosiennes, la première fut faite sur une sorte de pressentiment, *uelut cuiusdam ardor praesagii*, les deux autres sont attribuées à une révélation par le biographe de l'évêque [11]. Toutes ces reliques connurent une diffusion immédiate dans tout l'Occident [12].

Augustin pourrait s'être fait l'agent de la transmission à l'Afrique du culte des saints Gervais et Protais. Une *memoria* en leur honneur existait en effet près d'Hippone à Argentarium, *in villa Victoriana* [13], mais elle n'est attestée qu'à partir de 426/430. C'est que les reliques des saints milanais peuvent servir à tester l'évolution de la pensée d'Augustin sur le culte des reliques en général. Cette évolution a été fort bien retracée par Pierre Courcelle [14]. Je crois pouvoir y marquer les temps forts que voici.

Les écrits augustiniens de 390 à 400 environ ne montrent pas l'évêque d'Hippone disposé à croire aux miracles contemporains, pas même à ceux qui ont été obtenus grâce à des corps saints : ainsi en est-il dans le *De uera religione*, dans le récit de sa conversion, dans le *Serm*. 88; pourtant le premier de ces écrits est à peine postérieur de trois ans à l'invention de 386 et à la guérison miraculeuse de l'aveugle milanais. Le canon du concile de 401 (*Conc. Carth. 401*, c. 83, p. 204-205), dont il a été l'inspirateur [15], nous le montre très attaché aux formes reçues du culte des reliques. Il lui faut la garantie d'une tradition le reliant aux origines mêmes de la dévotion envers le martyr en des lieux qui ont un rapport direct avec la vie ou la mort de ce dernier. Il se méfie des « songes et révélations » qui prétendent y suppléer. En somme, il ne réagit pas autrement que le plus critique des bollandistes. Même plus tard encore, ainsi que le rappelle Pierre

---

11. AMBR. *Ep*. 22 (*PL* 16, 1062-1269) ; PAUL. MEDIOL. *Vita Ambrosii*, 14 (PL 14, 31). On peut se demander si une quatrième découverte de reliques ne s'est pas faite, non pas sur l'intervention, mais dans le sillage d'Ambroise. Il s'agit de celle des martyrs d'Agaune. Elle est attribuée par Eucher de Lyon à l'évêque de Sion Théodore, contemporain d'Ambroise, et membre des deux conciles d'Aquilée en 381 et de Milan en 390. Cf. Passion des saints et lettre d'Eucher dans *MGH, Script. rer. merov.*, t. 3 (1896), p. 32-41 ; H. DELEHAYE, *Les origines du culte des martyrs*, p. 86.

12. L. DUCHESNE, *Histoire ancienne de l'Église*, t. 2, p. 553-554 ; H. DELEHAYE, *Les origines du culte des martyrs*, p. 75-80.

13. Cf. *supra*, p. 128.

14. P. COURCELLE, *Recherches sur les « Confessions »*, p. 141 ss.

15. P. MONCEAUX, *Histoire littéraire*, t. 7, p. 19.

Courcelle, Augustin déclare : « La foi est d'autant plus forte qu'elle ne recherche pas les miracles »[16].

Pourtant, le docteur d'Hippone commence à parler des miracles des saints Gervais et Protais à partir de 400 à peu près. Il s'en souvient dans les *Confessions*, non pas à leur place chronologique, mais comme par repentir dans le récit de son baptême (*Conf.* IX, 7, p. 208-209). Vers 402, dans une lettre au clergé et aux fidèles d'Hippone (*Ep.* 78, 3, p. 325-326), il les évoque de nouveau, simultanément avec ceux qui se produisent sur le tombeau de saint Félix de Nole à Cimitile. Nous tenons même là une des circonstances dans lesquelles son attention fut attirée sur cet aspect du culte des reliques. Paulin de Nole venait de lui envoyer son *Natalicium VI*[17], où sont rapportés les miracles de saint Félix contre les démons. Augustin observe à ce propos que, si de tels miracles se produisent en Italie, à Nole comme à Milan, ils n'ont pas lieu sur les tombes de martyrs africains. En 422/423 encore, quand il adresse au même Paulin son traité sur le culte des morts, il revient sur les aveux des démons, mais hésite à les attribuer soit à la présence des martyrs, soit à l'intervention des anges[18].

Avant d'aborder la période nouvelle qu'ouvre, dans l'histoire du culte des reliques en Afrique, l'arrivée de celles de saint Étienne, il paraît bon de marquer en quoi s'est opéré dans ce pays le changement d'attitude à leur égard au IVe siècle.

Il y a longtemps qu'était dépassée la vieille conception de la « relique-souvenir » : celle-ci avait été en particulier, selon le mot d'un sermon pseudo-augustinien, la *memoria passionis* du saint (*Mai* 147, 1, *PLS* 2, 1244), encourageant les fidèles à l'imitation de ses vertus, principalement de sa foi.

Désormais, la possession d'une relique est un gage de protection et de miséricorde automatiquement liées à la possession, voire au port de la relique : c'est ce que j'ai appelé la « relique-talisman ». Aussi, dès la grande persécution, les fidèles, particulièrement les *lapsi*,

---

16. AUG. *De peccatorum meritis et remissione*, II, 32, 52 (*CSEL* 60, 122, 15-16).
17. PAUL. NOL. *Carm.* 18, p. 96-118.
18. AUG. *Cur. mort.* XVII, 21, p. 21, p. 657, 6-12 ; H. DELEHAYE, *Les origines du culte des martyrs*, p. 118 : « Multiples sont les vertus attribuées aux reliques. Celle que l'on voit le plus universellement proclamée, c'est leur pouvoir sur les démons ». Cf. *Ibid.* p. 119-122.

cherchent-ils à s'en procurer. C'est pourquoi, le cas de Lucille la portant sur soi n'est pas isolé (OPT. MIL. I, 16, p. 18, 12-20)[19]. Mieux, on s'en procure à tout prix : nous voyons en effet la législation civile en interdire le trafic (*Cod. Theod.* IX, xvii, 7), et surtout les moines le pratiquer (*Op. mon.* XXVIII, 36, p. 585, 15-22). La relique est devenue un article de commerce.

Pour les donatistes, la possession des martyrs est un critère d'orthodoxie, le port d'une relique, un signe de ralliement. Non seulement ils accaparent les martyrs anciens, entre autres Cyprien, mais encore ils en font de nouveaux, en poussant des exaltés au « suicide-canonisation », en vénérant comme saints les victimes d'échauffourées populaires ou d'affrontements armés. Ils se proclament avec orgueil membres de « Église des martyrs » et relèguent les catholiques dans celle des « traditeurs ». Dans les rangs donatistes, les Lucille ont dû être légion.

Et voici que l'Église catholique elle-même, dans la personne de son plus illustre penseur, commence à modifier sur ce point son attitude intellectuelle, avant de devoir ajuster sa praxis quotidienne. Cette évolution se produit dans les vingt premières années du Ve siècle. Ses repères extrêmes sont, d'une part, le concile encore négatif de 401 (*Conc. Carth. 401*, c. 83), de l'autre, le *De cura pro motuis gerenda*, favorable aux idées nouvelles vers 422/423. Dans l'intervalle se sont multipliées pour Augustin les occasions de devenir attentif aux phénomènes étranges qui se produisent çà et là : découverte de martyrs inconnus, révélations qui la permettent, miracles qui la suivent. Dorénavant, la relique est la panacée universelle qui guérit les maladies et en préserve, délivre les possédés, chasse les démons, incline à la foi, apaise la nature, en corrige le cours. Elle agit souvent à la manière d'un remède, par contact physique. Si elle n'est pas indéfiniment divisible, elle se multiplie néanmoins à l'infini, là aussi par contact, grâce aux objets qui ont touché le corps ou la tombe du martyr et qui en transmettent la vertu. Enfin, à défaut d'une relique *ex corpore* ou *ex contactu*, on considère comme telle la terre même de l'endroit où se trouve le tombeau, du pays où le saint a vécu (*Ep.* 52, 2, p. 150). Mais jusqu'à la fin de cette période, Augustin persiste à dire que ces faits miraculeux ne se produisent pas en Afrique.

---

19. *Ibid.* p. 115 et n. 5.

III. Le culte des reliques de saint Étienne entre 415 et 430

Survint le raz-de-marée des reliques de saint Étienne. Il a été produit par quelques parcelles d'ossements et un peu de chair réduite en poussière. En un rien de temps l'Afrique en est submergée. La documentation de cette histoire a été commodément sinon critiquement réunie par Migne à la suite de la *Cité de Dieu* d'Augustin[20], inventoriée par les bollandistes (*BHL* 7850-7856, 7859-7872) pour tout ce qui concerne le dossier occidental, étudiée et éditée d'une manière critique par Étienne Vanderlinden pour ce qui est de la première partie de ce dossier. Cette dernière étude a été précédée par de nombreuses autres, parmi lesquelles il suffira de mentionner celles du Père Hippolyte Delehaye et de rares autres, se rapportant au sujet[21]. Ce dossier fait que, de toutes les révélations et dispersions de reliques qui se succédèrent aux IVe - Ve siècles, l'invention et la diffusion de celles de saint Étienne constituent des faits bien connus et parmi les plus importants de l'histoire religieuse de l'antiquité.

1. *L'invention et la diffusion des reliques de saint Étienne*

En décembre 415, l'évêque Jean de Jérusalem se disposait à se rendre au concile de Diospolis, pour y soutenir Pélage contre les attaques des occidentaux qui l'avaient suivi en Palestine[22], lorsqu'il reçut la visite du desservant de Caphar Gamala, Lucien, venu lui apprendre la révélation qu'il avait reçue au sujet des reliques de saint Étienne. Il le chargea de les rechercher. A Lydda-Diospolis, un messager le rejoignit pour lui annoncer le succès des recherches. Aussi alla-t-il sur le champ avec deux collègues reconnaître les reliques qu'il transféra solennellement le 26 décembre en l'église de Sainte-Sion de Jérusalem. Lucien, de son côté, avait gardé secrètement par devers lui les ossements les moins importants et la poussière

20. *PL* 41, 805-854.
21. S. Vanderlinden, « Revelatio S. Stephani (BHL 7850-6) » ; le reste H. Delehaye, « Les premiers libelli miraculorum » ; id., « Les recueils antiques des Miracles des saints », p. 74-85 ; J. Martin, « Die Revelatio S. Stephani und Verwandtes » ; J. Dubois, dans *Vies des saints et bienheureux,* t. 12 (Paris, 1956), p. 687-702.
22. L. Duchesne, *Histoire ancienne de l'Église,* t. 3, p. 218-221.

qu'il croyait avoir été la chair du saint. Puis il fit en grec la relation des événements. Ceux-ci n'avaient pas médiocrement influé sur l'issue du concile conformément aux vues de Jean.

Au même moment, Paul Orose, qu'Augustin avait chargé d'obtenir la condamnation de Pélage, se préparait à rentrer bredouille en Occident. Dans le cercle de ses compatriotes espagnols qu'il fréquentait à Jérusalem, il reçut d'Avit de Braga des reliques que celui-ci avait obtenues de Lucien, ainsi que la traduction que le même venait d'achever de la relation de Lucien (*BHL* 7851-7852), le tout accompagné d'une lettre pour authentifier l'une et les autres (*BHL* 7850).

Les reliques avaient été destinées par Avit à son évêque, Balconius de Braga, mais ne parvinrent jamais à destination. Orose, peut-être pour masquer son échec de chargé d'affaires théologique, s'en fit le distributeur. Il en laissa une partie à Sévère, évêque de Minorque, d'où il n'avait pu passer en Espagne en raison de l'invasion barbare qui déferlait sur la péninsule. Il en donna une autre à Évode, évêque d'Uzali en Afrique Proconsulaire, où il était revenu. L'évêque de Minorque lui avait confié le récit des miracles que les reliques du protomartyr avaient accomplis dans l'île des Baléares en amenant à la conversion plus de cinq cents juifs. Cette relation était datée du 2 février 418 [23]. Les reliques d'Uzali se montrèrent aussi fertiles en miracles que celles de Minorque. Un récit en fut fait, qui constitue un des premiers du genre en Afrique.

2. *Le recueil des miracles d'Uzali*

a) *Son contenu*

I, prol. Introduction du 1er livre (col. 833).
I, 1. Rêve prémonitoire d'une religieuse sur l'arrivée prochaine des reliques de saint Étienne à Uzali (col. 833-834).

23. *BHL* 7859. On lit dans ce document la date : « IV. Non. Febr. post consultatum Honorii XI. et Constantii II ». La relation est donc datée du 2 février 418. Pourquoi n'a-t-on pas indiqué les consuls de cette année-là, mais ceux de la précédente ? Sans doute parce que, le 2 février, on n'en connaissait pas encore le nom à Minorque.— Sur le site d'Uzali, cf. L. MAURIN et J. PEYRAS, « Uzalitana. La région de l'Ansarine dans l'antiquité ».

I, 2. Rêve prémonitoire d'une autre religieuse sur le déroulement de la cérémonie du transfert des reliques à Uzali (col. 834-835).

I, 3. Guérison d'une aveugle d'Uzali, la boulangère Hilara (col. 835-836).

I, 4. Guérison du coiffeur Concordius d'Uzali, qui s'était fracturé le pied : elle a lieu pendant un rêve (col. 836-837).

I, 5. Une femme de Memblona, sans nouvelles de son mari parti en voyage depuis trois ans, apprend son retour alors qu'elle prie dans la *memoria* du saint (col. 837-838).

I, 6. Un homme, écrasé sous les décombres de sa maison, revient à la vie, pendant que sa femme prie à la *memoria* du saint (col. 838).

I, 7. Deux prêtres d'Uzali ont un songe : l'un est chargé d'avertir l'évêque de ne pas faire un nouveau transfert de reliques dans l'*ecclesia Promontoriensis,* l'autre apprend que le transfert n'aura pas lieu ; effectivement, le peuple alerté en empêche l'évêque (col. 838-839).

I, 8. Un aveugle d'Uzali porte à ses yeux la boîte des reliques et recouvre la vue (col. 839).

I, 9. Deux prisonniers enchaînés qui invoquent saint Étienne sont libérés de leurs chaînes (col. 839).

I, 10. Un autre prisonnier enchaîné et blessé par ses chaînes est libéré et guéri (col. 839).

I, 11. Un paralytique d'Hippo Diarrhytus, nommé Restitutus, maréchal-ferrant de son état, est guéri dans la *memoria* du saint où il a passé la nuit, après huit mois de séjour (col. 839-840).

I, 12. Un paralytique d'Utique, guéri par la poussière que sa mère avait rapportée du sanctuaire, y fait à pied un pèlerinage d'action de grâce (col. 840).

I, 13. Un aveugle de Pisi, nommé Donatien, séjourne huit jours près de la *memoria*, est guéri et offre une chandelle d'argent (col. 840).

I, 14. Un boucher d'Uzali, du nom de Rusticanus, est averti en songe du retour prochain de son fils qu'il croyait tué par des brigands (col. 841).

I, 15. Un bébé mort, porté à la *memoria* du saint par sa mère, est ramené à la vie le temps d'être baptisé (col. 842).

II, 1. Introduction du 2e livre (col. 841-843).

II, 2. Après une grossesse difficile qui entraîne de graves troubles de santé, Megetia, au huitième mois, fait une fausse couche, obtient le rétablissement complet de sa santé et la conversion des membres païens de sa famille (col. 843-849).

II, 3. Assainissement de la récolte de vin gâtée de Donatus (col. 849-850).

II, 4. Dispersion d'un orage sur l'intervention de saint Étienne et peinture miraculeuse du prodige (col. 850-851).

II, 5. Sauvetage de Florent, employé des finances à Carthage, faussement accusé de prévarication (col. 851-854).

b) *Ses caractéristiques*

Du recueil des miracles d'Uzali, on peut dégager quelques caractéristiques du culte de saint Étienne. Celui-ci y reçoit fréquemment le titre d'« ami », « ami du Christ », « ami de Dieu » (I, 1, 3-6, II, 1, 2-5), « aimé de Dieu » (I, 9). Il est le « patron » d'Uzali (I, prol., 1, II, 4, 2). Certains malades le consultent comme « le très puissant médecin », « l'archiatre spirituel » (I, 12), « le médecin spirituel » (II, 2, 6) ou « l'archiatre céleste » (II, 2, 6). C'est pourquoi les gens d'Uzali le considèrent en quelque sorte comme leur concitoyen, *Stephanus Uzalensis* (I, 14). Quand il apparaît en songe à ses divers clients, c'est souvent en « beau jeune homme » (I, 14, II, 2, 6), « bien vêtu » (I, 11), « vêtu de blanc » (II, 2, 6), une autre fois, « monté sur un cheval brillant » (II, 2, 9).

Quant aux clients du saint, ils sont en majorité d'Uzali (El Alia, Tun. : I, 1-4, 6-7, 14-15 ; II, 3, 4). Deux autres sont de Memblona [24] (I, 5 ; II, 4) ; deux autres de Carthage (II, 2 et 5) ; un de Pisi [25] (I, 13) ; un d'Utique [26] (I, 12) ; un autre d'Hippo Diarrhytus [27] (I, 11). De plus, il est question de « l'église du Promontoire » (I, 7) [28]. De ces localités, la plus lointaine est Carthage, à 70 km au sud d'El Alia ; Pisi est à 30 km au nord-ouest au-delà du lac de Bizerte ; les autres sont dans la presqu'île dans laquelle se trouve Uzali.

---

24. *Memblonitanus locus* : Sidi Mohammed Farès, d'après L. TOULOTTE, *Géographie de l'Afrique chrétienne. Proconsulaire*, p. 208 ; ou peut-être El Aousdja, à 10 km au sud d'El Alia.

25. *Pisitana ciuitas* : Béchateur, au nord-ouest de Bizerte. Cf. TOULOTTE, *Ibid.*, p. 228.

26. Utique : Bouchateur, sur la Medjerda, près de son embouchure antique.

27. *Hippo Diarrhytus* : Bizerte.

28. *Promontoriensis ecclesia* : sans doute près du *Promontorium Pulchrum* des anciens, c'est-à-dire l'actuel Cap Farina ou Sidi Ali el Mekki.

On voit intervenir des clercs (I, 7; II, 4 et 5), des moines (I, 1), des religieuses (I, 1-2), la boulangère (I, 3), le boucher (I, 14), un propriétaire (II, 3) d'Uzali, une grande famille (II, 2), un employé des finances (II, 5) de Carthage, le maréchal-ferrant d'Hippo Diarrhytus (I, 11). Le saint ne fait acception ni de personnes ni de classes ni de métiers. C'est tout le peuple de Dieu qui défile dans son sanctuaire.

La moitié des interventions demandées sont des guérisons : trois cas de cécité (I, 3, 8, 13), trois de paralysie dont une avec des complications résultant d'une grossesse difficile (I, 11, 12; II, 2), une fracture du pied (I, 4). Deux fois, des personnes mortes ou crues telles sont ramenées à la vie (I, 6, 15). Trois fois, des prisonniers sont libérés de leurs chaînes (I, 9, 10). Il y a plusieurs songes, les uns prophétiques, les autres thaumaturgiques (I, 1, 2, 7, 14; II, 2, 4, 6, 9; II, 5, 2). En deux cas enfin, il s'agit de prodiges dans l'ordre de la nature : orage écarté (II, 3), vin assaini (II, 4).

Tous ces miracles ont été obtenus par la prière et la foi des fidèles. Mais la foi s'est traduite par des gestes. C'est d'abord la démarche du pèlerinage de la part de tous ceux qui peuvent se déplacer. Le paralytique Restitutus se fait même porter par les siens au sanctuaire. Les pèlerins viennent quelquefois de loin : les Carthaginois font soixante-dix kilomètres de chemin. Mais d'où qu'ils viennent, une fois au sanctuaire, ils cherchent à entrer en contact avec les reliques. Le contact est habituellement indirect : l'aveugle Hilara porte à ses yeux le voile qui recouvre les reliques (I, 4); l'aveugle d'Uzali non nommé se saisit de la boîte même qui les contient pour faire le même geste (I, 7); le paralytique d'Utique est guéri par la poussière que sa mère a rapportée de la *memoria* (I, 12); le vin gâté est assaini grâce à la bouteille qui avait été déposée dans le sanctuaire (II, 3); l'enfant mort est déposé lui aussi — le texte dit « projeté » — devant le saint (I, 15); Megetia accouche, puis est guérie de la paralysie faciale, grâce à l'huile qui brûlait dans la chapelle (II, 2).

Mais il faut souligner que le saint intervient encore plus souvent pendant le sommeil de ses clients. Le recueil parle d'une dizaine de rêves miraculeux. Ce sont, les uns, des rêves prémonitoires, les autres, des rêves thaumaturgiques. Deux religieuses voient en rêve ce qui va se passer : l'une est avertie de la prochaine arrivée des reliques (I, 1); l'autre, de l'itinéraire et du déroulement de la cérémonie de leur transfert (I, 2); en passant, nous apprenons ainsi en quoi consistaient les reliques d'Uzali : *ampulla quaedam intra se habens sanguinis quamdam aspersionem et aristarum quasi ossium significationem* (I, 1), c'est-à-dire du sang et des éclats d'os. Dans un autre cas, le rêve sert à transmettre un message de la part du saint qui refuse une nouvelle translation de ses reliques (I, 7). Dans deux autres cas, des fidèles inquiets sont rassurés sur le sort de leur proches (I, 5 et 14). Quelques rêves ont une valeur proprement thaumaturgique, c'est pendant le rêve que le malade est guéri. C'est dans ces conditions-là que le pied fracturé est rétabli (I, 4); le paralytique averti de l'amélioration partielle de son état et de la nécessité de prolonger son séjour en vue d'un rétablissement complet (I, 11); le père informé du retour de son fils (I, 14); Vitula, de la conversion de son mari (II, 2, 4); Megetia, guérie de sa paralysie faciale (II, 2, 6); Florent à son tour informé de l'identité de son sauveteur (II, 5, 2)[29].

Particulièrement intéressants sont les rêves liés à un séjour prolongé dans le sanctuaire ou à proximité de lui. Le paralytique d'Hippo Diarrhytus y resta huit mois. La première amélioration de son état survint le vingtième jour, après un rêve, au cours duquel il reçut l'ordre de s'approcher sur ses pieds *ad locum memoriae* (I, 11). Si ce *locus* est une partie de la *memoria*, le Père Delehaye avait raison de penser à un phénomène d'incubation[30]. Or, la même expression se retrouve dans le récit de la guérison de Megetia. Comme elle priait, une impulsion subite lui fit porter la main *ad locum sacratae memoriae*; par la porte qui s'était ouverte, elle introduisit sa tête à l'intérieur et la posa un moment sur l'emplacement où reposaient les reliques : *ipsa ostiola memoriae patefecit, caput suum intromisit interius, et super cubile sanctarum reliquiarum confixit* (II, 2, 6). Le paralytique d'Utique, lui aussi, à défaut de mouchoir, introduisit son bras et sa manche à travers la *fenestella memoriae* à l'intérieur de la chambre des reliques (I, 12). Ce double fait laisse supposer que l'ouverture, fermée par une porte, ne l'était pas à clef. Il permet, en outre, de distinguer différentes parties dans l'aménagement intérieur de la *memoria* : d'abord, l'espace accessible aux pélerins; ensuite, celui qui était réservé aux reliques et qui, en

---

29. Sur ces rêves d'Uzali, cf. M. DULAEY, *Le rêve dans la vie et la pensée de saint Augustin*, p. 181-200.

30. H. DELEHAYE, « Les recueils antiques des Miracles des saints », p. 83.

raison de leur nature, pouvait être une cavité modeste. Cette chambre des reliques, à son tour, se composait d'éléments divers : l'ouverture, la cavité et le lit des reliques. Tout cet ensemble est le *locus memoriae*. Précisons que la démarche de Megetia a été faite de jour, celle de Restitutus, de nuit. Si, dans les deux cas, le *locus memoriae* a été entendu par l'auteur dans le même sens, la guérison de Restitutus est effectivement due à une incubation. Le Père Delehaye dit que c'est la première attestée en Occident.

Il y a le problème de la chronologie des faits miraculeux. Voici les indices de datation que le recueil paraît comporter. Le premier miracle (I, 1) est mis en rapport avec le passage à Uzali des espagnols revenus de Jérusalem : ce qui a pu arriver soit avant soit après leur voyage à Minorque, c'est-à-dire soit en 416-417 soit en 418-419. Le deuxième miracle est certainement à mettre à cette deuxième date, puisque la lettre de l'évêque de Minorque (*BHL* 7859) fut lue à l'occasion du transfert des reliques (I, 2). Les miracles suivants sont à placer dans ce même contexte chronologique, *eiusdem diei uespere* (I, 3), *per idem tempus* (I, 4). Le récit concernant la femme de Memblona rompt cet enchaînement. Il faut cependant noter que l'épisode de l'enfant, temporairement ressuscité pour recevoir le baptême, rentre dans le cadre de la controverse que fit surgir le pélagianisme sur le baptême des petits enfants. Augustin en avait prêché dès 413 (*Serm.* 293-294, col. 1327-1348). Deux conciles africains en délibèrèrent, à Milev en 416, à Carthage en 418 (*Conc. Milev. 416*, c. 2, p. 361, 25 ss. ; *Conc. Carth. 418*, ex *Reg. Carth.* , c. 110, p. 221, 25ss. ; *Conc. Carth. 418*, ex *Reg. Carth.*, c..110, p. 221, 1324ss.). Le miracle d'Uzali montre que la question préoccupait encore certains esprits vers 418[31].

A côté des démarches privées, les reliques de saint Étienne donnaient aussi lieu à Uzali à des rassemblements périodiques pour la fête du saint. Le premier fut celui du transfert des reliques. J'ai déjà dit qu'elles étaient conservées dans une ampoule transparente, c'est-à-dire de verre[32]. Elles avaient été déposées provisoirement dans un sanctuaire suburbain en l'honneur de martyrs locaux, Félix et

---

31. Sur le baptême des enfants, cf. J.-C. DIDIER, « Le pédobaptisme au IVe siècle » ; L. VILLETTE, *Foi et sacrement. Du Nouveau Testament à saint Augustin*, p. 300-324 : Le baptême des enfants.

32. Cf. *supra*, p. 250.

Gennadius, qui ne sont pas autrement connus[33]. De là, elles furent portées en procession solennelle à l'église de la ville. L'évêque, assis sur un char, les tenait sur ses genoux. Les fidèles les accompagnaient avec des cierges et des lumières, chantant des hymnes et des psaumes. L'un de ceux-ci fut Ps 117, choisi sans doute en raison de son verset 26 : *Benedictus qui uenit in nomine Domini*, que les fidèles reprenaient en refrain. Arrivés à l'église, tous commencèrent par écouter les lectures. Avant celles de la Bible, *in ipso principio canonicarum lectionum*, fut faite celle de la lettre de Sévère, évêque de Minorque (*BHL* 7859), qui fut applaudie (I, 2). A la fin de l'office, les reliques furent déposées provisoirement dans l'abside, sur la *cathedra* épiscopale, recouvertes d'un voile (I, 3), un peu à la manière dont est représentée l'étimasie dans les figurations paléo-chrétiennes[34]. Plusieurs autres chants de psaumes sont indiqués par l'hagiographe, mais il ne dit pas dans quelles circonstances ils furent faits : Ps 75, 5 et 17 (I, 3), Ps 47, 10 (I, 4).

Nous apprenons par contre l'usage qui était fait des récits de miracles : ils étaient lus publiquement pendant l'office de l'anniversaire. Après chaque lecture, *ubi pronuntiauerat lector quamlibet historiam*, le bénéficiaire du miracle montait les degrés de l'abside pour se faire voir. Les assistants ne se contentaient pas toujours de la vue, ils venaient parfois palper le membre guéri. Tous éclataient en applaudissements et acclamations. Il n'est pas impossible que, parmi les chants d'action de grâces, ait figuré le Ps 47 déjà cité, mais cette fois-ci en raison de son verset 9 : *sicut audiuimus, ita et uidimus* (II, 1).

Reste à savoir ce que le recueil nous apprend de lui-même. Son auteur ne se nomme pas, mais il nomme l'évêque sur l'ordre duquel il a entrepris son travail : *beatissime papa Euodi, iussis paternitatis tuae studiose obtemperare curaui* (I, prol.). C'est Evodius, le compatriote, disciple, ami et correspondant d'Augustin. Après avoir été moine sous sa direction à Thagaste et Hippone, il devint évêque d'Uzali vers 395/396 et le resta jusque vers 426. Il établit, à l'exemple du maître, un monastère dans sa ville épiscopale et y menait la vie commune avec ses prêtres. Ce monastère apparaît dans

33. H. DELEHAYE, *Les origines du culte des martyrs*, p. 398.
34. *DACL* V (1922) 671-673.

le recueil (I, 1; II, 5, 2). On peut penser que notre hagiographe y était moine et qu'il appartenait au clergé diocésain, sur le compte duquel il est bien informé (I, 7; II, 4, 2; II, 5, 2)[35].

Discret sur sa personne, il est plus loquace sur son œuvre. Le Père Delehaye a noté la manière différente dont les deux livres du recueil sont traités : les miracles du premier sont racontés brièvement, ceux du second, d'une manière beaucoup plus circonstanciée[36]. C'est pourquoi, par exemple, le récit de la guérison de Megetia occupe un volume environ dix fois supérieur à la moyenne de ceux du premier livre. Le but poursuivi par l'hagiographe est plusieurs fois exprimé, et dans les mêmes termes : contribuer à l'édification des fidèles (I, prol.; I, 15, 2); accessoirement, amener les païens à la foi : *increduli, uel modo credite* (II, 2, 7). Cette intention apologétique et parénétique explique la composition habituelle des récits.

Ceux-ci visent, en effet, à dégager un enseignement moral ou religieux : foi en Dieu, confiance en saint Étienne, pureté de la conscience, persévérance dans la prière. Cet enseignement est illustré par une parole adaptée de l'Écriture. Le texte de Joël, 2, 28-30, souligne le caractère prophétique du rêve de la religieuse (I, 2); celui de Jac I, 6, la fermeté de la foi de l'aveugle (I, 3); le Ps 41, 4, les larmes de Vitula et de Megetia (II, 2, 5). Quelquefois, l'impétrant objecte à Dieu telle promesse biblique, pour lui forcer en quelque sorte la main : Ps 41, 4; Ps 113B, 2 (II, 2, 5); Ex 15, 25; 2 Rois 2, 21; Jn 2, 1-11 (II, 3). Plus fréquemment, l'hagiographe ne se donne pas la peine de farcir de citations les prières de ses malades, il les prend directement à son propre compte : ce qui montre le caractère conventionnel de la citation (I, 1, 3, 4, 8, 9; II, 4, 1; II, 5, 1). Il lui arrive même de dire clairement l'ignorance du miraculé en matière de citations scripturaires : *ignorans quod olim praedictum esset*, à propos d'Is 35, 5 (I, 3); *ignorans quia sermo Dei non est alligatus*, au sujet de 2 Tim 2, 9 (I, 9). Il fait ainsi d'autant mieux ressortir son savoir de clerc. Il a aussi une prédilection particulière pour la prophétie d'Is 35, 5-6, qu'il applique aux aveugles et paralytiques guéris par saint Étienne (I, 3, 4, 12; II, 2, 1). De même encore lie-t-il à deux reprises le Ps 120, 4 : « Il ne dort ni ne sommeille, le

35. P. MONCEAUX, *Histoire littéraire*, t. 7, p. 42-45, sur Évode d'Uzali.
36. H. DELEHAYE, « Les recueils antiques des Miracles des saints », p. 84.

gardien d'Israël », à Sag 6, 7 : « La grandeur n'en impose pas à Dieu ; petits et grands, c'est lui qui les a faits, et de tous il prend un soin pareil ». Il serait intéressant de savoir dans quelle mesure l'application de ces versets à l'activité thaumaturgique de Dieu est un lieu commun de la littérature hagiographique.

La topique hagiographique est enfin évidente dans le prologue du recueil. Deux textes de la Bible y paraissent, qui sont effectivement parmi les citations obligées des prologues hagiographiques. Il s'agit de Tob 12, 7 : « Il convient de garder le secret du roi, mais il est bon de révéler et de publier les œuvres de Dieu » ; et de Lc 19, 40 : « Je vous le dis, si eux se taisent, les pierres crieront ». Pour autant que je sache, le second texte ne figure dans aucune autre pièce du dossier occidental de saint Étienne ; mais le premier est utilisé par Sévère de Minorque de la même manière que par l'hagiographe d'Uzali, dans les premières lignes du prologue : l'un parle de rapporter les miracles du saint *communi et simplici sermone* (*BHL* 7859), l'autre, *fideliter* et *simpliciter* (I, prol.), avec la volonté d'exprimer la grandeur des faits par la simplicité du style. Ce souci du *sermo humilis* en *vocibus congruentibus* restera une des recherches dominantes de l'hagiographie postérieure [37].

Je ne dirai qu'un mot ici de la date du recueil d'Uzali, car l'hagiographe lui-même n'en parle pas. J'aborderai la question avec quelques détails à propos du rôle d'Augustin, puisque ce fut sur ses instances qu'Évode fit confectionner la relation des miracles qui s'accomplissaient dans sa cité épiscopale. Ce qui m'amène à examiner quelle action déploya l'évêque d'Hippone dans la diffusion du culte de saint Étienne en Afrique.

3. *La documentation augustinienne sur les miracles*

Deux autres séries de documents concernent le culte africain de saint Étienne et sont dues à saint Augustin lui-même. Ce sont, d'une part, des sermons qu'il prononça entre 425 et 430, de l'autre, un chapitre du livre XXII de la *Cité de Dieu*, qu'il rédigea avant 427. Voici ces documents.

---

37. G. STRUNK, *Kunst und Glaube in der lateinischen Heiligenlegende*, p. 154.

a) *Les textes*

SERMONS DE SAINT AUGUSTIN RELATIFS A SAINT ÉTIENNE

v. 425	*Serm.* 317 (col. 1435-1437) : déposition des reliques de saint Étienne à Hippone
v. 425	*Serm.* 318 (col. 1437-1440) : dédicace de la *memoria* des reliques de saint Étienne à Hippone
425/426, Pâques	*Serm.* 320 (col. 1440) : guérison de Paul de Cappadoce dans la *memoria* d'Hippone
425/426, lundi de Pâques	*Serm.* 321 (col. 1443) : promesse du *libellus* de la guérison de Paul
425/426, mardi	*Serm.* 322 (col. 1443) et *libellus* de la guérison de Paul, puis *Serm.* 323 pour commenter la guérison de Paul (col. 1443-1445), mais ce sermon est interrompu par l'effervescence que produit une nouvelle guérison, celle de Palladia, la sœur de Paul (col. 1445-1446)
425/426, mercredi de Pâques	*Serm.* 324 (col. 1446-1447) : récit du miracle d'Uzali I, 15
ap. 425/426	*Wilmart* 12, 5 (*PLS* 2, 836) : *libelli miraculorum* de saint Étienne
426/427	*Serm.* 319 (col. 1440-1442) : anniversaire de la dédicace de la *memoria* d'Hippone
426/427, 28. 9.	*Ep.* 212 : (*CSEL* 57, 372) : lettre de recommandation pour deux religieuses, porteuses de reliques de saint Étienne
426/430	*Serm.* 79 (col. 493) : *lbelli miraculorum* de saint Étienne
426/430	*Serm.* 94 (col. 580) : *libelli miraculorum* de saint Étienne

MIRACLES RAPPORTÉS DANS LA CITÉ DE DIEU, XXII, 8

386	2. Invention des saints Gervais et Protais, guérison d'un aveugle (p. 816, 37-44)

388/389	3. Guérison d'Innocent souffrant d'une fistule, à Carthage (p. 816-818, 45-135)
sans date	4. Guérison d'un cancer du sein chez une femme de Carthage, sur laquelle la première néophyte sortant du baptistère traça un signe de croix (p. 818, 136-171)
sans date	5. Guérison d'un médecin podagre le jour de son baptême, à Carthage (p. 819, 172-182)
sans date	6. Guérison d'un mime de Curubis, paralytique et hernieux des parties génitales, le jour de son baptême (p. 819-820, 183-191)
sans date	7. Exorcisme d'une maison hantée grâce à de la poussière provenant de Terre sainte et à la célébration de la messe, à Fussala, dans le domaine de Zubedi, chez le *uir tribunicius* Hesperius (p. 820, 192-214)
sans date	8. Guérison d'un jeune homme, possédé, ayant l'œil énucléé, à Hippone, dans la *villa Victoriana,* à la chapelle des saints Gervais et Protais (p. 820-821, 215-242)
sans date	9. Guérison d'une religieuse possédée, par application d'huile sainte (p. 821, 243-247)
sans date	10. Miracle en faveur de Florent, tailleur d'Hippone, dans la *memoria* des XX martyrs (p. 821, 248-264)
sans date	11. Guérison d'une femme aveugle au temps de l'évêque Praeiectus à *Aquae Tibilitanae* dans la *memoria* de saint Étienne (p. 821-822, 265-272)
sans date	12. Guérison de Lucillus, évêque de *Castellum Sinitense,* qui souffrait d'une fistule, pendant qu'il portait les reliques de saint Étienne le jour de leur transfert (p. 822, 273-278)
sans date	13. Guérison du prêtre Euchaire, souffrant

	d'un calcul, par la *memoria* de saint Étienne, portée par l'évêque du lieu, Possidius de Calama (p. 822, 279-285)
sans date	14. Conversion de Martial, de Calama, grâce aux reliques locales de saint Étienne (p. 822-823, 306-309)
sans date	15. Guérison de deux podagres de Calama grâce aux reliques locales de saint Étienne (p. 822-823, 306-309
sans date	16. Retour à la vie d'un enfant écrasé par un attelage de bœufs, à Calama, grâce aux reliques locales de saint Étienne (p. 823, 310-315)
sans date	17. Retour à la vie d'une religieuse de Caspaliana, près de Calama, grâce à une tunique qui avait touché les reliques locales de saint Étienne (p. 823, 316-320)
sans date	18. Retour à la vie de la fille du syrien Bassus, pour laquelle le père priait auprès des reliques du saint à Hippone (p. 823, 321-328)
sans date	19. Retour à la vie du fils d'Irénée, qu'on oignit avec de l'huile provenant de la *memoria* de saint Étienne d'Hippone (p. 823, 321-334)
sans date	20. Retour à la vie du fils d'Eleusinus, *uir tribunicius,* déposé inanimé dans la *memoria* des XX martyrs à Hippone (p. 823, 335-338)
sans date	21. Existence de *libelli miraculorum* à Calama et à Hippone (p. 823-824, 339-359)
sans date	22. Guérison de Petronia, *femina clarissima,* de Carthage (p. 824-825, 360-406)
425/426, dimanche et mardi de Pâques	23. Guérison de Paul et de Palladia de de Cappadoce, à Hippone, dans la *memoria* de saint Étienne (p. 825-827, 407-481).

A partir de cette double série de textes augustiniens, le culte de saint Étienne en Afrique se précise sur trois points, à savoir : A) la diffusion de ses reliques, B) la multiplication de ses miracles, C) la confection des *libelli miraculorum*. Accessoirement, Augustin nous informe sur le culte d'autres saints en Afrique, voire en dehors d'Afrique.

b) *Les informations sur les reliques*

Les reliques de saint Étienne se diffusent en Afrique dans les années qui suivent leur translation à Uzali. Si nous ne savons quel fut le centre ou l'agent distributeur de leur dispersion en Afrique, nous connaissons, en revanche, les lieux qu'elles atteignirent et les auteurs des diverses translations[38].

Les reliques d'*Aquae Tibilitanae* y furent apportées par l'évêque du lieu Praeiectus au milieu d'un grand concours de peuple (*Ciu. Dei*, XXII, 8, 11); à *Castellum Sinitense*, par l'évêque Lucillus précédé et suivi de son peuple (*Ibid.*, 12); à Calama, par l'évêque Possidius (*Ibid.*, 13); à Hippone, par Augustin lui-même (*Serm.* 317). Ces quatre villes sont en Numidie, Hippone sur la côte méditerranéenne, les trois autres sur la route intérieure qui relie Carthage à Constantine en remontant la vallée du Bagradas, qui est l'actuelle Medjerda. Du *Castellum Sinitense*, Augustin disait qu'il était « voisin d'Hippone », *quod Hipponiensi coloniae uicinum est* (*Ciu. Dei, Ibid.* 12, p. 822, 273) : cette ville n'a pas été identifiée de nos jours. Par contre, Hammam Meskoutine est l'ancienne cité d'*Aquae Tibilitanae*, Calama se survit dans l'actuelle Guelma. Ces deux villes sont en Algérie à l'est de Constantine, Hippone au nord.

Les évêques responsables des transferts sont contemporains d'Augustin. L'ucillus de *Castellum Sinitense* n'est connu que par la *Cité de Dieu* : il vivait encore avant 427, quand Augustin rédigea le livre XXII de cet ouvrage. L'évêque d'*Aquae Tibilitanae* porte un nom à la graphie instable dans les documents : Praeiectus, Proiectus, Praefectus. Il prit part du côté catholique à la Conférence de Carthage en 411. Lui aussi est encore vivant quand Augustin le mentionne dans la *Cité de Dieu*. Possidius de Calama est le plus célèbre des

38. H. DELEHAYE, *Les origines du culte des martyrs*, p. 81, 123.

trois : compatriote, disciple et ami d'Augustin, il est en rapports suivis avec le maître, depuis 397 où il devient évêque, jusqu'en 430 où il l'assiste sur son lit de mort. Il écrit sa biographie et dresse sa bibliographie. On perd sa trace en 437, quand les Vandales l'expulsent d'Afrique[39]. Ce sont les reliques de Calama qui connurent, en Numidie, la plus grande célébrité : leur *memoria* en cet endroit était la plus ancienne, les miracles qu'elles firent les plus nombreux, les *libelli* les concernant le recueil le plus volumineux, au nombre de plus de soixante-dix. De plus, il est intéressant de savoir que Possidius a été de cette poignée d'évêques numides qui ont eu le plus à faire à Carthage et ont eu le plus d'occasions de rencontrer, soit Évode d'Uzali, son condisciple, soit même Orose. Serait-ce lui qui a diffusé en Numidie les reliques de saint Étienne ? Pour tentante que soit la réponse affirmative, il n'est pas possible de la donner comme sûre.

Nous sommes, en revanche, bien renseignés sur les reliques d'Hippone. La chronologie de leur culte et l'aménagement archéologique de leur *memoria* ont été fort bien étudiés[40]. C'est pourquoi, il suffira ici de résumer les données de ces études et de les préciser sur certains points.

Au cours de l'hiver 424-425, des reliques du protomartyr furent déposées dans la cathédrale d'Hippone. Le *Serm.* 317 fut prononcé à cette occasion : il y est question du « peu de poussière qui a réuni un peuple nombreux » (*Serm.* 317, 1, col. 1436), cette poussière est celle de la « chair de saint Étienne répandue en divers endroits » (*Ibid.*). Peut-être convient-il de rappeler que Perler a supposé un voyage d'Augustin à Uzali dans l'été 424. Serait-ce à cette occasion qu'il y a obtenu d'Évode et rapporté à Hippone des reliques de saint Étienne ? La question, en tout cas, est légitimée par la succession des faits[41].

Quoi qu'il en soit, Augustin fit construire une *memoria* par le diacre Eraclius et à ses frais (*Serm.* 356, 7, col. 1577) et la consacra entre le 19 juin et les premiers jours de juillet d'une année qui semble

39. Sur ces évêques, cf. J.-L. MAIER, *L'épiscopat de l'Afrique*, p. 350, 385, 386.
40. Cf. *supra*, p. 179-181.
41. O. PERLER, *Les voyages de saint Augustin*, p. 380; VERBRAKEN, p. 138. O. PERLER, « L'église principale », p. 131, n. 172.

être celle de 425[42]. En janvier 426, quand Augustin fit le *Serm.* 356, elle brillait dans sa nouveauté aux yeux des fidèles : *opera eius lucent*, disait Augustin de la construction d'Eraclius, *coram oculis uestris* (col. 1577). Nous apprenons dans le même sermon que le même diacre avait fait bâtir une hôtellerie (*Ibid.* 10, col. 1578) : elle aura été rendue nécessaire par l'afflux des pélerins. Pendant les fêtes de Pâques qui précédèrent ou suivirent, la chapelle neuve fut le théâtre de deux retentissantes guérisons (*Serm.* 320 et 322-323). Quand Augustin les rappelle dans la *Cité de Dieu* avant 427, il dit que « la *memoria* existait à Hippone à peine depuis deux ans » (XXII, 8, 21, p. 824, 353).

Dans la description de la *memoria*, faite par Mgr Perler, qu'il me soit permis de relever un détail. Un autel avait été élevé dans ce sanctuaire. A son propos, Augustin emploie la même expression que pour celui qui recouvrait la tombe de Cyprien à Carthage. Je juxtapose les textes augustiniens concernant les deux autels :

Tombe de Cyprien :	*Reliques d'Étienne :*
Non enim aram constituimus, tamquam Deo, Cypriano; sed Deo uero aram fecimus Cyprianum (*Denis* 14 fin, p. 70, 1-3).	In isto loco non aram fecimus Stephano; sed de reliquiis Stephani aram Deo (*Serm.* 318, 1, col. 1438).

On peut supposer que l'autel de saint Étienne se dressait au-dessus du tombeau des reliques, comme à Carthage celui de Cyprien surmontait le tombeau du martyr. On connaît en Afrique un certain nombre d'installations de ce genre, dans lesquelles l'autel se dresse au-dessus de la fosse aux reliques ou au-dessus de la tombe du martyr[43].

Mgr Perler ajoute une autre supposition à la première. Il parle d'une « ouverture... pratiquée dans les parois ajourées de l'autel... (qui) permettait de regarder à l'intérieur ou même d'y passer des objets que l'on croyait sanctifiés par le contact du tombeau »[44]. La

42. C. LAMBOT, dans *Revue bénédictine*, t. 59 (1947), p. 107; VERBRAKEN, p. 149.

43. N. DUVAL, *Les églises africaines*. I : *Sbeitla*, p. 189, et fig. 194-195, 206-208. *DACL* V (1922) 1355-1357. Sur la *fenestella* d'Uzali, cf. *supra*, p. 131-132, 179-181.

44. P. PERLER, « L'église principale », p. 325.

fenestella confessionis n'est pas dans les textes d'Augustin, alors qu'elle est dans le recueil d'Uzali[45]. Elle est donc attestée pour la *memoria* de saint Étienne à Uzali, mais est purement hypothétique dans celle d'Hippone.

Il est aussi une question de vocabulaire qu'il faut éclairer à propos des reliques. Celles-ci sont désignées sous différents noms dans nos textes. Le plus fréquemment ils parlent de *reliquiae* et de *memoria*. Si la première appellation n'offre pas de difficultés en raison de sa fréquence dans l'antiquité au sens de restes de n'importe quel défunt et à cause de sa survivance dans les langues modernes, on a déjà pu constater la polyvalence de la seconde. J'en ai traité à propos des monuments funéraires et de la commémoraison liturgique[46]. *Memoria* se rencontre aussi au sens de relique. Je n'ai pas relevé le mot avec ce sens dans le recueil des miracles d'Uzali. Il figure, au contraire, plusieurs fois dans celui de la *Cité de Dieu*. Voici les textes les plus clairs :

> 1. Nam etiam nunc fiunt miracula in eius (Christi) nomine, siue per sacramenta eius, siue per orationes uel *memoria* sanctorum eius (*CC* 48, 815, 25-26).
>
> 11. Ad Aquas Tibilitanas episcopo adferente Praeiecto martyris gloriosissimi Stephani *memoria(m)* (*Ibid.* 821, 265-266).
>
> 12. Memorati *memoriam* martyris, quae posita est in castello Sinitensi... eiusdem loci Lucillus episcopus portabat (*Ibid.* 822, 272«275).
>
> 13. ... per *memoriam* supradicti martyris, quam Possidius illo (Calamae) aduexit episcopus (*Ibid.* 280-281).

Dans tous les passages, il est question de *memoria,* soit comme d'un moyen par lequel sont obtenus les miracles (1 et 13), soit comme d'un objet transportable, voire portable (11-13). Dans le premier cas, on peut hésiter au sujet de la nature du moyen mis en parallèle avec les prières des saints. Dans les trois autres cas, il ne peut être question de transporter une *memoria* funéraire : il s'agit donc de reliques ou de reliquaire, le reliquaire contenant les reliques. Il y a d'autres textes où le sens du mot reste ambigu et peut

---

45. Cf. *supra*, n. 43.
46. Cf. *supra*, p. 125-133, 154, 197-198, 250-251.

s'entendre d'un monument funéraire ou de reliques : ainsi la *memoria* des saints Gervais et Protais d'Argentarium : *memoriam in hoc loco positam* (*Serm.* 286, 4, col. 1299).

Quoi qu'il en soit, les reliques sont les moyens dont Dieu se sert, aux yeux d'Augustin, pour opérer les miracles contemporains.

c) *Les informations sur les miracles*

De ces miracles, Augustin constitue le dossier dans un but apologétique. A ses yeux, on ne peut nier le miracle, puisque Dieu continue à en faire. Si l'on croit à ceux du Christ, c'est parce qu'ils sont consignés dans l'Écriture et que la lecture publique en est faite aux fidèles. C'est pourquoi, afin qu'on ajoute foi aux miracles actuels, il convient de leur donner une semblable publicité et de les conserver à la mémoire de la postérité. Ces considérations apologétiques introduisaient le dossier qu'Augustin a incorporé à la *Cité de Dieu* (XXII, 8, 1, p. 815-816, 1-36).

Les miracles y sont pour moitié des guérisons corporelles. Certaines relevaient de la chirurgie à laquelle le malade ne voulait ou ne pouvait pas recourir. Il en est ainsi des fistules dont furent guéris le carthaginois Innocent sur une simple prière (*Ibid. 3),* l'évêque de *Castellum Sinitense* au seul contact des reliques (*Ibid.* 12) ; ou du cancer de la dame de Carthage, disparu après un signe de croix tracé sur la malade par une néophyte (*Ibid.* 4). D'autres maladies nécessitent des traitements, mais sont guéries au moment du baptême pour le podagre de Carthage (*Ibid.* 5) et le mime de Curubis (*Ibid.* 6) ; ou au contact des reliques pour l'aveugle de Milan (*Ibid.* 2) ou celle d'*Aquae Tibilitanae* (*Ibid.* 11) ; ou grâce à la prière (*Ibid.* 3 et 8). Un certain nombre de miraculés qu'on avait cru morts, furent ramenés à la vie au contact d'un objet ayant touché les reliques (*Ibid.* 13, 16-19) ou après avoir été déposés eux-mêmes à proximité (*Ibid.* 20). Il y a des cas de possession diabolique (*Ibid.* 8-9) et de maison hantée (*Ibid.* 7), qui requièrent aussi la présence de reliques ou l'onction avec l'huile provenant du sanctuaire, pour que le démon soit chassé. Dans un épisode, le martyr intervient pour réparer un dommage matériel subi par un pauvre (*Ibid.* 10). Un autre concerne une conversion facilitée par des fleurs ayant orné le sanctuaire du protomartyr et placées la nuit sous l'oreiller du malade (*Ibid.* 14). Les deux derniers miracles de ce recueil furent accordés, l'un à une dame de Carthage, Petronia (*Ibid.* 22), qui a été identifiée parfois, mait à tort, avec Megetia dont la guérison est rapportée dans le recueil d'Uzali[47]; l'autre fut fait au bénéfice de Paul et de Palladia de Césarée de Cappadoce (*Ibid.* 23) et fit aussi l'objet de diverses prédications d'Augustin, ainsi que d'un *libellus* conservé (*Serm.* 320-323, col. 1440-1446). Il faut ajouter au dossier de la *Cité de Dieu* un miracle rapporté par Augustin en deux sermons (*Serm.* 323-324, col. 1445-à-1447) et qui provient du dossier d'Uzali : il s'agit de l'enfant catéchumène, ressuscité pour être baptisé[48].

En résumé, le dossier augustinien comporte neuf guérisons, six résurrections, trois possessions diaboliques, une conversion et une réparation de dommage matériel. La proportion des miracles est diverse chez Augustin et à Uzali. Ici, il était question de trois prisonniers libérés; il n'y en a pas là-bas. Augustin connaît, en revanche, des possessions, absentes à Uzali. Pour le reste, les miracles sont du même genre, mais différents en nombre : ainsi les résurrections sont notablement plus fréquentes chez Augustin qu'à Uzali. Ces divergences reflètent, à n'en pas douter, des préoccupations différentes chez les auteurs de ces deux recueils : j'y reviendrai. Les ressemblances pourraient, au contraire, trahir des besoins semblables de la part des malades.

En attendant, notons les principales caractéristiques de ces faits. La provenance sociologique des malades n'est pas toujours précisée par Augustin. Il ne nous dit rien de celle de l'aveugle de Milan (*Ciu. Dei,* XXII, 8, 2). S'il le dit ailleurs « citoyen fort connu dans la ville », cette notoriété ne classe pas notre homme parmi les notables de la ville, elle pouvait être due à l'infirmité du miraculé, « atteint de cécité depuis plusieurs années »[49]. De la même manière avait été bien connu des gens de Jérusalem le miraculé de la Belle-Porte, que les apôtres Pierre et Jean avaient guéri (Act 3, 10).

Nous sommes aussi réduits à des conjectures au sujet du jeune

---

47. H. DELEHAYE, « Les recueils antiques des Miracles des saints », p. 82, n. 2. L'identification proposée par Lenain de Tillemont ne peut être retenue. Rien n'empêche des guérisons semblables de personnes de condition sociale semblable dans une ville comme Carthage.

48. Cf. *supra*, p. 247 (I, 15), 249, 251.

49. AUG. *Conf.* IX, 7 : Quidam plures annos caecus civis civitatique notissimus (p. 209, 6).

homme de *Victoriana villa :* ses occupations en font un homme de la campagne, peut-être un ouvrier agricole du domaine ; mais d'autre part, son oncle, qui lui remet l'œil énucléé en place et le lui bande, ne paraît pas dépourvu de connaissances médicales — ou alors c'est un guérisseur — (*Ciu. Dei,* XXII, 8, 8). Nous sommes dans la même ignorance au sujet d'autres bénéficiaires de miracles : le jeune homme d'Hippone guéri par un évêque non nommé (*Ibid.* 9) ; la vierge de la même ville, dont nous ne pouvons dire si elle était ou non vierge consacrée (*Ibid.* 9) ; l'aveugle d'*Aquae Tibilitanae* (*Ibid.* 11) ; les podrages de Calama (*Ibid.* 15) ; l'enfant d'Audurus (*Ibid.* 16) ; Bassus, le syrien d'Hippone (*Ibid.* 18). Cela fait un total de neuf personnes dont l'appartenance sociale n'a pas été indiquée par Augustin, ni peut-être connue de lui.

Elle l'est, par contre, en d'autres cas. La carthaginoise Innocentia est *de primariis ciuitatis* (*Ibid.* 4) ; le païen Martial de Calama, *in ordine suo primarius* (*Ibid.* 14). Des frère et sœur de Cappadoce, Augustin emploie une formule plus prudente, n'ayant eu aucun moyen de vérifier leurs dires : ils n'étaient pas de condition obscure, *suorum ciuium non ignobiles* (*Ibid.* 23). Une autre dame de Carthage, comme *clarissima femina,* appartient à l'ordre sénatorial (*Ibid.* 22) ; deux hommes sont de rang tribunicien, l'un à Fussala (*Ibid.* 7), l'autre à Hippone (*Ibid.* 20)[50]. Le malade de Carthage, chez qui Augustin loge à son retour d'Italie, avait été avocat de la préfecture vicariale d'Afrique (*Ibid.* 3)[51] ; un autre, qui portait le titre de *collectarius,* exerçait les fonctions d'agent de change (*Ibid.* 19). On voit aussi un ancien mime de Curubis (*Ibid.* 6)[52], et un tailleur d'Hippone (*Ibid.* 10) : celui-ci est considéré comme pauvre et n'a pas de quoi s'acheter un manteau neuf. Il n'y a pas à s'étonner que les médecins soient nombreux dans des histoires de malades, mais s'ils

50. *Vir tribunicius,* ancien tribun. Les tribunicii romains étaient d'anciens tribuns de la plèbe et appartenaient au Sénat. Sous le Bas-Empire, c'étaient la plupart du temps d'anciens officiers. Ils appartenaient à l'ordre sénatorial ou équestre.

51. Le *uicarius praefecturae praetorii* était, depuis Dioclétien, à la tête d'un diocèse civil. Le *comes Africae* dirigeait la préfecture d'Afrique et avait sous sa juridiction la Proconsulaire, la Byzacène, la Tripolitaine, la Numidie, les Maurétanies Sitifienne et Césarienne, alors que la Tingitane relevait du diocèse d'Espagne.

52. On sait que les acteurs ou mimes devaient renoncer à leur art en devenant chrétiens. Cf. HIPPOLYTE, *Tradition apostolique*, p. 39 ; CYPRIEN, *Ep. 2, CSEL*, 3, 467-469 ; V. SAXER, *Vie liturgique*, p. 111-112. C'est pourquoi Augustin parle d'un « ancien mime ».

sont plus habituellement mis en scène comme praticiens (*Ibid.* 3, 12, 22), ils peuvent l'être comme malades (*Ibid.* 5). Augustin semble plus attentif que l'hagiographe d'Uzali aux questions de diagnostic, de soins, de médicaments et d'opérations. A-t-il puisé son information seulement auprès des miraculés ? Il semble bien qu'il ait consulté aussi les hommes de l'art. Peut-être même a-t-il lu des traités de médecine. C'est ce que peut suggérer le récit du cancer d'Innocentia : le médecin, en effet, avait déconseillé à la malade l'opération, si elle ne voulait pas aller au devant de la mort immédiate ; de plus, il est question de l'*Hippocratis definitio* (*Ibid.* 4).

Outre les laïcs, voici les gens d'Église. Les évêques sont nombreux. L'un d'eux, qui n'est pas nommé (*Ibid.* 9), pourrait être Augustin lui-même : il n'aura pas voulu se faire passer pour thaumaturge. De toute façon, il intervient explicitement en de nombreuses autres circonstances (*Ibid.* 2«4, 6«7, 21«23). Mais on rencontre aussi Ambroise de Milan à propos de l'invention des saints Gervais et Protais (*Ibid.* 2) ; Saturninus (*Ibid.* 3) et Evodius (*Ibid.* 22), les deux évêques qui se sont succédés sur le siège d'Uzali[53] ; Aurelius de Carthage, à l'époque où il n'était encore que diacre (*Ibid.* 3) ; Maximin, qui est l'évêque donatiste de *Castellum Sinitense* et fut ramené au catholicisme par Augustin vers la fin du IVe siècle (*Ibid.* 7)[54], sans parler des évêques, auteurs de translations de reliques, dont il fut question précédemment[55].

Les prêtres interviennent avec beaucoup plus de discrétion. Ils sont nommés rarement : ainsi connaît-on Gulosus de Carthage (*Ibid.* 3), qui ne paraît dans aucun autre document ; ou Euchaire, le prêtre espagnol de Calama, victime d'un calcul et qui fut ramené à la vie (*Ibid.* 13). D'autres demeurent anonymes, comme celui de Fussala, qui célébra l'eucharistie dans la maison hantée de Zubedi (*Ibid.* 7) ; ou celui d'Hippone, qui joua un rôle dans la guérison d'une vierge (*Ibid.* 9).

Apparaissent enfin des religieuses : les unes vont chanter l'office dans la chapelle des saints Gervais et Protais de *Victoriana villa*

---

53. J.-L. MAIER, *L'épiscopat de l'Afrique*, p. 412, 305 : Évode est le successeur de Saturninus, de 400 environ à 426 au moins.
54. *Ibid.*, p. 360.
55. Cf. *supra*, p. 258-259.

(*Ibid.* 8) ; une autre vit à Caspaliana, où elle bénéficie d'un miracle (*Ibid.* 17).

Pour fixer sur une carte ces faits miraculeux, notre géographie de la Numidie devrait pouvoir s'affiner, alors qu'il est habituellement impossible d'identifier les localités anciennes avec celles d'aujourd'hui. Ainsi devons-nous nous résoudre à ignorer où exactement se trouvaient Fussala et le domaine de Zubedi (*Ibid.* 7) ; où, dans la colonie d'Hippone, se situait la *villa Victoriana* (*Ibid.* 8) ; où, près de Calama, le lieu dit Caspaliana (*Ibid.* 17). Ce qui reste néanmoins frappant, c'est la densité des sanctuaires de campagne dans la région d'Hippone et de Calama : leur implantation et leur multiplication sont dues à l'activité pastorale d'Augustin et de Possidius ; que le patronage de ces lieux ait été confié aux saints Gervais et Protais, ainsi qu'à saint Étienne, nous révèle quelque chose de la dévotion personnelle de ces deux pasteurs.

Quant à la chronologie des miracles, il faut observer que leur plus petit nombre est daté ou datable : en 386, guérison de l'aveugle de Milan (*Ibid.* 2) ; en 388/389, de l'ex-avocat de Carthage (*Ibid.* 3) ; le dimanche et le mardi de Pâques 425/426, de Paul et Palladia de Cappadoce à Hippone (*Ibid.* 23 ; *Serm.* 320-323). Deux périodes sont donc fermes, une première de 386 à 389, une seconde en 425 et 426. Il est probable, voire sûr, qu'il faille attribuer à la dernière tous les miracles obtenus à Hippone et à Calama grâce aux saints Gervais et Protais, d'une part, à saint Étienne, de l'autre. Ce qui fait basculer la majorité des miracles dans cette dernière période et s'accorde avec ce que nous avons observé de l'attention prêtée par Augustin aux faits miraculeux[56] : cette attention ne s'est éveillée pour de bon, qu'à partir du moment où les miracles se sont multipliés en Afrique par suite de la diffusion des reliques de saint Étienne ; bien plus, à l'exemple de ces dernières, les reliques d'autres martyrs ont connu une faveur nouvelle ; en particulier à Hippone celles des XX martyrs, dans la région d'Hippone celles des saints Gervais et Protais.

On aura remarqué qu'Augustin a introduit dans son recueil des miracles qui ne passèrent point par l'intermédiaire des saints : miracles dûs à la prière (*Ciu. Dei,* XXII, 8, 3), miracles liés au baptême (*Ibid.* 4-6), miracles obtenus par l'eucharistie (*Ibid.* 7). Ce

56. Cf. *supra*, p. 232.

sont eux qu'annonçait la formule : *miracula per sacramenta Christi* (*Ibid.* 1). C'est comme s'il avait voulu souligner tacitement deux lignes de force de son apologétique du miracle : il vient de Dieu, il est donné à la foi.

Plus souvent cependant, entre l'homme et Dieu, les reliques servent de relais, mais un relais dont la conception même a été assouplie. C'est ainsi qu'à côté des reliques au sens traditionnel, à savoir, de parcelles, même infinitésimales, provenant d'un corps saint et qui sont les plus nombreuses, il y a des reliques au sens large : telle cette poussière de Terre sainte, prélevée sur le lieu de la résurrection du Christ (*Ibid.* 7). On ne peut manquer d'être surpris de cette extension de sens : après l'avoir condamnée chez les donatistes avec le culte qu'ils rendaient à ces reliques[57], voici qu'Augustin prend à son compte et l'idée et la pratique. Cette « terre sainte », il accepte de la déposer dans une chapelle construite tout exprès à cet effet et de l'offrir à la vénération des fidèles : c'est la récupération par l'Église des idées et des gestes de la dévotion privée. L'exemple est frappant du changement de mentalité qui se produit chez les pasteurs.

Quant aux reliques corporelles, comme par le passé, elles agissent par contact ou simplement par irradiation de leur présence. Le jeune homme de *Victoriana villa* est porté dans la chapelle des saints Gervais et Protais (*Ibid.* 8), l'enfant de Calama dans celle de saint Étienne (*Ibid.* 16), le fils d'Eleusinus dans celle du protomartyr à Hippone (*Ibid.* 20) : ils reviennent à la vie en présence des reliques. Quant au contact, il est rarement aussi direct que dans le cas de Lucillus qui portait les reliques (*Ibid.* 12). Habituellement, il est obtenu par l'intermédiaire de tout objet qui a séjourné dans la *memoria* : l'huile qui a brûlé dans les lampes (*Ibid.* 9, 19), les fleurs qui ont touché les reliques (*Ibid.* 11) ou orné l'autel (*Ibid.* 14), le vêtement qui a été déposé sur le reliquaire (*Ibid.* 13, 17). Tous ces objets ont transmis au miraculé la « vertu » des reliques, car celles-ci conservent la puissance du saint.

Avant de terminer cette analyse du miracle dans le dossier d'Augustin, il faut dire que le rêve y intervient moins souvent que dans le dossier d'Uzali : sur vingt récits de miracles, quatre

---

57. Cf. *supra*, p. 238.

seulement contiennent la mention explicite du rêve, dans deux autres il est question d'un état ressemblant au sommeil, dans un autre il est parlé de révélation.

Voici d'abord les rêves explicites : les corps des saints Gervais et Protais furent « révélés par songe » à Ambroise (*Ibid.* 2)[58] ; Innocentia est « avertie en rêve » de la démarche qu'elle devra faire pour être guérie (*Ibid.* 4) ; c'est aussi « par un rêve » que le démon écarte au contraire du baptême et de la guérison le médecin podagre de Carthage (*Ibid.* 5) ; c'est enfin « une claire vision » qui prévient le frère et la sœur de Césarée de Cappadoce de leur guérison dans les trois mois, et la sœur en particulier voit en rêve Augustin qu'elle ne connaît pas, ils sont ainsi exhortés d'avoir à faire le voyage d'Hippone (*libellus* joint au *Serm.* 322). Un autre malade, de Calama celui-là, apprend « par révélation » la cure qu'il doit entreprendre pour être guéri, *per reuelationem audiuit* (*Ciu. Dei,* XXII, 8, 15). Martine Dulaey est d'avis qu'Augustin emploie le mot révélation pour désigner un « rêve clair » au sens d'une « vision »[59]. On remarque que notre malade « a entendu » sa révélation. Enfin, la guérison des deux malades de Cappadoce se produit alors qu'ils sont tous les deux dans un état « semblable au sommeil » : *dormienti simillimus,* est-il dit de Paul ; *conlapsa similiter uelut in somnum,* de Palladia (*Ibid.* 23). Dans le *libellus* de sa guérison, Paul dit qu'il a perdu conscience et qu'à son réveil il ne savait pas où il avait été : *subito cecidi ; alienatus autem a sensu, ubi fuerim nescio ; post paululum assurrexi* (*libellus* joint au *Serm.* 322, col. 1444).

Le cas des deux frères met en vive lumière la difficulté qu'il y a pour un esprit d'aujourd'hui à apprécier correctement la nature des affections dont souffraient les malades cités par Augustin. Certaines d'entre elles relèveraient aujourd'hui de la pathologie mentale autant que physiologique et leur guérison ne serait pas reconnue par le bureau des constatations de Lourdes. Pour Augustin, le problème était différent. Il diagnostiquait le miracle avec les moyens de son

---

58. P. COURCELLE, *Recherches sur les « Confessions »*, p. 145 et n. 5 ; M. DULAEY, *Le rêve dans la vie et la pensée de saint Augustin*, p. 148 et n. 36. Cf. les textes suivants d'AUG. *Conf.* IX, 7 : per uisum aperuisti (p. 208-209) ; *Ep. ad cath. de secta donat.* XIX, 50 : Ambrosio fuerint reuelata (*Ciu. Dei*, XXII, 8, 2 : episcopo Ambrosio per somnium reuelata (p. 816).

59. M. DULAEY, *Le rêve dans la vie et la pensée de saint Augustin*, p. 112.

temps. Était miraculeux ce qui échappait aux possibilités des médecins contemporains ; miraculeuses aussi, les coïncidences inexplicables, voire seulement inexpliquées. Ce qui l'incite fortement à ranger ces phénomènes dans la catégorie des miracles, c'est leur contexte religieux ; et pour le mettre en relief, il montre les rapports entre miracle et foi. Les miracles évangéliques, écrit-il, « c'est pour produire la foi qu'ils ont été diffusés, mais c'est quand ils l'ont produite, qu'on peut mieux les réaliser » : *haec ut fidem facerent innotuerunt ; haec per fidem quam fecerunt multo clarius innotescunt* (*Ciu. Dei,* XXII, 8, 1, p. 815, 21-23). De la même manière, les miracles contemporains invitent à la foi à laquelle ont rendu témoignage les martyrs, puisqu'ils sont obtenus grâce aux reliques des martyrs. En effet, « en témoignage de leur foi, ils donnèrent d'abord la preuve d'une étonnante patience, afin que pût suivre, dans leurs miracles, celle de leur grande puissance » *pro hac fide praecessit eorum mira patientia, ut in his miraculis tanta ista potentia sequeretur* (*Ibid.* XXII, 9, p. 827, 8-9). Mais, comme dans le cas des miracles de l'Évangile, il est nécessaire que ceux des martyrs connaissent une suffisante publicité.

d) *Leurs informations sur les* libelli miraculorum

Les *libelli miraculorum* sont destinés à leur assurer cette publicité. Augustin explique en effet qu'il a voulu qu'ils fussent rédigés, afin que, comme pour les miracles anciens, ainsi ne se perdît point la connaissance des récents. Il a introduit chez lui l'usage des *libelli.* Il n'y a pas encore deux ans, dit-il, qu'existe à Hippone la *memoria* de saint Étienne, et bien que des relations n'aient pas été écrites de tous les miracles qui s'y sont produits, que déjà s'est constitué un recueil de près de soixante-dix libelles. A Calama, où la *memoria* du saint fut érigée plutôt et où les miracles furent plus fréquents, les libelles étaient incomparablement plus nombreux (*Ibid.* XXII, 8, 21). Cela veut dire probablement que, dès qu'il fut averti des miracles qui se faisaient chez son disciple, il lui recommanda d'en rédiger des procès-verbaux.

Il intervint dans le même sens auprès d'Évode d'Uzali. Là-bas, dit-il, la *memoria* de saint Étienne était encore beaucoup plus ancienne que celles de Numidie : effectivement, je pense qu'elle peut dater des années 418-419[60]. Pourtant, continue Augustin, « la coutume des libelles n'y existait pas » dès l'origine. « Lors d'un récent séjour, *cum nuper illic essemus,* avec l'accord de l'évêque du lieu, Augustin exhorta la clarissime Petronia à rédiger le récit de sa récente guérison, pour qu'il pût être lu aux fidèles. Ce qu'elle fit volontiers » (*Ibid.* 22, p. 824, 363-369). Augustin suppose que son intervention donna le branle, à Uzali aussi, à la rédaction des *libelli miraculorum*. Si le séjour auquel Augustin fait allusion est bien celui qu'Othmar Perler place en 424[61], c'est donc cette année-là au plus tôt que fut commencée la rédaction du recueil d'Uzali. Encore faut-il renouveler à ce propos la remarque relative à la composition des deux livres du recueil : les différences rédactionnelles qui les caractérisent imposent la conclusion qu'ils ont été écrits en deux campagnes. Cette rédaction successive est d'ailleurs explicitement affirmée par l'auteur dans l'introduction au second livre (*Mir. S. Steph.* II, 1, col. 841). Vouloir préciser que le premier livre date du second semestre, le deuxième d'après la Saint-Étienne de la même année 424, serait sans doute de la pure conjecture. Je suis par contre d'avis que même la rédaction du premier n'a été entreprise qu'après la visite d'Augustin à Uzali, c'est-à-dire après l'été 424.

Quant à la manière dont Augustin en use dans la confection de son propre dossier, il faut observer, pour commencer, qu'il semble avoir été constitué à partir de diverses sources : ses souvenirs personnels, les déclarations orales des miraculés et des relations écrites.

Le miracle de Milan arriva, dit Augustin, *cum illic essemus* (*Ciu. Dei,* XXII, 8, 2, p. 816, 37). Pierre Courcelle a montré à quel point les souvenirs d'Augustin ont été soumis aux variations sur ce sujet[62]. La guérison de l'ancien avocat de Carthage appartient aussi au trésor de l'expérience personnelle d'Augustin : *ubi nos interfuimus et oculis nostris adspeximus*. Lui et ses amis, revenus d'Italie et avant de rejoindre Thagaste, reçurent l'hospitalité chez Innocent pendant l'hiver 388-389 : *ipse susceperat et aput eum tunc habitabamus*. Il avait donc des raisons très personnelles de se laisser impressionner par la guérison de son hôte. Plus, il eut l'occasion d'en évoquer le

60. Cf. *supra*, p. 246, 254.
61. O. PERLER, *Les voyages de saint Augustin*, p. 380.
62. P. COURCELLE, *Recherches sur les « Confessions »*, p. 148-153.

souvenir avec un autre témoin, Aurèle, encore diacre au moment du miracle, plus tard évêque de Carthage : *cum quo recordantes mirabilia operum Dei, de hac re saepe conlocuti sumus, eumque ualde meminisse, quod commemoramus, inuenimus* (*Ibid.* 3, p. 816, 47, 50-51, p. 817, 101-102). Nous n'avons pas les moyens de contrôler si, à ce sujet, les souvenirs des deux amis se précisèrent avec le temps.

D'autres récits font écho à l'audition du miraculé. Dans le cas d'Innocentia, Augustin fut choqué de la clandestinité dans laquelle on avait laissé la guérison de son cancer. Il en fit la remarque à l'intéressée elle-même qui raconta alors en public toute l'histoire de sa guérison, Augustin étant présent (*Ibid.* 4, p. 819, 160-171). Nous ne savons pas de quelle façon la guérison du podagre de Carthage parvint aux oreilles d'Augustin (*Ibid.* 5). Par contre, pour celle du mime de Curubis, cela est de nouveau précisé. Ayant appris la guérison de cet homme, Augustin pria Aurèle de le faire venir à Carthage, pour entendre de sa propre bouche le récit du miracle (*Ibid.* 6, p. 819, 188-191). C'est encore du *uir tribunicius* Hesperius lui-même qu'il apprend l'histoire de la maison hantée de Zubedi et de quelle manière les esprits en furent chassés (*Ibid.* 7, p. 820, 207-208). Dans d'autres cas, nous pouvons deviner quels furent les informateurs d'Augustin, à savoir ses collègues dans l'épiscopat (*Ibid.* 11-17) ou les fidèles de son diocèse (*Ibid.* 8-10). Nous ne pouvons affirmer, cependant, qu'il ait alors toujours recouru à l'audition des miraculés, bien que cela reste probable pour les faits qui se sont passés dans le ressort de sa juridiction épiscopale.

Reste enfin le cas des récits augustiniens reposant sur une relation écrite. Un seul est sûr et vérifiable, c'est la guérison de Paul de Césarée de Cappadoce. Son histoire fit l'objet d'une relation écrite qui est la seule conservée (*libellus* joint au *Serm.* 322, col. 1443-1445). Elle a été immédiatement commentée dans un sermon qui suivit sa lecture (*Serm.* 323) et substantiellement reprise dans la *Cité de Dieu* (XXII, 8, 23). Cette documentation abondante rend possible une confrontation de la source utilisée avec les textes dans lesquels Augustin l'a utilisée. Mais auparavant il faut présenter le libelle.

Celui-ci nous est conservé parce qu'il a été incorporé par la tradition manuscrite à un sermon de la semaine pascale. De plus, la série de ces sermons, du dimanche au mercredi de Pâques 425/426, nous est elle-même parvenue. Cet ensemble nous donne une idée précise et vivante de la suite des événements. Le miracle eut lieu le dimanche de Pâques peu avant la messe solennelle du jour. Augustin s'excuse de ne pas faire un long discours à cette occasion : le jeûne et les fatigues de la veillée pascale, l'émotion toute récente provoquée par le miracle ne disposent ni l'évêque à le prononcer ni les fidèles à l'écouter; il se contente de les inviter à regarder le miraculé et à remercier Dieu pour le miracle (*Serm.* 320). Le lundi de Pâques, même brièveté : Augustin annonce seulement, pour le jour même la rédaction du libelle, pour le lendemain sa lecture publique (*Serm.* 321). Effectivement; le mardi de Pâques, il fait monter les deux frères, Paul qui est guéri, Palladia qui est toujours malade, en haut des marches de l'estrade pendant la lecture du libelle. Après cette lecture, il commente le récit, invite à l'action de grâces et entreprend de raconter un miracle récemment entendu à Uzali. Pendant ce sermon, Palladia était retournée à la *memoria* où elle est guérie à son tour. Les clameurs des spectateurs de ce nouveau miracle interrompent la prédication que, le calme revenu, Augustin conclut en dix lignes (*Serm.* 322-323 avec libelle intercalé). C'est dans cet ensemble parfois mouvementé, pris au vol par les sténographes, que s'insère le compte rendu rédigé par Paul ou sous sa dictée. Voici son titre :

> *Exemplaire du libelle donné par Paul à l'évêque Augustin.* Je te prie, bienheureux seigneur et père Augustin, de faire lire en public au peuple saint mon libelle que voici, que j'ai rédigé sur ta demande (col. 1443).

Suit le récit de son histoire, depuis la malédiction maternelle qui fut à l'origine de la maladie des dix frères et sœurs, jusqu'à la guérison de Paul le jour de Pâques. C'est ce récit de Paul qu'il convient de comparer avec les textes d'Augustin où il est utilisé.

Les textes augustiniens concordent avec le libelle sur l'origine du miraculé : Césarée de Cappadoce; sur l'origine de sa maladie, à savoir la malédiction maternelle; sur le nombre des frères et sœurs atteints par le mal, dix; sur les dates du séjour à Hippone de Paul et de sa sœur : depuis quinze jours avant Pâques (ici la concordance est littérale); sur les circonstances concrètes de la guérison (le jour de Pâques, dans la *memoria* de saint Étienne, le malade tient les grilles du lieu saint, tombe en catalepsie pour peu de temps et se relève guéri : ici encore, il y a concordance sur certains mots). Il est donc certain qu'Augustin a utilisé le libelle dans la rédaction de la *Cité de Dieu*, XXII, 8, 23. Comment s'expliquent, dès lors, les différences entre cet ouvrage et sa source ?

Dans le libelle manquent, en effet, certains détails donnés dans la *Cité de Dieu*. Par exemple, si le libelle parle de l'injure faite à sa mère par le fils aîné, il ne dit rien de la mort récente du père qui fut à l'origine de cette injure. Dans la *Cité de Dieu*, au contraire, on lit que la mère était veuve depuis peu : *recenti patris eorum obitu destituta* (p. 825, 413). De même, si l'un et l'autre texte signalent que les frères et sœurs étaient dix et que tous avaient été maudits par leur mère, seule la *Cité de Dieu* précise qu'ils étaient sept frères et trois sœurs (*Ibid*. 411). D'où Augustin a-t-il tiré ces précisions ? Il le dit. Le jour de Pâques, il invita le miraculé à sa table et apprit de lui tous les détails de sa malheureuse histoire : *nobiscum homo prandit et diligenter nobis omnem suae fraternaeque ac maternae calamitatis indicauit historiam* (*Ibid*. p. 826, 450-452). De même aussi, la *Cité de Dieu* donne-t-elle des précisions circonstantielles sur le miracle lui-même, alors qu'elles ne se trouvent pas dans le libelle. Le miracle se produisit le dimanche matin : *ipso die dominico mane* (*Ibid*. p. 825, 426-427). La cathédrale commençait à se remplir de monde : *cum iam frequens populus praesens erat* (*Ibid*.). Sont décrites les réactions des spectateurs du drame : pendant la catalepsie du malade, les uns veulent intervenir, les autres déconseillent l'intervention. Lorsque le malade se redresse guéri et que les clameurs éclatent, on vient avertir l'évêque ; celui-ci, assis à la sacristie, se préparait à faire son entrée liturgique : *sedebam iam processurus* (*Ibid*. p. 826, 437-438). Les spectateurs accourent l'un après l'autre pour lui annoncer l'événement. En dernier lieu, on lui amène le miraculé qui s'agenouille devant lui, est relevé par lui pour le baiser de paix. Puis se fait la procession d'entrée au milieu des acclamations : *Deo gratias ! Deo laudes !* (*Ibid*. p. 826, 443). La messe commence selon les rites coutumiers : *salutaui populum, scripturarum diuinarum sunt lecta sollemnia* (*Ibid*. p. 826, 444, 446). Suit un sermon bref.

Les raisons d'être de ces nouvelles différences sont obvies. Les unes tiennent au malade. Celui-ci, préoccupé par son état, n'a prêté aucune attention aux circonstances secondaires du miracle, à l'heure précise en particulier, ou à l'affluence déjà grande ; de plus, il n'a pu voir ce qui se passait autour de lui pendant qu'il avait momentanément perdu conscience. Ces détails, Augustin les a appris des spectateurs. Les autres lui viennent de ses propres souvenirs, particulièrement tout ce qui le concernait lui-même et le déroulement de la cérémonie. Il faut d'ailleurs souligner la quantité de détails concrets qu'Augustin nous livre ainsi sur la liturgie de la messe pour tous les rites qu'elle comporte jusqu'au sermon. A ce point de vue, il n'y a guère qu'un autre texte d'Augustin qui soit plus riche que la *Cité de Dieu* en informations sur la messe à Hippone au temps de notre évêque, c'est son *Ep.* 29 à Alype de Thagaste.

Si maintenant nous faisons la même comparaison entre le libelle et le sermon qui le suivit immédiatement pour le commenter (*Serm.* 323), les différences sont encore plus frappantes. Le sermon ne retient d'abord du libelle que les éléments qui se prêtent à une exhortation morale : la malédiction proférée par la mère inspire à Augustin un bref développement sur les devoirs réciproques des parents et des enfants ; le miracle lui suggère une invitation à l'action de grâces. En deuxième lieu, Augustin néglige dans ce sermon tout ce qui ne concerne pas les deux miraculés d'Hippone : ainsi ne dit-il pas un mot du miracle de Ravenne dont bénéficia l'aîné des frères, mais mentionne-t-il le pèlerinage que Paul et Palladia firent à saint Étienne à Ancône. Pourquoi parle-t-il d'Uzali et tient-il à le faire, puisque le récit interrompu le mardi par la guérison de Palladia est repris et achevé le lendemain ? Pour mener à son terme la démonstration qu'il avait entreprise du caractère providentiel de la guérison des deux frères à Hippone et non ailleurs. Ils n'ont pas été guéris à Ancône où la *memoria* de saint Étienne existait pourtant avant même la révélation de ses reliques à Jérusalem. Ils ne l'ont pas été davantage à Uzali où se produisaient pourtant des miracles plus grands : à ce point du raisonnement intervient l'épisode de la résurrection du catéchumène qui meurt pour de bon après avoir été baptisé. Pourquoi ces retards ? C'est que Dieu a réservé la guérison des deux frères pour l'édification des gens d'Hippone.

On voit le changement d'attitude d'Augustin suivant le public auquel il s'adresse et selon le but qu'il se propose. Dans la *Cité de Dieu,* il sait qu'il atteint un public universel qu'il veut convaincre de l'existence de miracles contemporains : aussi relève-t-il dans le libelle de Paul tout ce qui est propre à en démontrer la réalité et l'universalité. Le peuple d'Hippone, dont il a la charge pastorale, il veut l'instruire des leçons du miracle qui vient de se produire sous ses yeux. On est néanmoins frappé dans les deux cas par l'attitude qu'il adopte à l'endroit des miracles au cours de cette dernière étape de sa vie et qui révèle ses préoccupations convergentes d'auteur et de pasteur. S'il a changé d'idées sur ce point en comparaison de celles de sa jeunesse, il le doit à ses expériences personnelles et surtout pastorales. Il vaudra la peine de replacer cette évolution particulière dans le cadre général de l'enrichissement, des nuances et des repentirs dont bénéficièrent sa pensée et son action en matière de culte des morts, des martyrs et des reliques au contact de la mentalité et de la pratique populaires.

Il faut mettre en lumière un trait du dossier d'Augustin qui me paraît caractéristique de sa manière. Il pourrait passer inaperçu si on ne considérait le dossier qu'en lui-même ; il ressort vivement de la comparaison avec le recueil d'Uzali. Il se situe au niveau de la rédaction et concerne l'usage de la topique hagiographique. Alors que dans les deux dossiers le nombre des épisodes miraculeux est à peu près égal, l'usage de l'Écriture diffère sensiblement de l'un à l'autre. Augustin en use avec une extrême sobriété. Dans le dossier d'Uzali, j'ai noté la citation d'une parole de l'Écriture dans la très grande majorité des récits. La citation est choisie de manière à illustrer l'enseignement moral ou religieux que l'auteur prétend tirer du miracle[63]. Il le fait avec une telle régularité que la citation tourne au système. Dans le dossier de la *Cité de Dieu,* j'ai relevé deux citations bibliques : l'allusion à la résurrection de Lazare à propos de la guérison du cancer d'Innocentia (*Ibid.* 4, p. 819, 160) ; la citation d'Act 7, 59, dans le récit de la conversion de Martial (*Ibid.* 14, p. 822, 275). Encore n'est-il pas exclu que ces paroles bibliques puissent avoir été dans la bouche des miraculés, tellement elles correspondent à leur situation. L'Écriture est employée plus souvent dans les sermons d'Augustin relatifs à la guérison de Paul : Ps 115, 15, lieu commun de la prédication augustinienne en l'honneur des martyrs et pièce propre de certaines de leurs célébrations liturgiques, intervient dans le sermon bref du lundi de Pâques (*Serm.* 321, col. 1443) ; Sir 3, 11, illustre l'enseignement sur les devoirs réciproques des parents et des enfants (*Serm.* 323, col. 1445) ; Ps 31, 5, est invoqué dans le même sermon tout juste après la guérison de Palladia (*Ibid.* col. 1446). Cette fréquence plus grande de la citation

63. Cf. *supra*, p. 253-254.

scripturaire, mais avec modération, dans les sermons augustiniens s'explique par les traditions propres au genre homilétique. C'est pourquoi, on peut dire que, dans le recueil d'Uzali, l'apologétique est celle d'une chaire de campagne, et dans la *Cité de Dieu*, d'une chaire d'université.

Il est d'autant plus surprenant, dès lors, de voir se glisser dans cette dernière un thème du folklore universel, celui de l'anneau trouvé dans le ventre du poisson. Dans le récit d'Augustin, il est le symbole de l'assistance miraculeuse, obtenue par l'intercession des martyrs. Grâce à elle, Dieu a renversé le sort du vieux tailleur pauvre, qui, de surcroît, venait de perdre son manteau : jusqu'à présent, la malchance s'acharnait sur le malheureux; mais sa foi transforme d'abord les adolescents moqueurs — cet âge est sans pitié ! — en aides compatissants; elle lui fait en outre trouver beaucoup plus que le prix d'un manteau neuf, avec l'argent du poisson vendu au cuisinier, et de l'anneau d'or trouvé dans le poisson. Et c'est le cuisinier qui tire la leçon de l'histoire en disant au tailleur : Voici comment t'ont vêtu les Vingt martyrs ! On ne peut plus joliment habiller un fait vécu en conte (*Ciu. Dei,* XXII, 8, 10, p. 821).

Qu'il s'agit d'un fait réel dans sa substance, semble résulter de divers indices. Le lieu est connu : c'est à Hippone, la chapelle des Vingt martyrs, qualifiée de *celeberrima,* et que le récit d'Augustin suggère même de localiser à proximité de la mer[64]. Les principaux acteurs, tous deux d'Hippone, sont nommés : Florent, pieux et pauvre, vivant de son métier de tailleur; Catosus, cuisinier, bon chrétien lui aussi. Augustin nous apprend même le prix d'un manteau vers 426 : cinquante *folles,* monnaie de bronze valant le double du denier pendant le Bas-Empire. Tous ces détails ne sont pas inventés et peuvent garantir l'exactitude matérielle du fait.

Il n'empêche que celui-ci évoque un thème littéraire connu, auquel a été donné le nom générique d'« anneau de Polycrate »[65]. C'est, en

64. O. PERLER, « L'église principale », p. 328.

65. P. SAINTYVES, *Essais de folklore biblique. Magie, mythes et miracles dans l'Ancien et le Nouveau Testament* (Paris, 1922), p. 365-404 : L'anneau de Polycrate et le statère dans la bouche du poisson. Les textes réunis par l'auteur sont classés par lui en fonction de catégories préconçues. Je retiens et remets en ordre chronologique ceux de l'antiquité, auxquels j'ajoute deux exemples non cités par lui et tirés du Talmud et de Grégoire de Tours.

effet, l'histoire de Polycrate, tyran de Samos, qui est la plus anciennement attestée : Hérodote, qui avait séjourné dans l'île un siècle plus tard, la rapporta vers 480 avant Jésus-Christ[66]. Selon son récit, le sacrifice de l'anneau devait détourner de Polycrate un sort finalement contraire; l'anneau retrouvé dans le poisson confirme la destinée fatale du tyran jusqu'à présent heureux. Dans l'évangile de Mt 17, 24-27, c'est une autre filière du thème qui apparaît : celle du poisson miraculeux qui vient apporter à point nommé un secours indispensable. La tradition talmudique accentue la couleur moralisante et religieuse de l'histoire. Les rabbins du IIIe et IV siècles après Jésus-Christ citent le cas d'un tailleur juif de Rome que Dieu récompense de sa fidélité à observer la fête de la réconciliation, en lui faisant découvrir une perle précieuse dans le poisson qu'il vient d'acheter[67] : ici, le poisson n'est plus le porteur d'un secours à l'homme indigent mais d'une récompense pour l'homme pieux. On remarque que l'homme d'Hippone, dont Augustin nous raconte l'histoire, est à la fois tailleur, pauvre et pieux. Piété et pauvreté sont enfin les traits mis en relief dans un miracle rapporté par Grégoire de Tours parmi ceux de saint Martin. Un pêcheur de Loire n'avait fait aucune prise pour la fête de l'Épiphanie : pas même de quoi se payer un verre de vin en l'honneur de la fête. Il en fit le reproche à saint Martin. Or, pendant qu'il faisait traverser le fleuve à un voyageur, un poisson vint miraculeusement s'abattre dans sa barque. Il le vendit au marché et en tira suffisamment pour boire le jour de la fête[68]. C'est donc dans une tradition littéraire, voire hagiographique, que prend place le récit d'Augustin.

Henri-Irénée Marrou avait donné les récits de miracles de la *Cité de Dieu* comme des modèles de narrations que « le plus brillant rhéteur n'aurait pas désavouées »[69]. A l'appui de sa thèse, il suggère la comparaison entre deux récits du miracle de Paul : celui qui fut écrit ou dicté par le miraculé lui-même (*libellus* joint au *Serm.* 322), celui qui est dû à Augustin (*Ciu. Dei,* XXII, 8, 23)[70]. Leur

66. HÉRODOTE, *Hist.* III, 40-43, éd. « Les Belles Lettres » (Paris, 1940), p. 67-69; PLIN. SEN. *Hist. nat.* XXXVII, 2, 4, éd. Littré, t. 2, p. 537-538, résume Hérodote.

67. H. STRACK et P. BILLERBECK, *Das Evangelium nach Matthäus erläutert aus Talmud und Mischna*, 2e *éd.* (Munich, 1956) p. 675.

68. GREG. TUR. *Mir. S. Mart.* III, 16 (*MGH*).

69. H.-I. MARROU, *Saint Augustin et la fin de la culture antique*, p. 60.

70. *Ibid.*, n. 3.

confrontation littéraire permet de « mesurer tout l'effort d'art dépensé » par celui-ci et qui est absent de celui-là. C'est pourquoi, un des arguments de l'apologiste du miracle qu'est Augustin, est précisément dans son art de le conter et de tresser autour d'un fait réel une guirlande de réminiscences bibliques et littéraires.

*
* *

De l'enquête sur le culte des reliques dans l'Afrique paléochrétienne, se dégagent quelques conclusions.

1. Au niveau des faits, la progression des témoignages est significative :

au IIIe siècle, deux témoignages ;
au IVe (305-402), neuf ;
au Ve (420-430), dix-neuf.

Mis en rapport avec les faits de l'histoire générale du christianisme, le secret de ces chiffres peut être déchiffré. La grande persécution de 304 a donné au développement du culte un premier branle dont l'effet s'est fait sentir tout au long du IVe siècle. Celui-ci est suivi, pendant les vingt premières années du Ve, par une curieuse période de rémission, pour laquelle aucun texte littéraire ne nous est parvenu sur ce sujet. C'est une période d'incubation, si nous la comparons à la troisième décennie du siècle (420-430), au cours de laquelle, mieux qu'à une éclosion, nous assistons à l'explosion des préparations antérieures. J'ai essayé d'évaluer comparativement ces chiffres [71]. Mais il faut encore les remettre dans le mouvement de l'histoire dont ils sont les repères. De même que la persécution de Dioclétien explique le premier branle du IVe siècle, ainsi la période de rémission qui va de 402 à 420 est-elle pour l'Afrique le temps de la réflexion et de la maturation, au cours de laquelle on apprend et assimile les événements cultuels dont l'Italie est le théâtre : invention des saints Gervais et Protais à Milan, culte de saint Félix de Nole à Cimitile. De même aussi l'ébranlement décisif qui secoue l'Afrique à partir de 420 et se prolonge jusqu'en 430, doit-il être mis en relation

---

71. Cf. *supra*, p. 232.

avec la diffusion dans ce pays des reliques de saint Étienne. Cette localisation historique met en meilleure lumière les faits du culte des reliques et en éclaire vivement les dimensions. Elle permet aussi une meilleure compréhension de ses composantes.

2. Dès lors, en effet, qu'on cherche à expliquer ces faits, on ne peut manquer d'être frappé par l'importance exceptionnelle qu'il faut accorder à quelques moments privilégiés de l'histoire du culte africain des reliques : la période de 305-313 où se produisent les premiers heurts entre catholiques et donatistes précisément à propos des reliques; celle de 420-430, lorsque la diffusion de celles se saint Étienne donne l'occasion à l'Église catholique de « récupérer » des pratiques cultuelles précédemment taxées de donatisme[72]. L'importance de ces deux périodes au point de vue cultuel n'est pas seulement due à la mise en œuvre d'une pastorale, mais encore à la mise en jeu d'une doctrine : c'est en effet toute une conception de l'Église qui est en cause entre les deux partis. Du même coup apparaît le rôle déterminant des personnalités qui ont su exploiter ces situations pour promouvoir des intérêts d'Église, de parti ou de personnes, en eux-mêmes indépendants du culte qui en bénéficia. C'est pourquoi, il n'est pas indifférent de se demander dans quelle mesure l'attitude d'Augustin à l'égard de ces problèmes, outre les intentions pastorales et apologétiques qu'elle découvre, traduit un changement dans ses convictions personnelles. Je reviendrai sur ces problèmes, quand il faudra évaluer dans son ensemble l'action d'Augustin en matière de culte des morts, des martyrs et des reliques.

72. Cf. *infra*, p. 288-291, le développement de cette conclusion.

CONCLUSION

L'étude consacrée au culte funéraire pendant l'époque classique a mis en œuvre des textes beaucoup plus abondants et diversifiés. J'avais calculé que ce matériel documentaire représentait un volume environ dix fois plus important que celui de l'époque primitive [1]. Il est aussi beaucoup plus complexe. C'est pourquoi, il a fallu le reclasser suivant les destinataires du culte qu'il témoignait. Son importance vient enfin du fait qu'il s'agit avant tout d'un matériel augustinien : nous savons qu'Augustin, plus que tout autre en Occident, a contribué à y fixer les normes et à régulariser les pratiques de ce culte funéraire.

Comme pour la première partie, je voudrais pour celle-ci conclure en soulevant deux sortes de questions : 1) qu'est-ce que la chronologie des faits enregistrés par les documents littéraires des IVe-Ve siècles nous révèle, non seulement sur l'évolution du culte funéraire, mais encore sur la mentalité des fidèles qui le pratiquaient et sur l'action des pasteurs qui le présidaient ? ; 2) quels contacts peut-on déterminer pendant cette même période entre les données littéraires et les monuments archéologiques de ce culte ?

I. L'ÉVOLUTION DU CULTE FUNÉRAIRE AUX IVe ET Ve SIÈCLES

1. *Les faits cultuels*

En ce qui concerne le culte des morts, l'évolution n'est sans doute qu'apparente. Cette apparence tient à la plus grande quantité des

1. Cf. *supra*, p. 232.

documents. D'évolution réelle, je ne crois pas qu'il y en ait eu, sauf sur un point qui est d'importance, à savoir la coutume des banquets funéraires. Augustin en parle surtout à propos du culte des martyrs, mais il est sûr que leur origine est à chercher dans le culte des morts. Or, cette coutume, à laquelle les chrétiens de la période primitive avaient renoncé [2], est admise pour ceux du IVe siècle. Elle est une tolérance accordée vers 313 au caractère « charnel » des nombreux convertis du paganisme. Ne réussissant pas à l'extirper ni de l'un ni de l'autre culte, les pasteurs ont cherché à transformer ces banquets en agapes fraternelles [3] : exemple de la « condescendance » pastorale des chefs d'Église à l'endroit de la religion populaire. Je reviendrai incessamment sur ce problème.

La même impression résulte des textes concernant les monuments funéraires : la coutume en a sûrement toujours existé ; il n'en reste pas moins que la multiplicité des allusions augustiniennes à des constructions funéraires de prestige [4] doit être le signe de l'entrée massive dans l'Église des membres de la classe dirigeante et aisée : devenus chrétiens, ils ont transporté dans les cimetières chrétiens leurs habitudes païennes, assez éloignées de la simplicité évangélique de la période primitive. Si triomphalisme il y a eu, ce fut celui d'une classe, et non celui de l'Église. Caractéristique de cette évolution pourrait être l'apparition, dans le vocabulaire chrétien au IVe siècle, du mot *memoria* pour désigner ces monuments funéraires. Là encore, la réaction d'Augustin, si elle a été somme toute tolérante, fut toujours de rappeler la primauté des valeurs spirituelles et intérieures sur le déploiement du luxe et du faste funéraires.

C'est surtout dans le culte des martyrs que les progrès sont les plus notables. Quelques faits permettent d'en rendre compte. Si la célébration de l'anniversaire et la lecture des Actes et Passions des martyrs locaux semblent remonter à l'époque primitive [5], d'autres faits de culte sont d'apparition plus tardive. Je réserve au paragraphe suivant toutes les manifestations cultuelles qui sont de caractère architectural, pour me limiter ici à celles qui sont d'ordre liturgique. Deux d'entre elles retiennent l'attention : les lectures et les chants

2. *Ibid.*, p. 47-52, 100-102.
3. *Ibid.*, p. 146-147.
4. *Ibid.*, p. 127.
5. *Ibid.*, Ch. I, p. 77.

bibliques d'une part, la place des martyrs dans les diptyques de l'autre.

Au sujet des premières, j'avais laissé ouvert le problème de leur ancienneté dans le chapitre sur Cyprien. J'avais en particulier posé le problème à propos de deux péricopes bibliques : Deut 13, 2-20, et Jn 16, 20-22; la première me paraissait propre aux martyrs; la seconde, commune aux morts et aux martyrs[6]. A comparer ces deux passages scripturaires avec les données augustiniennes, les conclusions sont négatives : ils ne sont pas dans l'usage liturgique au temps d'Augustin. Cela veut dire que le répertoire des lectures et des chants en l'honneur des martyrs s'est constitué après Cyprien et que même au temps d'Augustin il n'est pas définitivement fixé. J'ajoute, à titre de vraisemblance, une deuxième conclusion : ce répertoire s'est peut-être constitué à partir des *Testimonia* de Cyprien et dans la ligne de toute cette tradition littéraire selon laquelle la théologie du martyre s'élabore à l'aide de ces florilèges bibliques.

En ce qui concerne la lecture des diptyques, elle montre un autre progrès. Les martyrs y sont placés *meliore loco* en comparaison des autres défunts, y compris les défunts ayant appartenu à la catégorie des vierges ou à la hiérarchie[7]. C'est la preuve la plus claire et la plus autorisée de la conscience que l'Église a prise du rôle des martyrs comme intercesseurs des vivants auprès de Dieu. Il est possible que cette prise de conscience soit une acquisition récente, au moins dans sa formulation, au temps du docteur d'Hippone. Ainsi s'expliquerait l'insistance qu'il met à l'inculquer aux fidèles.

Quant au culte des reliques, si les premiers signes de son existence datent des lendemains immédiats de la grande persécution, les progrès décisifs n'ont été obtenus que dans les dernières années d'Augustin et, en partie, grâce à son intervention régulatrice.

Telle semble être l'évolution propre de chacune de ces formes du culte funéraire. Si on les considère maintenant dans leurs rapports réciproques, il apparaît qu'elles se sont dégagées l'une de l'autre selon un processus à la fois logique et chronologique.

Le culte des morts est la matrice originelle dont les deux autres sont sortis, parce que le culte funéraire chrétien est issu lui-même, d'une certaine manière, de traditions antérieures au christianisme,

6. *Ibid.*, p. 112.
7. *Ibid.*, p. 163, 199-200.

païennes et juives[8] : le montrent les banquets et les monuments funéraires. Ces traditions, il est vrai, ont été christianisées par l'apport d'éléments proprement chrétiens : célébration de l'anniversaire de la mort à la place de celui de la naissance, offrande du sacrifice eucharistique, comme nous le voyons déjà chez Tertullien.

Le culte des martyrs s'est différencié de celui des morts par étapes successives et progressives dans l'organisation de l'anniversaire. A l'époque de Tertullien remonte la lecture des Actes et Passions des martyrs; avant Cyprien, l'usage de la célébration eucharistique sous la présidence de l'évêque. Mais ce n'est, semble-t-il, qu'à l'époque d'Augustin, comme en témoigne le concile d'Hippone de 393, que s'organise le répertoire des lectures hagiographiques et bibliques, ainsi que des chants psalmiques de cette célébration anniversaire. Enfin, c'est sous l'action d'Augustin que les banquets en l'honneur des martyrs ont été, sinon entièrement et partout supprimés, du moins diminués dans leurs fréquences et débarrassés de leurs excès.

Le culte des reliques s'est détaché de celui des martyrs comme le culte des martyrs s'est séparé de celui des morts. Ici, le détachement n'est pas seulement conceptuel et rituel. Il a d'abord été réel, dans la mesure où ont été détachés des restes des martyrs des parcelles plus ou moins importantes et nombreuses et que celles-ci ont été à leur tour subdivisées. On sait avec quelle rapidité le mouvement, une fois déclenché, s'est propagé en Afrique.

2. *La mentalité religieuse*

Dès lors qu'on cherche à expliquer ces faits, on ne peut manquer d'être frappé par l'importance exceptionnelle qu'il faut accorder à quelques moments privilégiés de cette histoire et aux personnages qui lui ont servi de révélateurs.

Il est évident que la décision de Constantin d'accorder à l'Église la liberté du culte et bientôt les faveurs du pouvoir, non seulement a profondément modifié les conditions dans lesquelles l'Église exerçait son culte, mais a encore transformé à la longue les idées que les fidèles se faisaient de ses pratiques.

---

8. Th. KLAUSER, « Christlicher Märtyrerkult, heidnischer Heroenkult und spätjüdische Heiligenverehrung ».

La mentalité chrétienne de l'époque primitive s'exprime à travers des rites et des mots, mais ceux-ci véhiculent des conceptions mélangées. Le rituel funéraire est le langage officiel de l'Église. Il exprime sa foi en la miséricorde de Dieu à l'égard de ceux qui sont restés fidèles à l'engagement de leur baptême et qui sont morts dans la paix du Seigneur. C'est en même temps un langage traditionnel dont la formulation est parfois archaïque. De son côté, le vocabulaire des hommes d'Église, qu'ils soient les défenseurs de celle-ci comme Tertullien ou ses chefs comme Cyprien, exprime toujours cette même foi en la résurrection, avec la certitude que, pour le chrétien fidèle, elle sera bienheureuse, voire que le bonheur éternel est le partage immédiat et définitif du martyr même avant la résurrection. Ce langage, de formulation beaucoup plus individuelle, est aussi moins figé, plus accueillant aux progrès de la réflexion théologique et parfois en avance sur celui de la liturgie. C'est toujours un langage savant. Ainsi s'explique sans doute que, reproduisant une formule de la prière eucharistique d'intercession, Cyprien emploie une expression déjà dépassée par la théologie du martyre au temps de Tertullien. Le langage des hagiographes révèle une troisième forme de réflexion. Car les Passions du IIIe siècle ne se contentent pas de placer les martyrs auprès de Dieu, elles attribuent aussi à certains un rôle d'intercession en faveur des autres. C'est ainsi que Perpétue joue ce rôle déjà de son vivant en faveur de son frère Dinocrate (*Passio Perpetuae*, 7-8, p. 72-74), mais Cyprien le remplit après sa mort en faveur de ses imitateurs et disciples (*Passio Mariani*, 6, p. 53, 8-54, 6). Le martyr a, pour ainsi dire, atteint sa stature définitive d'intermédiaire entre les fidèles et Dieu. On voit donc comment ces divers langages expriment des conceptions, non seulement différentes, mais en progrès l'une sur l'autre, d'un progrès chronologique allant de pair avec l'enrichissement doctrinal.

Pour apprécier correctement ce progrès, il faut tenir compte de l'origine et, par conséquent, de l'autorité dont il émane. La prière liturgique, je l'ai dit, exprime la pensée officielle et traditionnelle de l'Église, mais d'une tradition attardée et dépassée, sous la poussée des circonstances, par la pensée des docteurs. Lorsque Tertullien polémique contre païens, juifs, hérétiques, voire orthodoxes ; ou lorsque Cyprien s'adresse à son Église et nous renseigne sur le culte des martyrs, ils écrivent comme membre ou chef de cette Église et comme témoins de ses usages cultuels et de ses conceptions sur l'au-delà ; mais précisément, ils témoignent aussi du décalage qui se produit entre le culte et la pensée, celle-ci s'accommodant aux circonstances plus vite que celui-là ; et en raison de leur autorité doctrinale ou hiérarchique, leurs écrits acquièrent valeur normative et officielle à leur tour. Lorsque l'hagiographe de la *Passio Mariani* fait l'éloge des martyrs, c'est sans doute pour laisser aux fidèles un exemple capable de les instruire, c'est aussi pour exalter la gloire de compagnons d'épreuves dont un lui est parent : c'est l'affection qui le fait parler. Si, de plus, il montre les martyrs au paradis goûtant les joies du *refrigerium*, il développe un lieu commun de la littérature ancienne et parle en hagiographe. Si enfin, parmi ces martyrs, il donne à Cyprien le rôle de coryphée, non seulement il transpose dans l'au-delà le personnage que l'évêque avait joué durant sa vie, mais il se joint lui-même au chœur de ceux qui ont chanté les louanges de son martyre : il interprète l'opinion de son temps. Quoi qu'il en soit, qu'il réagisse en homme de cœur, de lettres ou de la rue, il ne parle jamais, à l'inverse des docteurs, au nom de l'Église ou de sa tradition ; il exprime une mentalité courante. Ainsi apparaissent, dans la théologie et le culte des martyrs de ce siècle, trois niveaux de pensée et d'expression qu'on aurait tort de confondre : la doctrine et la formulation de la prière liturgique, témoins d'une pensée archaïque selon laquelle les martyrs ont besoin de la prière de l'Église ; l'enseignement des docteurs qui les voient « sous l'autel de l'Agneau » et admis en la présence de Dieu ; les idées et les attitudes populaires, pour lesquels les martyrs, ayant échappé totalement et définitivement à la condition commune des morts, intercèdent pour nous auprès de Dieu.

Je note enfin qu'au même IIIe siècle les idées sur le culte funéraire ont avancé d'un pas inégal selon les lieux : ainsi, au temps de la persécution de Dèce, les Carthaginois semblent en avance sur les Romains, non en ce qui concerne les morts qui reçoivent ici et là des soins semblables, mais pour ce qui est des martyrs que les Africains inscrivent dans un registre et célèbrent annuellement, alors que les auteurs romains ne nous apprennent rien de semblable sur le compte de leur Église.

Si maintenant nous passons au IVe siècle, le changement de mentalité ne peut manquer de nous frapper. Je ne reviens pas sur les étapes de ce changement depuis la fin de la dernière persécution jusqu'à la mort d'Augustin[9], mais je prends appui sur ces faits pour en dégager les conclusions présentes sur la mentalité religieuse de l'époque classique et les réactions qu'elle suscita chez Augustin en matière de culte funéraire. J'y distingue deux interventions différentes d'Augustin, la première au sujet des banquets en l'honneur des martyrs, la deuxième au sujet du culte des reliques. L'action d'Augustin est révélatrice, non seulement de ses propres sentiments, mais de la mentalité des fidèles dont il se sent responsable.

J'ai traité du premier problème dans un article sur la mort et le culte des morts dans l'œuvre d'Augustin[10]. Je résume ici les conclusions de l'article. Alors qu'au temps de Tertullien et de Cyprien la participation des chrétiens aux banquets funéraires était exceptionnelle et immédiatement sanctionnée par des peines graves[11], à l'époque d'Augustin elle était courante et tolérée par l'Église. Augustin le dit expressément dans l'*Ep.* 29. Il présentait la tolérance comme récente, accordée à l'époque de la paix de l'Église, et comme provisoire, *interim*, en attendant que fût christianisée la mentalité des nouveaux convertis venus en masse du paganisme après 313. La tolérance signifiait sans doute qu'aux yeux des pasteurs qui l'avaient accordée, ce rite païen avait perdu toute signification idolâtrique pour équivaloir à une coutume sans contenu religieux spécifique. Ambroise lui-même parle d'apparences de paganisme. Quant à Augustin, il insiste sur les dangers moraux du rite. Quoi qu'il en soit, en 392-395, le prêtre d'Hippone estimait la christianisation des mœurs suffisamment avancée pour croire possible la suppression de cette survivance païenne. Ce progrès des mœurs, il est permis de le mettre en doute, à voir les résultats de la campagne d'Augustin. Avec les rites traditionnels, n'avait pas été éliminé le substrat plus ou moins conscient des croyances d'outre-tombe qu'ils véhiculaient[12]. Dans ces croyances, Augustin distingue au moins deux niveaux, quand il reconnaît que seuls « les meilleurs d'entre les chrétiens ne pratiquent pas » ces rites (*Ciu. Dei*, VIII, 27, p. 248, 19-20) : celui d'une élite, les meilleurs ; puis celui de toute la masse

---

9. Cf. *supra*, p. 239-244, 258-262.

10. V. SAXER, « Mort et culte des morts à partir de l'archéologie et de la liturgie dans l'œuvre de saint Augustin ».

11. *Ibid.* p. 43.

12. *Ibid.*, p. 72-73.

des fidèles qui continuent à pratiquer les rites ancestraux ; ceux-ci continuent à partager d'une certaine manière la croyance en une survie plutôt matérielle des morts, ceux-là se sont imprégnés du spiritualisme évangélique et pratiquent aussi à l'égard des morts un culte en esprit et en vérité. C'est pourquoi, ne pouvant les supprimer, les évêques auxquels Augustin donne le ton cherchent à christianiser les rites, en transformant les banquets en repas de charité au bénéfice des pauvres. Ainsi ce sont en réalité trois niveaux qui apparaissent dans cette mentalité funéraire des IVe-Ve siècles : celui de la masse, encore très proche des conceptions païennes ; celui de l'élite, conforme à l'évangile ; enfin un niveau intermédiaire dans lequel s'exerce la condescendance des pasteurs à l'égard des idées encore charnelles de leurs fidèles. Il est vrai que même au niveau le plus élevé, il n'est pas toujours facile de faire le départ entre les motivations spécifiquement chrétiennes et celles d'une inspiration plus philosophique. Dans les premières années qui suivirent sa conversion, Augustin dut parfois réagir par idéalisme néoplatonicien et moralisme stoïcien aussi bien que par souci du message évangélique. Son attitude envers les banquets pourrait être commandée, me semble-t-il, par des considérations mêlées de ce genre. En outre, cette affaire me donnera l'occasion de distinguer dans son attitude celle du néophyte de celle du pasteur.

Après l'affaire des banquets, le deuxième fait révélateur des mentalités est l'avènement du culte des reliques : son histoire déborde le cadre plus étroit de l'intervention d'Augustin ; ses enseignements s'élargissent à l'évolution des esprits durant la longue période de 300-430 environ. On y note cependant, je l'ai dit, deux moments privilégiés qui méritent une attention particulière, ceux de 305-313 et de 420-430.

Pendant la première période, c'est l'affrontement ouvert, avant la rupture consommée, entre catholiques et donatistes. L'incident qui les mit aux prises était en apparence insignifiant : un fragment d'os valait-il vraiment la peine de risquer le schisme et bientôt la lutte armée ? C'est que l'os du martyr permit la cristallisation d'antagonismes profonds. J'ai essayé de les dégager aux différents niveaux du sentiment religieux, des conceptions ecclésiologiques et des prises de position individuelles et concrètes durant la persécution. Ils révélaient, à ces diverses profondeurs, la formation d'une nouvelle mentalité religieuse qui n'était plus à son aise dans les vieilles structures cultuelles. N'eût-il pas été provoqué par une querelle liturgique, mais par une discussion sur un autre sujet, l'affrontement se serait nécessairement étendu au domaine du culte, étant donné la spiritualité nouvelle qui s'élaborait du martyre et des reliques. Le culte ancien de celles-ci était celui du corps du martyr, considéré comme évocateur de sa passion, *memoriam sanguinis,* disait la Passion de Perpétue, et comme porteur d'un message moral de courage et de foi : Augustin n'a cessé de prêcher ces valeurs. Selon cette optique traditionnelle, le martyr était présent dans le lieu de son supplice ou de sa sépulture d'une présence morale; il agissait par voie d'intercession auprès de Dieu et d'exhortation auprès du fidèle, afin de rendre possible l'action de l'un sur l'autre. Ces conceptions et ces pratiques restent liées au cadre du tombeau et de l'anniversaire du martyr. Mais voici qu'en détachant du corps des parcelles plus ou moins grandes, plus ou moins nombreuses, on détache aussi le culte de son environnement d'origine. Non seulement la relique acquiert de ce fait une existence et une individualité propres, avec tous les avantages et risques que comporte un pareil déracinement, mais en multipliant les divisions parcellaires, on rend le martyr universellement présent et agissant, d'une présence et d'une action physiquement présente et agissante. Aussi, la mutation la plus profonde est-elle d'ordre conceptuel : la relique est considérée dorénavant comme agissant par elle-même et obtenant infailliblement son effet. Son action n'est plus déprécatoire, mais automatique, pourvu que, néanmoins, soient préalablement réalisées chez l'impétrant les conditions requises de foi et de soumission à la volonté de Dieu. Alors, la relique agit comme un catalyseur : elle obtient ou permet le miracle; mieux, elle est l'intermédiaire, sinon obligé, du moins préféré, de l'action de Dieu.

Ces conceptions nouvelles n'apparurent certes pas du premier coup avec une formulation élaborée. Elles ne furent pas non plus un monopole du donatisme, comme l'en accusa vite la polémique catholique. Il n'en reste pas moins vrai qu'elles portèrent leurs premiers fruits en terrain donatiste. Sans tarder aussi, elles exercèrent leur attrait sur la piété des catholiques. La preuve en est dans les interdictions que les conciles d'Afrique multiplient à propos du culte des martyrs et de leurs restes. Si l'on tient compte, en outre, du fait que la législation conciliaire est l'expression d'une mentalité de clercs, c'est-à-dire d'une élite religieuse, on en conclura, sans risque d'erreur grave, que les pratiques réprouvées par les conciles sont à l'opposé le reflet d'une mentalité populaire. Si bien qu'à l'origine l'affrontement a pu opposer donatistes et catholiques. Il n'était au fond qu'une forme particulièrement violente d'une rupture sur le plan des mentalités, entre, d'une part, l'esprit traditionnel, coulé dans le moule des structures liturgiques et défendu par la hiérarchie, et d'autre part, les aspirations individualistes de la piété privée et populaire, rebelles à la domination cléricale et à l'uniformisation communautaire. De plus, en même temps que la dévotion individuelle échappait au contrôle de la hiérarchie, elle était davantage exposée aux pressions sociologiques inférieures. En particulier voit-on celles-ci s'exercer sur les notions de « relique prophylactique » et « thaumaturgique ». On ne peut s'empêcher de penser au rôle qu'a dû jouer, comme vecteur de ces idées nouvelles, la foule des récents convertis du paganisme, que la paix de Constantin, puis la faveur croissante du pouvoir politique amenèrent à l'Église en relativement peu de temps.

C'est pourquoi, la deuxième période importante est celle de 420-430, lorsqu'il s'est agi pour l'Église de « récupérer » et d'épurer des valeurs désormais reçues par la grande masse des fidèles. Ce n'est pas seulement la récupération lente et difficile des donatistes par l'Église catholique, qui avait été l'un des objectifs majeurs de la politique ecclésiastique d'Augustin ; c'est aussi celle des nouveaux convertis du paganisme que, par une patiente pédagogie, il fallait élever du niveau des coutumes et des idées polythéistes ou syncrétistes à la pratique de la morale, de la discipline et du culte chrétiens. Il est certain que ces efforts ont exigé des pasteurs autant de condescendance qu'ils réclamaient de persévérance de la part des fidèles dans leur cheminement vers les valeurs chrétiennes. C'était sans doute un des buts recherchés par Augustin, recommandant aux chefs d'Églises comme aux bénéficiaires des miracles la confection de *libelli miraculorum*, pour que leur lecture périodique leur permît de jouer le même rôle éducateur de la conscience chrétienne que celui qui était dévolu à la lecture des Écritures saintes depuis les origines du christianisme. Inversement, qu'il y ait eu, de la part des pasteurs, des compromis de pure forme, voire des concessions plus substantielles sur tel ou tel point de discipline et de coutumes religieuses, c'est ce qui ressort avec évidence de quelques changements d'attitude chez ce même Augustin. Rappelons, sur le chapitre du culte des reliques, que l'évêque d'Hippone admettait en 426-427 de considérer comme relique de la poussière de « terre sainte » qu'il avait repoussée comme telle en 400 (*Ciu. Dei,* XXII, 8, 7 ; *Ep.* 52, 2) ; qu'il reconnaissait à la même époque aux songes la valeur de révélation privée venant de Dieu que tel canon conciliaire leur avait refusée en 401 (*Ciu. Dei*, XXII, 8, passim ; *Conc. Carth. 401*, c. 83)[13]. Ces repentirs sont évidents, mais ils sont à considérer comme des révisions pastorales de points de discipline périmés ou inactuels.

3. *L'action pastorale*

C'est qu'en présence de ces mentalités religieuses différentes se pose le problème de la réaction des pasteurs. L'attitude de Tertullien ne nous importe pas ici au même titre que celle de Cyprien ou d'Augustin. A supposer qu'il ait été prêtre et qu'à ce titre il ait eu des responsabilités pastorales, il les exerça en docteur par l'apologie ou la polémique plus qu'en pasteur par le contact direct, le souci et le gouvernement des âmes. C'est le contraire pour Cyprien et Augustin.

J'ai relevé à propos de Cyprien le problème de son évolution spirituelle, pour savoir dans quelle mesure son action de pasteur est en continuité ou en rupture avec son attitude de converti[14]. Cette évolution est jalonnée par quelques œuvres. La lettre *Ad Donatum* explique les motifs de sa conversion : ils sont essentiellement dans la conscience qu'il a prise de la supériorité morale du christianisme sur le paganisme. Son petit essai *Quod idola dii non sint* révèle les préoccupations du catéchumène et du néophyte, rendu attentif aux dangers de l'idolâtrie à la lumière de l'apologétique de Tertullien et par la méditation quotidienne du « maître ». Quand il s'agit d'évaluer cette double influence : expérience personnelle et formation reçue, dans l'attitude et l'action du pasteur, on ne doit pas sous-estimer le rôle de l'apport ecclésiastique et doctrinal, mais ce sont ses propres découvertes qui ont motivé Cyprien le plus profondément et le plus durablement ; ses observations pastorales le confirment dans son attitude chrétienne première en le montrant toujours soucieux de la pureté et de la perfection du peuple confié à ses soins.

---

13. Cf. *supra*, p. 238 et 267, p. 132 et 267-268.
14. Cf. *supra*, p. 100, 101-102, 114.

Augustin, de son côté, est amené par ses expériences pastorales à tempérer son intransigeance de néophyte. Je me contente de rappeler mes remarques sur ce changement d'attitude, tel qu'il est illustré par son action sur deux points. Au sujet des banquets funéraires, il semble avoir placé très haut sa visée ; mais le bilan de son action, s'il est positif par la suppression des abus, reste limité en raison de la survivance de l'usage des banquets. Il le reconnaît dans la *Cité de Dieu* à propos des meilleurs parmi les chrétiens qui s'en abstiennent, mais il n'éprouve aucune amertume des résultats finalement relatifs de son entreprise : il se contente d'enregistrer avec réalisme le fait. Au sujet des reliques et de leurs miracles, l'évolution d'Augustin est analogue, mais moins rapide, semble-t-il. Son intellectualisme à la fois philosophique et évangélique est sujet à des « rétractations » successives et progressives, mais là encore ne cède que sur le tard sous la pression des événements. A son indifférence, voire à ses méfiances initiales envers les miracles contemporains, succède d'abord la reconnaissance de faits miraculeux lointains qui lui sont rapportés par autrui. Cette évolution reste encore toute intellectuelle, dans la mesure où ces faits sont portés à sa connaissance par des consultants étrangers auxquels il répond en théoricien du miracle. Il n'empêche que ces consultations facilitent chez lui la résurgence de souvenirs oubliés à propos de miracles dont il avait été autrefois personnellement le témoin. Mais là encore ils ne résultent pas d'une expérience actuelle. Seules la diffusion des reliques de saint Étienne et la multiplication de leurs miracles lui font toucher du doigt les problèmes d'ordre pastoral qui ne cessent alors de se poser à ses collègues et à lui-même et lui font trouver les solutions pratiques visant à régulariser, à diriger et à valoriser le courant de la dévotion nouvelle. La rédaction des *libelli miraculorum* poursuit ce but éminemment pastoral, dont l'effet doit être durablement prolongé par la lecture périodique de ces récits. Dans ce domaine, il n'a pas seulement été amené à des concessions, il a pris le contre-pied de son attitude antérieure pour des motifs d'ordre pastoral.

Ces révisions pastorales me paraissent exemplaires de l'attitude d'hommes d'Église éclairés et bons devant les faiblesses et les valeurs de la religion populaire.

4. *La politique religieuse et ecclésiastique*

L'importance de ces deux périodes capitales, 305-313 et 420-430, pour l'histoire du culte des reliques n'est pas seulement due, je le répète, à la mise en œuvre d'une pastorale, mais encore à la mise en jeu d'une doctrine et d'une politique. C'est, en effet, toute une conception de l'Église qui est remise en cause au nom même des martyrs de 304 et de leur culte : après avoir survécu à la persécution extérieure, l'Église d'Afrique allait-elle succomber à ses divisions intestines ? ou, en mettant les choses au mieux, réussissant à se maintenir dans les villes grâce à la protection pourtant versatile du bras séculier, laisserait-elle échapper la population des campagnes, des hauts plateaux et des montagnes, pour devenir une religion de citadins et de fonctionnaires, c'est-à-dire étrangère ? Son extension, sinon son existence, était en jeu, et sa vocation catholique. Le danger était réel et il a été perçu. Il est curieux de constater que c'est dans cette situation de crise grave, que le culte des reliques a pris son premier élan dès 305-313, et son élan définitif en 420-430, quand la crise fut en voie de résorption.

Cette coïncidence n'est pas propre à l'Afrique. Elle se constate ailleurs en des circonstances analogues. Les deux événements de l'histoire générale du culte chrétien, qui furent les premiers à modifier profondément le comportement chrétien traditionnel à l'endroit des reliques, se produisirent à Milan et à Jérusalem, les deux fois en période de crise. En 386, à Milan, Ambroise est en lutte avec les ariens qui, protégés par l'impératrice-mère, prétendent à deux reprises confisquer à leur profit des églises catholiques. La pression arienne est d'autant plus forte que l'empereur d'Occident est un enfant. La tension est grande chez les catholiques qui occupent jour et nuit les églises menacées. C'est dans cette situation critique que les reliques sont trouvées. Elles sont aussitôt considérées comme un signe providentiel en faveur de la résistance catholique. A Jérusalem, la crise n'était que théologique, mais on sait l'ampleur que ces sortes de disputes pouvaient prendre en Orient jusqu'à ébranler la chrétienté tout entière. La crise couvait depuis longtemps à propos de l'orthodoxie d'Origène. Elle se compliqua en 415 avec les discussions sur la grâce et le libre-arbitre que suscita l'arrivée en Palestine de Pélage et de ses contradicteurs, Orose, Héros d'Arles et Lazare d'Aix-en-Provence. Alors que Jean, évêque de Jérusalem, était favorable à Pélage, les adversaires de ce dernier déposèrent une plainte contre lui devant le métropolitain de Jean, Euloge, évêque de Césarée de Palestine. Jean, dessaisi de l'affaire au bénéfice de son supérieur hiérarchique, pouvait craindre de n'être plus en mesure de défendre efficacement son protégé. C'est avec ses sentiments qu'il alla au concile de Diospolis, quand l'invention des reliques de saint Étienne le remit en position de prestige vis-à-vis de ses collègues et que le concile se termina conformément à ses vues.

Ces coïncidences opportunes et répétées posent un problème : furent-elles vraiment fortuites ou quelque peu arrangées ? Si le problème se pose, j'avoue ne pas être en mesure de lui trouver une solution qui convienne uniformément à tous les cas. On note en effet des différences entre les situations. D'abord quant à l'objet matériel du débat : à Jérusalem, il s'agit de reliques d'un martyr authentique ; à Milan, si les doutes ont été élevés sur leur authenticité par les adversaires ariens d'Ambroise, il n'y en eut pas chez ses fidèles ; à Carthage, la qualité de martyr est refusée par la hiérarchie au personnage dont Lucille vénérait un ossement. Différence aussi dans l'origine de la vénération dont les reliques furent l'objet : à Milan et à Jérusalem, elles deviennent objet de culte à la suite de leur découverte longtemps après le martyre ; à Carthage, dès le lendemain de celui-ci. Différence quant à l'auteur de la diffusion de leur culte : à Milan, Ambroise intervient personnellement comme inventeur des reliques ; à Jérusalem, l'invention est le fait du prêtre du lieu agissant avec l'autorisation de son évêque ; à Carthage, l'initiative du culte vient d'une personne privée, désavouée par son évêque. Différence enfin quant au bénéfiaire de ce culte nouveau : à Milan et à Jérusalem, c'est l'évêque qui en tire un bénéfice, à Carthage, le culte joue contre l'évêque ; à Milan, c'est en faveur de l'orthodoxie, à Jérusalem et à Carthage, c'est en faveur d'un protecteur d'hérétique et d'un fauteur de schisme. Dans ces situations diverses, il y a néanmoins une caractéristique constante qui permet leur mise en facteur : c'est que la situation critique est chaque fois dénouée en faveur des partisans du culte des reliques. C'est pourquoi, on ne peut écarter absolument la possibilité que ces inventions aient été, non pas créées *ex nihilo*, mais habilement orchestrées en vue de l'effet à obtenir. Du même coup apparaît en meilleure lumière le rôle déterminant des personnes qui ont su exploiter ces situations pour promouvoir des intérêts d'Église, de parti ou de personnes, en eux-mêmes indépendants du culte qui en bénéficia.

5. *Une évolution personnelle*

Reste un dernier problème de personne qui concerne Augustin : dans quelle mesure son changement d'attitude à l'égard du culte des reliques, outre l'intention pastorale qu'elle découvre, traduit-elle un changement dans ses convictions personnelles ? Étant donné les travaux de Pierre Courcelle sur le sujet, je serai bref.

L'indifférence initiale d'Augustin à l'égard de tout ce qui est reliques, miracles et interventions surnaturelles peut effectivement s'expliquer par sa formation philosophique. Son enthousiasme de néophyte, par la pente naturelle de son esprit, l'a conduit d'abord à approfondir et à enrichir sa connaissance du mystère chrétien, à pratiquer pour son compte et à faire pratiquer par ses amis la vie ascétique qu'il avait découverte au moment de sa conversion. Le fait qu'il n'ait pas été frappé au moment même par l'invention des saints Gervais et Protais montre assez que le culte des reliques, non seulement n'occupait pas le centre de ses préoccupations, mais n'était même pas entré dans le champ de sa conscience active.

Ce sont les nécessités du ministère qui l'ont mis en présence des problèmes que posait ce culte. Il a commencé par les résoudre d'une manière empirique, parant au plus pressé des besoins des fidèles et de l'Église de sa ville et de son pays, mais dans un sens très traditionnel. Avec le temps sa réputation doctrinale fit de lui le conseiller théologique d'une multitude de correspondants qui l'orientent à plusieurs reprises sur le culte des morts ou des martyrs. Les mêmes préoccupations se font alors jour dans ses sermons. Mais ce n'est que sur le tard qu'il est amené à s'occuper explicitement des reliques : alors que depuis plus de cinq ans celles de saint Étienne font courir les foules au sanctuaire d'Uzali et depuis moins longtemps à celui de Calama, c'est en 424-425 seulement — cinq ans avant de mourir — qu'il en acquiert à son tour pour Hippone, fait entreprendre des aménagements et des constructions pour faciliter leur culte, écrire des *libelli miraculorum* pour le réglementer, qu'il tire parti des miracles opérés par ces reliques pour en esquisser une théologie. On peut penser que cet engagement, pour tardif qu'il soit, indique aussi chez lui un changement de conviction. Le théologien, familier des spéculations les plus hautes, a été conduit par son ministère à se pencher sur les besoins des humbles. Tout en continuant pour lui et pour une élite la poursuite de la perfection, il a achevé et complété son expérience pastorale par la découverte de la religion populaire. Ce n'est sans doute pas le moindre de ses mérites. Il pourrait être médité par les pasteurs de notre temps.

II. De nouvelles concordances entre textes et monuments

Dans le témoignage d'Augustin, l'archéologue, lui aussi, peut trouver matière à réflexions. L'évêque d'Hippone ne parle plus d'*aera*. Il nomme, en revanche, les *memoriae*, les *basilicae*, les *mensae* comme lieux de culte des morts et des martyrs. Il parle du *natale* comme jour de ce culte. Parmi ses éléments, il indique les *conuiuia*, comme vaisselle, les *calices, lagenae, sartagines*. Certains de ces termes interviennent aussi au sujet des reliques. Sur chacun de ces articles, les recherches archéologiques ont fourni une documentation relativement abondante. Pour le détail, il faut recourir aux études spécialisées et particulières[15]. Je limite ici ma confrontation entre documents littéraires et monuments archéologiques à la célébration des banquets funéraires, à propos desquels les deux séries d'informations se complètent utilement.

1. *Les données générales de l'archéologie africaine*

La mention du *natale* ne semble pas avoir beaucoup préoccupé les lapicides africains et leurs commanditaires. Dans le recueil de Diehl, on ne relève pas ce mot au sujet des défunts ordinaires : aussi bien leurs proches se contentaient-ils de l'indication du jour et du mois, plus rarement ajoutaient-ils l'année de la déposition de leurs morts. Pour ce qui est du *natale* des martyrs, peu de cas peuvent être retenus ; Diehl en rapporte trois, Mme Duval en ajoute un quatrième : Claude et Pascentius à Cuicul (Djémila, Alg.), à la fin du IVe ou au

---

15. Y. Duval, *Le culte des martyrs en Afrique du IVe au VIIe siècle*, cité. Y. Duval, suivi d'un chiffre de 1 à 227 pour les notices individuelles des inscriptions, de l'indication de la page pour l'étude de synthèse.

début du ve siècle ; Varagus et compagnons à Hr Djénane Khrouf (S. de Tébessa, Alg.), sans date ; Tertullus et Donatus à Mechta el Tein (rég. de Batna, Alg.), morts le 22 février d'une année inconnue ; Paul, martyr donatiste à Novaricia (Sillègue, Alg.)[16].

Dans les inscriptions comme dans les textes, *memoriae, basilica* et *mensa* désignent des lieux de cultes funéraires. Le mot *basilica* a été noté par Mme Duval dans trois inscriptions martyrologiques de date haute (IVe s. fin-Ve s. début), à Rusguniae (ex-Matifou, Alg.), Altava (ex-Lamoricière, Alg.) et Aïn Ghorab (rég. de Tébessa, Alg.) : il y conserve la référence étymologique de « maison royale », même s'il est spécifié par un nom de martyr[17].

Quant au mot *memoria*, nous savons qu'il peut avoir dans les documents littéraires des sens différents, qui se rencontrent presque tous dans l'épigraphie. D'abord et habituellement, il désigne le monument funéraire de n'importe quel fidèle, laïc ou non, religieuse, religieux, abbé, prêtre ou évêque. Dans ce dernier cas, lorsque le personnage défunt est qualifié de *sanctus*, il s'agit d'un titre protocolaire et non de vénération liturgique[18]. La *memoria* funéraire est ainsi nommée dans près de soixante inscriptions du recueil de Diehl, dont la moitié est sans date, l'autre moitié datée de 299 à 494. Les unes et les autres proviennent d'une vingtaine de localités d'Afrique du Nord[19].

---

16. *ILCV* 2046, 2114, 2117ab, 2118 ; Y. DUVAL 61, 124, 138-139 ; J. MESNAGE, *L'Afrique chrétienne* (Paris, 1912), p. 370, 284.

17. *ILCV* 234b, 1821-1822, 1842 ; Y. DUVAL 1167, 195, 69, et p. 1168.

18. *ILCV*, t. 3, p. 402-406, spécialement 403-404, paragraphe Be ; H. DELEHAYE, *Sanctus*, p. 24-59 *passim*.

19. Aïn Ghorab, inscription non datée : *ILCV* 1830, Y. DUVAL 70. — Aïn Khébira, *Satafis*-Périgotville, Alg., en 362 : *ILCV* 1182 ; en 351 : *ILCV* 3618n ; en 322 : *ILCV* 3615 ; en 299 : *ILCV* 1570. — Aïn Témouchent, *Albulae*, en 418 : *ILCV* 2870 ; en 469 : *ILCV* 3274 ; en 484 : *ILCV* 2862 E.— Arbal, *Regia*, en 494 : *DACL* XI 318 ; en 382 et 372 : *ILCV* 3719ab ; en 352 : *ILCV* 3266.— Dahra, *Cartenna*, en 329 : *ILCV* 2071a ; non datée : *ILCV* 3689.— Djedar, en 480 : *ILCV* 4385.— Constantine, non datée : *ILCV* 3622.— El Asnam, en 407 : *ILCV* 2186.— Hadjar er Roum, *Altava*, en 452 : *ILCV* 2862Dn. ; en 430 : *ILCV* 2862B ; en 480 : *ILCV* 2862E ; en 390 : *ILCV* 2860 ; en 351 : *ILCV* 2856n ; en 327 : *ILCV* 2855A ; en 362 : *ILCV* 2858n. ; en 344 : *ILCV* 2856n. ; en 419 : *ILCV* 2053 ; en 449 : *ILCV* 2054 ; non datée : *ILCV* 300A, *DACL* VI 1951.— Hr Foum Metleg Guébli : *ILCV* 2084, Y. DUVAL 222.— Hr ou Aïn Kemellel, non datée : *ILCV* 2085.— Matifou : *ILCV* 234.— Sétif, non datée : *ILCV* 4110E ; en 383 : *ILCV* 2442 ; en 454 : *ILCV* 189.— Tarlist : *DACL* XV 1981, Y. DUVAL 129.— Hr Ouled Saad, *Thapsa* : *ILCV* 1649.— Tiaret, en 481 : *ILCV* 1534 ; en 461 : *ILCV* 1180.— Tigzirt, *Rusuccuru* : *ILCV* 2923.— Tipasa : *ILCV* 1319A, 2460, *DACL* XV 2343, 2403, *ILCV* 884n., 2922A.

Le même mot est employé aussi, mais moins fréquemment, au sens de *martyrium*. J'ai noté une trentaine d'exemples de ce deuxième emploi. Les inscriptions datées y semblent l'exception : quatre sur vingt-six. L'ensemble provient des mêmes régions que celles de la catégorie précédente [20].

Le mot *memoria* a pu désigner parfois le reliquaire. Ce sens est possible dans tel passage de la *Cité de Dieu* [21]. Il paraît plus assuré dans l'inscription du coffret de Dala'a (près d'Aïn Beida, Alg.), pour désigner, non le contenu, c'est-à-dire les reliques, mais le contenant, à savoir le reliquaire [22]. Dans toutes ces acceptions archéologiques, le mot est toujours au singulier et s'applique à tout ou partie de l'installation monumentale, destinée à abriter les restes du martyr ou ses reliques représentatives.

Lorsqu'au contraire le mot est au pluriel *memoriae*, il a tendance à se spécialiser dans le sens des reliques. C'est ce que donne à entendre le formulaire de nombreuses inscriptions. Parmi les expressions les plus fréquentes où le mot apparaît avec cette signification, j'ai relevé : *hic memoriae* [23], *hic sunt memoriae* [24], *hic habentur memoriae* [25], *in hoc loco sunt memoriae* [26], *sub hoc sacrosancto*

---

20. Aïn Ghorab : *ILCV* 1830, Y. DUVAL 70.— Aïn Zéraba : Y. DUVAL 160.— Bénian : DUVAL 194.— Chabet el Medbout : *ILCV* 2077, Y. DUVAL 118.— Dar Ali el Hochani : *ILCV* 2059, Y. DUVAL 50.— El Asnam : *ILCV* 2063, 2066, 2186, Y. DUVAL 185-187.— Hr Akhrib, en 582 : *ILCV* 2055, Y. DUVAL 156, non datée : *ILCV* 2080n., 2083, — Y. DUVAL 127, 157.— Hr — Certouta : — *ILCV* — 2097, — Y. DUVAL 47.— Hr Chigarnia, *Uppenna* : *ILCV* 2096, Y. DUVAL 29.— Hr el Bégueur : *ILCV* 2074, 2078, Y. DUVAL 59-60.— Hr el Abiod : *ILCV* 2082, Y. DUVAL 67.— Hr Magroun : *ILCV* 2065, Y. DUVAL 66.— Hr Rouis : *ILCV* 2043, Y. DUVAL 64.— Khenchéla : *ILCV* 1830n., Y. DUVAL 77.— Kherba : *ILCV* 2064, Y. DUVAL 184.— Kherbet el Ma et Abiod, en 474 : *ILCV* 2069, Y. DUVAL 135.— Kherbet el Oum el Adam : *ILCV* 2068, Y. DUVAL, 157.— Ksar el Kelb : *DACL* XV 2926, Y. DUVAL 75.— Méchira : *ILCV* 2070, Y. DUVAL 116.— Mezloug : *ILCV* 2061, Y. DUVAL 150. — Renault : *ILCV* 2071, Y. DUVAL 191.— Sétif : *DACL* XV 1371, DUVAL 147.— Tabarka : *ILCV* 2073n., DUVAL 42.— Thala : *ILCV* 1106, Y. DUVAL 48.— Tiaret, en 399 : *ILCV* 2072n., Y. DUVAL 76.— Tipasa : DUVAL 62, 174, 177.

21. Cf. *supra*, p. 261.

22. *ILCV* 2072, 2073n, 2078 ; *DACL* XI (1932) 310, 309, 299, fig. 7937, 7935, 7932 ; Y. DUVAL 40, 59, 76.

23. *ILCV* 2061, 2062, Y. DUVAL 42, 50, 57, 59, 63-66, 75-79, 92, 96, 116, 118, 157, 168, 169, 174, 175, 177, 184, 188, 191, 194, 203, 204.

24. *ILCV* 2073n., Y. DUVAL 42.

25. *ILCV* 2058, Y. DUVAL 56.

26. *ILCV* 2069, Y. DUVAL 135.

belamine (= velamine) altaris sunt memoriae[27], *cuius memoriae hic positae sunt*[28].

Il peut arriver que l'inscription consiste essentiellement en une liste des reliques déposées et vénérées dans l'église. Ainsi à Tixter :

> a. Memoria sancta.
> b. De terra promissionis ube (= ubi) natus est Christus, apostoli Petri et Pauli, nomina martyrum Datiani, Donatiani, Cipriani, Nemesiani, Citini et Victoriae anno prouinciae trecento uicesimo.
> c. Posuit Benenatus et Pequaria.
> c. Victorinus septimum idus septembres, Miggin idus septembres, et Dabula et de lignu (= ligno) Crucis [29];

L'inscription est datée de 359. Mais à cette date furent déposées seulement les reliques énumérées en b, si bien qu'on peut considérer comme faisant partie de l'inscription primitive, au minimum a et b, et sans doute aussi c. On remarque en particulier, à côté des martyrs africains Datien, Donatien, Cyprien, Némésien, Citinus et Victoria, de la poussière de Terre sainte et des reliques des apôtres Pierre et Paul. Celles-ci sont les plus anciennement nommées en Afrique. On voit que le culte de la « terre sainte » y est précoce et ne remonte pas seulement au temps d'Augustin ni n'est un monopole donatiste.

Une autre inscription trouvée à Hr Akhrib (N. de N'gaous, dép. de Constantine, Alg.), est un véritable procès-verbal de déposition de reliques :

> + In nomine Patri(s) et Filii et Spiritus sancti positae sunt memoriae sancti Iuliani et Laurenti(i) cum sociis suis per manus beati Columbi episcopi sanctae ecclesiae Niciuensi(s) istius plebi(s) per instantia(m) Donati presbyteri, inperante Tiberio anno V indictione XIIII sub die pridie nonas octobres [30].

Cette inscription pose un problème de datation. Le règne de Tibère (4 oct. 578-14 août 582) ne dura pas cinq ans. Si l'inscription d'Hr Akhrib est datée, le 6 octobre, de la cinquième année de Tibère, cela veut dire deux choses : 1° qu'elle est de 582 et non de 581, 2° que le 6 octobre

---

27. *ILCV* 2070, Y. DUVAL 81.
28. *ILCV* 2083n., Y. DUVAL 153.
29. *ILCV* 2068, Y. DUVAL 157.
30. *ILCV* 2055, Y. DUVAL 126.

582, la mort de Tibère, survenue le 14 août précédent, n'était pas encore connue en cette localité. L'*ecclesia Niciuensis* est attestée à partir de 411. Son évêque Columbus est sans doute celui qui figure dans la correspondance de Grégoire le Grand entre 592 et 602 : dans ce cas, il a eu un épiscopat d'au moins vingt ans. Le prêtre qui est intervenu auprès de l'évêque, *per instantiam,* pour obtenir la déposition des reliques est peut-être le curé de l'endroit [31].

L'architecture précise quelquefois utilement notre information, quand l'inscription identifie le monument. Je choisis quelques exemples illustrant alors les divers sens du mot *memoria* [32].

De Bled Djerid (O. de Gabès, Tun.) provenait, semble-t-il, l'inscription communiquée jadis à Peiresc et restituée par Paul Monceaux : *Hic memoriae* (ou *reliquiae*) *sanctorum martirum Ceseliae, Nunii et Sassei* (ou *Nassei*) *et Minerui*. Elle était gravée sur « une caisse de marbre » qui renfermait elle-même « une petite caisse d'argent avec de certaine terre noire dedans, laquelle se réduisait en poudre quand on la mettait entre les doigts ; le tout enveloppé dans une très belle étoffe de soie » [33]. Cette caisse, on le voit, était un reliquaire, mais la désignation des reliques n'est pas assurée : *memoriae* ? *reliquiae ?* Quant à la cassette d'argent, Paul Monceaux suggérait de l'entendre semblable à celui d'Aïn Zirara [34].

A Haïdra, je retiens l'inscription des saints Pantaléon et Julien, incisée dans une dalle de marbre ayant dû s'encastrer dans le pavement et recouvrir la cavité des reliques entre les pieds de l'autel. L'inscription est ainsi libellée : *Hic habentur reliquiae sanctorum Pantaleonti, Iuliani et comitum* [35]. Ce sont encore les reliques qui reçoivent ici le nom de *memoriae*. A Hr el Begueur, au contraire, la *memoria* paraît devoir s'entendre du monument-reliquaire. L'inscription se lit, en effet, sur la

---

31. J.-L. MAIER, *L'épiscopat de l'Afrique romaine*, p. 180, 277. Mme DUVAL propose une autre explication de l'anomalie, en comptant la 5e année de Tibère à partir de son césarat, le 7 décembre 574, ce qui met l'inscription le 6 octobre 579 ou mieux 580. Cf. Y. DUVAL p. 505.

32. *DACL* XI (1932) 296-324, met à profit P. MONCEAUX, « Enquête sur l'épigraphie chrétienne d'Afrique ».

33. *ILCV* 2073n, P. MONCEAUX, « Enquête » n. 235, *DACL* XI 309, fig. 7935, Y. DUVAL 40.

34. *DACL* I 711-712, fig. 148.

35. *ILCV* 2058, P. MONCEAUX, « Enquête » n. 240, *DACL* VI 2025, fig. 5562, N. DUVAL, *Recherches archéologiques à Haïdra. I. Les inscriptions chrétiennes*, p. 251, n. 400 ; Y. DUVAL 56.

tranche d'une table d'autel : *Memoria sancti Montani*. Cette table comporte en son milieu, comme tombeau des reliques, une cavité ronde scellée sans doute à l'origine par une petite plaque[36]. A Dala'a aussi l'inscription désigne apparemment comme *memoria* le coffret de pierre qui la porte : *Memoria Feliciani passi III. K. Iulias. Vlse*[37]. A Hr Magroun, elle figure sur l'arc antérieur d'un *ciborium* et se lit : *Memoria domni Petri et Pauli;* dans ce cas, le mot *memoria* me paraît se rapporter à l'ensemble de l'aménagement, chambre des reliques, autel et baldaquin coiffant le tout[38]. De leur côté, les *memoriae* de saint Julien, édifiée par le diacre Bicemalos près de Thala (Tun). [39], des saints Primus et Quintasius à Hr el Begueur[40], des martyrs de Cartenna en 329[41], semblent avoir été les chapelles des saints, comme le laisse supposer la place même des inscriptions.

Entendu dans ce dernier sens, la *memoria* a pu être remplacée avec le temps par un monument plus important, la basilique. Cette « monumentalisation » du culte des martyrs est illustrée en Afrique par divers exemples. Je me contente de relever deux exemples de ce phénomène, récemment étudiés par Jürgen Christern. Il s'agit d'abord du grand complexe basilical de Tébessa, situé au nord-nord-est de la ville sur la route d'El Kouif-Haïdra : ce sanctuaire de pèlerinage, dont le développement suppose un afflux important de pèlerins et le déploiement de grandes processions, est maintenant daté de la fin du IVe siècle, à l'époque théodosienne; il a remplacé et incorporé la petite *memoria* primitive, élevée en l'honneur de sainte Crispine après la dernière persécution. C'est un exemple de monumentalisation d'une exceptionnelle importance[42]. L'autre exemple est celui des sanctuaires qui se sont succédé à Tipasa en l'honneur de sainte Salsa. Ils se trouvent dans la nécropole orientale de la ville. Il s'agit en premier lieu d'un petit bâtiment rectangulaire pourvu d'une abside où ont dû être abrités

---

36. *ILCV* 2078, P. MONCEAUX, « Enquête » n. 264; *DACL* XI 299, fig. 7932, Y. DUVAL 57.
37. *ILCV* 2072; P. MONCEAUX,n. 275; *DACL* XI 314; DUVAL 76.
38. *ILCV* 2065; P. MONCEAUX, « Enquête », n. 266; *DACL* XI 297-298, fig. 7931; Y. DUVAL 66.
39. *ILCV* 2059; P. MONCEAUX, « Enquête » n.241; *DACL* XI 307; Y. DUVAL 50.
40. *ILCV* 2075; P. MONCEAUX, « Enquête » n. 265; *DACL* XI 312; Y. DUVAL 60.
41. *ILCV* 2071; P. MONCEAUX , « Enquête » n. 328; Y. DUVAL 191, qui ne se prononce pas sur l'appartenance des martyrs au donatisme ou au catholicisme.
42. J. CHRISTERN, *Das frühchristliche Pilgerheiligtum von Tebessa*.

d'abord les restes de la martyre, et d'une salle à manger avec *mensa* et *klinè* en sigma où se sont tenus les repas funéraires. Cet édicule date sans doute du deuxième quart du IVe siècle. Au dernier quart, au contraire — sans doute après la révolte de Firmus (371-372) —, fut construite immédiatement au nord de l'édicule primitif la basilique dans laquelle le corps saint fut transféré dans le sarcophage de la Salsa païenne du IIe siècle [43]. Il est assez significatif de constater que les transformations et agrandissements de Tipasa sont contemporains de la monumentalisation de Tébessa. Il est, certes, imprudent de tirer des conclusions générales de ces deux cas particuliers. Aussi permettent-ils des questions plutôt que des conclusions. La question est de savoir si le phénomène de la « monumentalisation » des édifices cultuels des martyrs est limité à cette période théodosienne ou s'il faut y distinguer diverses étapes suivant les temps et les lieux. Les textes contemporains sont malheureusement trop rares pour pouvoir apporter un concours efficace à la solution du problème. Elle reste du domaine de l'inventaire des monuments martyriaux et de leur interprétation cultuelle.

2. *Le cas particulier des nécropoles tipasiennes*

Le sanctuaire de sainte Salsa nous invite à examiner de plus près les nécropoles tipasiennes et, parmi elles, celles qui s'étendent à l'ouest de la ville. Elles ont fait l'objet d'explorations récentes encore que partielles ; elles montrent en outre à la fois les mêmes et d'autres lignes d'évolution que la nécropole orientale.

La destination du grand mausolée circulaire, pour lequel je dois renvoyer à Dom Henri Leclercq [44], n'a pas été clairement établie : *martyrium ? memoria* familiale ? Quant à la basilique dite d'Alexandre, elle partage en trois la zone préexistante : la basilique au milieu, deux enclos de part et d'autre au sud et au nord. L'enclos du nord comporte deux hypogées creusés dans le rocher, celui du sud, deux caveaux maçonnés. Cette différence est due à la déclivité du terrain. Partout, y compris dans l'église, il y a des *mensae* funéraires. La basilique, destinée aux *iusti priores* primitivement déposés dans l'hypogée contigu, est l'œuvre de l'évêque Alexandre. Si ces *iusti priores* sont

43. J. CHRISTERN, « Basilika und Memoria der hl. Salsa in Tipasa ».
44. *DACL* XV (1953) 2352-2358.

bien les prédécesseurs d'Alexandre et comme ils sont dix, il est vraisemblable que l'hypogée fut commencé vers 300 et la basilique construite vers 400. Ce que pourrait confirmer la paléographie des inscriptions. Mais ce sont apparemment les seuls éléments de datation[45].

Reste le champ de fouille de Matarès, exploré par Mounir Bouchenaki[46]. Outre le caractère exemplaire de la fouille et de sa publication, le travail de Bouchenaki mérite surtout de nous retenir ici à cause de ses résultats du point de vue typologique et cultuel. Presque tous les types de constructions funéraires sont représentés dans la nécropole de Matarès, mais quelques-uns sont nouveaux. La caractéristique essentielle de la nécropole semble être dans la clôture systématique des espaces funéraires. Dans ces enclos, on rencontre des inhumations directes en terre, des sépultures en jarres et amphores, des tombes sous tuiles ou sous dalles, des tombes à cupules semi-cylindriques, plates ou tronconiques, des sarcophages, des hypogées creusés dans le rocher, des caveaux voûtés en maçonnerie, des mausolées entièrement construits.

Dans cette grande variété typologique, outre la tendance à enclore les tombes, on constate un autre trait commun, d'ordre cultuel, à savoir le très grand nombre des *mensae* funéraires. Ces tables sont ou bien maçonnées au-dessus des tombes ou aménagées dans le rocher à proximité d'elles. Elles peuvent avoir diverses formes, être de plan carré ou rectangulaire, comporter des lits sur quatre, trois ou deux côtés. Mais elles comportent toujours deux éléments essentiels : la *mensa* proprement dite, aménagée en creux à la surface et au centre du massif, destinée à recevoir les aliments et les boissons, et ayant la forme d'un U, d'un C (sigma) ou d'un carré ; autour de la *mensa* s'étend la *kliné,* en forme de *quadri-,* de *tri-* ou de *biclinium* suivant la disposition de la table elle-même et recouverte de couvertures et de coussins pour la commodité des convives.

L'intérêt particulier de ces tables funéraires est dans leurs installations hydrauliques, retrouvées dans un état de conservation sinon parfaite, du moins très suffisante pour une étude convenable. Non seulement il y a un puits — il y en a un aussi dans l'enclos sud de la basilique d'Alexandre— pour la réserve d'eau, mais celle-ci est amenée ingénieu-

45. J.-L. MAIER, *L'épiscopat de l'Afrique romaine*, p. 225, 253.

46. M. BOUCHENAKI, *Fouilles de la nécropole occidentale de Tipasa*, et le compte rendu de l'ouvrage dans *Rivista di archeologia cristiana* 53 (1977) 282-285 ; Ph. LEVEAU, « Une area funéraire de la nécropole occidentale de Cherchel ».

sement sur la table elle-même : elle est puisée par seaux et versée dans un bassin surélevé ; du bassin, une conduite en terre cuite l'amène à une rigole qui court le long du bord élevé de la *mensa ;* de là, elle se déverse dans le creux de la table, d'où elle est évacuée en terre. Il n'est pas question de conduite l'amenant dans la tombe. Il est évident que l'eau doive être mise en rapport avec le banquet funéraire. Mais on ne sait comment elle l'a été effectivement.

Quant au banquet lui-même, il est attesté de manière éclatante à Matarès par une inscription en mosaïque de l'*area* 1. Mounir Bouchenaki en donne le dessin (fig. 37) et plusieurs photographies (fig. 129-132, 136). L'inscription complète se développe sur trois lignes. Dans la première, Henri-Irénée Marrou avait fait remarquer à juste titre [47] que le chrisme était suivi d'un *O* et devait se lire *Christo* [48], si bien que le texte est le suivant : *In Xpisto Deo/ pax et concordia sit / conuiuio nostro*. Ce libellé n'a rien que de conforme à la pensée chrétienne. De plus, il faut peut-être accorder à cette affirmation de la divinité du Christ plus d'importance qu'il ne semble au premier abord. J'y verrais une profession de la foi de Nicée (325), si durement mise à l'épreuve par l'arianisme triomphant du milieu du siècle avant que l'unité ne se fasse de nouveau autour d'elle à Constantinople (381). Soit dit en passant : la profession de foi christologique me semble mieux s'accorder avec le thème de la *concordia* qui est aussi affirmé par l'inscription, que l'hypothèse des querelles donatistes auxquelles celle-ci ne fait aucune allusion directe. Si le rapprochement que je propose a quelque valeur, il met l'inscription dans la deuxième moitié du siècle. Ce qui rejoint les conclusions que Mounir Bouchenaki tirait du formulaire de l'inscription et du style de la décoration.

Mais c'est surtout la fin de l'inscription qui doit retenir notre attention ici, puisqu'elle affirme l'usage du banquet funéraire chez les chrétiens catholiques et appelle sur lui la protection du Christ. C'est en fonction de cette double donnée, dogmatique et cultuelle, que j'interpréterais volontiers les poissons figurés sur la mosaïque : non seulement cette iconographie convient à l'exégèse mystique du poisson = Christ et chrétiens, courante en Afrique de Tertullien à Augustin, mais poissons et fruits de mer, qui devaient être un élément ordinaire de l'alimentation

---

47. M. BOUCHENAKI, *op. cit.*, note 91.

48. Le *O* n'est certainement pas l'équivalent de l'Ω, car l'*A* manque avant le chrisme. Il faut donc le comprendre comme l'indication de l'ablatif : *in Christo*. Cf. ma recension dans *Rivista diarcheologia christiana,* t. 53 (1977), p. 282-285.

des Tipasiens, pouvaient aussi figurer au menu des banquets funéraires, sans oublier que le poisson semble avoir été un des mets essentiels des repas sacrés du christianisme primitif[49].

Le mot *conuiuium*, ainsi que Mounir Bouchenaki l'a remarqué, ne se rencontre guère dans les inscriptions, voire dans la littérature chrétiennes, d'Afrique en particulier[50], mais les éléments de ce banquet sont étonnamment présents dans les monuments chrétiens de ce pays. D'abord, quoique rarement, subsistent des représentations de vaisselle et d'aliments dans un contexte funéraire[51]. Mais surtout, nombreuses sont les mentions épigraphiques de *mensae*[52]. Dans quelques cas, il est

---

49. Fr.-J. DÖLGER, ΙΧΘΥΣ. *Das Fischsymbol in frühchristlicher Zeit*, 1. Bd. : *Religionsgeschichtliche und epigraphische Untersuchungen*, 2. Bd : *Der hl. Fisch in den antiken Religionen und im Christentum*, 3. Bd : Tafeln ; *DACL* VII (1927) 1990-2086.

Textes africains : TERT. *Bapt*. 1, 3 : Sed nos pisciculi secundum ΙΧΘΥΝ nostrum Iesum Christum in aqua nascimur (p. 277, 11-12). — OPTAT. MILEV. III, 2 : Cum illo pisce qui Christus intelligitur... ΙΧΘΥΣ, quod est latine Iesus Christus Dei filius salvator (*CSEL* 24, 68).— AUG. *Conf*. XVIII, 23 : Horum autem et graecorum quinque uerborum, quae sunt Ἰησοῦς Χριστὸς Θεοῦ Υἱὸς σωτήρ, quod est latine Iesus Christus Dei filius saluator, et primas litteras iungas, erit ἴχθυς, id est piscis (*CSEL* 40, 297).

Sur le poisson comme aliment sacré, cf. C. VOGEL, « Le repas sacré au poisson chez les chrétiens ».

50. *ILCV* 3827 : inscription de Flavius Concordius qui réserve une salle pour les banquets funéraires près de son tombeau : tantummodo conuiuium epulantibus et refrigerantibus pateat.— *DACL* VI (1923) 1523-1526, fig. 3872, où l'abréviation *ad. c. p. m.* a été lue : ad conuiuia pro martyribus par P. MONCEAUX, « L'inscription de Dougga et les banquets des martyrs en Afrique », mais cette lecture a été contestée : cf. Y. DUVAL 16.

51. *Mensa* de Lambèse, où sont figurés des plats, des gobelets, des cueillers, des flacons, des poissons, du pain et d'autres aliments: *DACL* XI (1933) 443-444, fig. 7790.

52. Aïn el Ksar (dép. Sétif, Alg.) : *ILCV* 2088, 2331, 3718.

Aïn Kébira, *Satafis* (Alg.) : *ILCV* 3247, 3714, 3718, 3722, *DACL* XIV 320, Y. DUVAL 151.

Arbal, *Regiae* (Alg.) : *ILCV* 3718A, 3719.

Cherchel, *Caesarea Mauritaniae* (Alg.) : *ILCV* 3720.

Djémila, *Cuicul* (Alg.) : *ILCV* 3710.

El Asnam-Orléansville, *Castellum Tingitanum* (Alg.) : *ILCV* 3709.

Hr Fellous (Alg.) : *ILCV* 2089, Y. DUVAL 21.

Hippone (Alg.) : *ILCV* 3339.

Kherbet Madjouba (Sillègue, Alg.) : *DACL* XV 1451.

Ksar el Boum (près de Tébessa, Alg.) : *ILCV* 3712A n.

Ksar Melloul (près de Sétif, Alg.) : *ILCV* 2087, Y. DUVAL 151.

Mactar (Tun.) : *ILCV* 3705n, Y. DUVAL 23.

Miliana, *Zuccabor* ou *Thuccabor* (Tun.) : *DACL* XI 1107, fig. 8077.

Saddar : *ILCV* 3708A.

Sétif (Alg.) : *ILCV* 3708, 3711, 3712A, 3715, 3715A, 3716, 3717, 3723, *DACL* XV 1374.

Sufassar (Alg.) : *ILCV* 3712, 3275, Y. DUVAL 182.

Tébessa (Alg.) : *ILCV* 3712, 2189.

Cf. en outre Y. DUVAL 105, 123, 136, 137, 143, 144, 152, 162-164, 181, 192.

vrai, l'inscription, mutilée ou abrégée, laisse possibles deux lectures : *mensa* ou *memoria*[53]. Quelques textes méritent cependant d'être attentivement considérés.

Je retiens pour commencer une inscription qu'on a quelquefois présentée comme chrétienne mais qui est païenne, celle d'Aelia Secundula, datée de 299. Il y est question du deuil que ses enfants lui ont fait, de la sépulture qu'ils lui ont donnée, de la *mensa* qu'ils lui ont élevée, des aliments, coupes et couvertures qu'ils y ont déposés, de l'éloge funèbre qu'ils y ont prononcé et après lequel ils sont rentrés chez eux tard dans la soirée[54]. C'est le rituel classique des *parentalia*[55]. Il est si peu entaché d'idolâtrie, que les convertis du paganisme n'ont pas dû avoir de peine à en continuer la pratique après la paix de Constantin. Les installations et l'inscription de Tipasa montrent qu'ils l'ont effectivement observée. On peut penser que ce fut aussi le cas ailleurs.

Une autre inscription non datée prouve, en effet, la diffusion d'une des installations tipasiennes, à savoir la superposition de la *mensa* à la tombe : *Secundus fecit mensam super fossam nouellam*[56]. Cette disposition trahit une intention, celle de destiner au mort couché dans la fosse les offrandes déposées sur la table. Mais lui parvenaient-elles effectivement ?

A Tipasa, il n'y a pas de communication entre la *mensa* et la tombe sous-jacente. On n'a pas signalé non plus de tube de libation pour les tombes éloignées des *mensae*. Versait-on alors le liquide par terre ? A celui qui coulait de la *mensa* laissait-on le soin de parvenir au mort par infiltration ? L'offrant se contentait-il d'une offrande symbolique en déposant aliments et boissons sur la *mensa* et en les consommant lui-même après à l'intention du mort ? On se souviendra, pour répondre à ces questions, du témoignage d'Augustin. Il disait de sa mère qu'elle goûtait elle-même d'abord aux offrandes et les distribuait après aux morts[57]. Comment faisait-elle, sinon en adaptant son geste aux installations funéraires existantes, versant le liquide sur la tombe ou par terre,

53. Cas ambigus : *memoria* ou *mensa* ? Aïn Kébira : *ILCV* 1901 ; Djémila : *ILCV* 3711A ; Mechta el Bir : *DACL* XI 57 ; Tipasa : *DACL* XV 2392, 2393, 2403. Cf. aussi Y. DUVAL 158, 169, 176, 193.

54. *ILCV* 1570.

55. Cf. *supra*, p. 47-52, 100-102, 134-140.

56. *ILCV* 3726.

57. Cf. *supra*, p. 136.

quand il n'y avait pas de tube de libation, le versant dans la tombe, quand le tube existait ?

Henri-Irénée Marrou avait souligné jadis un dispositif qui permettait l'acheminement des offrandes vers le mort. Dans le couvercle d'un sarcophage de Timgad, une ouverture était pratiquée, et une passoire fixée dans l'ouverture, juste au-dessus de la bouche du squelette qui était encore dans la cuve. Les aliments liquides et même solides pouvaient arriver directement au mort. Comme le sarcophage appartenait au quartier donatiste, Marrou voyait dans ce dispositif la survivance d'un usage païen chez les donatistes. Depuis, ayant retrouvé la même installation sur une *mensa* catholique de Tébessa, Paul-Albert Février concluait à l'existence de l'usage dans les deux communautés chrétiennes, la catholique et la donatiste. J'ai fait remarquer moi-même, à propos d'un commentaire donné par Augustin à la parabole du mauvais riche, que l'évêque d'Hippone supposait une installation de ce genre dans les tombes de sa propre Église[58]. Exemple éclatant du concours mutuel que peuvent se prêter monuments et documents pour la compréhension correcte et concrète des coutumes funéraires.

*
* *

A la fin de mon enquête sur les banquets funéraires dans les textes littéraires[59], des trois questions que j'avais posées, la première avait reçu une réponse immédiate, les deux autres attendent encore une réponse : comment la pratique des banquets a-t-elle concrètement coexisté avec la liturgie des martyrs ? jusqu'à quand ont-ils survécu en Afrique ? Du culte des martyrs, ces questions peuvent et doivent être étendues au culte des morts en raison de notre documentation archéologique.

Pour savoir jusqu'à quand la pratique des banquets a duré en Afrique, les textes littéraires sont muets. Par contre, les monuments archéologiques subsistants permettent une réponse : ils sont sans doute restés en usage, et cela suivant le rite traditionnel, aussi longtemps qu'il y a eu des

---

58. Cf. *supra, ibid.*, p. 137 ; H.-I. MARROU, « Survivances païennes dans les rites funéraires des donatistes » ; P.-A. FÉVRIER, « Deux inscriptions chrétiennes de Tébessa et d'Henchir Touta ».
59. Cf. *supra*, p. 148.

communautés chrétiennes pour les accomplir. La nécropole de Matarès à Tipasa semble avoir été mise hors d'usage dès le Ve siècle, peut-être au temps de l'invasion vandale que les Tipasiens ont fuie, comme en sait, en traversant la mer. En d'autres localités la présence chrétienne étant attestée encore sous l'occupation arabe, il n'est pas interdit de penser à la survivance des usages funéraires au VIIIe-IXe siècle.

A la question du mode de coexistence des banquets avec la liturgie eucharistique, l'archéologie fournit un élément de réponse quant au lieu, les textes quant au temps. Le lieu de la célébration des banquets a sans doute varié suivant les possibilités locales. Dans la basilique d'Alexandre, se trouve une *mensa* funéraire ; dans cette même basilique pouvait se célébrer l'eucharistie. Mais d'autres *mensae* étaient extérieures à la basilique. A plus forte raison, les enclos de Matarès en étaient-ils éloignés. La séparation des lieux y était même plus fréquente que leur juxtaposition en une même enceinte. Ces constatations posent le problème de la succession chronologique des rites. Augustin suggère une solution à propos des banquets des martyrs contre lesquels il en a en *Ep.* 22. Dans la lettre, il reproche aux chrétiens de partager le corps du Christ avec ceux avec qui ils viennent de banqueter [60]. Il n'est cependant pas sûr que cette suite ait été observée partout en Afrique de la même manière : bien que nous n'ayons pas de témoignage formel d'un usage différent en Afrique, il faut en laisser la possibilité ouverte, si l'on se souvient qu'en d'autres régions ce sont les banquets qui suivaient l'eucharistie [61].

Il résulte de ces confrontations qu'il n'est pas possible de réduire ces rites à un modèle unique, même à l'intérieur d'une seule région. A plus forte raison doit-on se garder de vouloir réduire à l'unité le rituel funéraire de provinces diverses.

---

60. Cf. *ibid.*, p. 138.
61. Cf. *ibid.*, p. 148, note 18.

CONCLUSION GÉNÉRALE

La conclusion d'ensemble sera brève eu égard au développement de l'enquête : d'une part il n'y a pas lieu de revenir sur les conclusions partielles des deux périodes sur lesquelles la recherche a porté ; d'autre part il suffira ici de retenir les faits essentiels du développement constaté.

Durant toute l'antiquité se sont côtoyées deux sortes de coutumes funéraires, aussi bien dans le domaine du culte des morts que dans celui des martyrs et des reliques, à savoir des pratiques de caractère privé et des rites liturgiques communautaires.

Les banquets funéraires qui, débordant du culte des morts, ont envahi celui des martyrs au IVe siècle en Afrique, ont toujours eu un caractère privé. Le culte païen des morts ressortissait déjà du droit privé ; le culte funéraire chrétien a gardé ce caractère : par lui-même, il s'adressait au cercle de la famille et ne nécessitait l'intervention de la hiérarchie que dans le cas où une célébration liturgique se faisait en plus des rites coutumiers. Cette règle valait aussi bien pour le culte des morts que des martyrs.

Quant à la synaxe eucharistique, elle ressortissait par définition du culte communautaire, c'est-à-dire public, étant ouverte à toute la communauté locale et présidée par les autorités religieuses locales. Quand j'appelle la liturgie chrétienne funéraire un culte public, je veux dire qu'elle répond à la double condition que je viens de dire ; je ne la déclare pas de droit public, ce qu'elle ne deviendra pas avant l'édit de Constantin. Cette liturgie eucharistique est attestée à Carthage dès l'époque de Tertullien pour l'anniversaire des morts, à Smyrne dès le IIe siècle pour l'anniversaire des martyrs.

De ces deux sortes de rites, la destinée fut inégale. On ne peut pas dire que les banquets funéraires aient été extirpés par l'action d'Augustin. L'archéologie montre au contraire qu'ils ont survécu à Augustin. C'est pour cette raison que, ne pouvant les supprimer, les évêques africains ont essayé de les christianiser en les transformant en repas de charité. C'est ce que j'ai appelé la politique chrétienne de « récupération » d'usages populaires. Il est vrai qu'ils avaient alors perdu toute signification proprement religieuse : c'étaient les vestiges fossilisés d'un paganisme vidé de son esprit sinon de sa vie.

A l'inverse s'est développée une liturgie chrétienne funéraire. Nous la voyons progressivement se pourvoir de tous les éléments régulateurs, s'équiper de tous les locaux propres, se développer avec tous les éléments constitutifs de ce culte : calendriers des anniversaires à célébrer, *memoriae, martyria* et basiliques, leçons hagiographiques et bibliques, commémoraison diversifiée aux diptyques selon les catégories de défunts, doublement de la liturgie eucharistique par des veillées.

Mais c'est encore par son propre mouvement vital que cette liturgie funéraire se diversifie selon ses objets, chaque forme cultuelle particulière modifiant la précédente.

Le culte des martyrs est une spécification de celui des morts : mais « prélevés » sur le lot commun quand ils répondaient aux critères exigeants du martyre, les confesseurs morts pour la foi étaient, du même coup, élevés au-dessus de l'ordre commun et proposés, non plus à la vénération familiale, mais au culte communautaire. C'est pourquoi, avec le temps, les rapports se sont inversés entre fidèles morts et vivants devant Dieu : le fidèle prie toujours Dieu pour ses morts, mais un jour vient où les martyrs prient Dieu pour les fidèles.

A son tour, le culte des reliques s'est détaché de celui des martyrs. En principe, l'essence de ce nouveau culte n'est pas différente de celle de l'ancien, seule son extension est accrue. Il n'empêche que le détachement matériel de la relique a entraîné le détachement conceptuel et rituel de son culte. Il subsiste, certes, la croyance en la présence du martyr dans ses restes. Mais, d'une part, cette présence s'est en quelque sorte matérialisée dans la mesure inverse des divisions et subdivisions de reliques, et universalisée dans la mesure directe de ces « détachements parcellaires » ; d'autre part, en perdant son lien avec l'endroit de sa naissance, le culte s'est vidé d'une partie de sa signification originelle et chargé en contre-partie de bien des impuretés du culte païen des héros et de leurs restes.

En simplifiant les choses à l'extrême, on peut risquer ce paradoxe : le culte des martyrs a spiritualisé celui des morts, mais a lui-même été matérialisé par celui des reliques; en se prolongeant par celui des reliques, il a « récupéré » certains éléments païens dont il s'était débarrassé en s'élevant au-dessus du culte des morts.

Ces conclusions m'amènent à formuler quelques requêtes.

J'adresse les premières aux historiens du culte. Il n'échappe à personne combien les analyses cultuelles sont délicates. Elles ne sont possibles, à mon sens, qu'au prix de contraintes méthodologiques. Les confrontations de textes ne sont fructueuses qu'à l'intérieur d'un cadre chronologique ou topographique isolant une unité historique naturelle. Il est fallacieux et dangereux d'additionner un rite romain à un rite africain pour déterminer un type liturgique : l'exemple des funérailles de Monique me paraît exemplaire des erreurs de méthode que l'on a pu commettre et des confusions auxquelles on s'est exposé dans le domaine de l'histoire du culte chrétien. Que l'on commence par restreindre son investigation à un champ géographiquement ou à une époque chronologiquement définis. Les deux enquêtes diachronique et synchronique sont bonnes, à condition de ne pas être mélangées au départ, et de ne confronter leurs résultats qu'au bout du compte. J'ai choisi délibérément, pour ma part, de me limiter à la série africaine des documents littéraires. Leur série comporte des trous regrettables, et néanmoins une richesse exceptionnelle d'informations en certaines époques privilégiées. J'ai essayé de dégager ces richesses. Cette vue en perspective m'a permis, je l'espère, d'esquisser une évolution dans l'histoire des cultes funéraires, mais cette histoire est limitée à l'Afrique. Avant d'écrire la synthèse de ce culte durant l'antiquité, de semblables enquêtes devront être faites pour d'autres provinces de l'*orbis christianus* antique. Quelques-unes offrent une documentation littéraire aussi riche que l'Afrique. Il serait bon que quelque spécialiste s'attachât à les explorer.

Il est non moins nécessaire cependant, pour avoir une vue complète du domaine à explorer, de ne pas négliger les disciplines voisines. J'ai pratiqué la confrontation des textes africains; j'ai essayé aussi, sur quelques points où elle me paraissait possible, la confrontation des textes avec les monuments. On parle beaucoup d'interdisciplinarité, peu nombreux sont ceux qui la prêchent d'exemple. Elle est indispensable dans le domaine de l'histoire du culte funéraire. C'est pour m'y être hasardé, que je voudrais adresser d'autres requêtes aux archéologues.

Je ne suis pas archéologue moi-même. Mais je fréquente les archéologues assidûment. Ces contacts m'ont sensibilisé à leurs méthodes et à leurs problèmes. C'est pourquoi je voudrais les prier de se sensibiliser aux problèmes et aux méthodes littéraires. Qu'ils manient les textes avec les mêmes précautions qu'ils recommandent aux philologues et aux historiens dans la prise en considération des monuments archéologiques. Un texte sorti de son contexte, en particulier les citations d'auteurs anciens prises dans les ouvrages d'autrui, il arrive qu'on lui fasse dire le contraire ou autre chose que ce qu'il signifie dans son contexte. Serait-ce trop demander que ce texte soit replacé dans son contexte, relu dans une édition critique, afin d'éviter les contre-sens trop flagrants ?

Inversement, pour que les historiens du culte — qui sont à mettre parmi ceux qu'Henri-Irénée Marrou appelait « les usagers de l'archéologie » — puissent tirer un meilleur parti de la documentation archéologique, il serait souhaitable qu'ils puissent disposer d'un matériel déjà critiquement rassemblé. Paul-Albert Février a montré les services que l'on peut espérer de séries épigraphiques aussi complètes et chronologiquement ordonnées que possible pour une ville ou pour une région. Noël Duval a fait le même travail à propos des basiliques africaines à double abside et l'a conduit avec le but avoué d'éclairer par ses recherches les problèmes de la liturgie chrétienne de ce pays. Je souhaite qu'Yvette Duval publie le travail qu'elle a mené selon de semblables critères sur le culte des martyrs dans l'épigraphie africaine.

A la lumière de ces exemples, il est souhaitable que soient étudiées de la même manière : 1° les installations funéraires du culte des morts et des martyrs, pour savoir dans quelle mesure elles se retrouvent encore dans celui des reliques ; 2° les installations liturgiques de ces mêmes cultes, afin qu'on puisse mieux distinguer les aménagements qui sont communs de ceux qui sont propres à chacun de ces trois cultes. Sur diverses séries de monuments, on ne dispose jusqu'à présent que de monographies isolées et dispersées. Les essais de synthèse dues à Henri Leclercq pour les autels, les *memoriae*, les *mensae* sont dépassés et incomplets, des pièces y sont parfois fourvoyées. Celui d'André Grabar sur le *martyrium* a rendu d'éminents services dans le passé et demanderait une mise à jour. On manque toujours cruellement d'une étude d'ensemble sur les représentations iconographiques des banquets.

C'est seulement quand on disposera de cette documentation archéologique classée par séries, chronologiquement ordonnée, topographiquement localisée, que l'on pourra comparer avec fruit les deux sortes de témoignages, littéraires et archéologiques. Leur utilisation conjointe permettra une reconstitution moins hasardeuse et une histoire moins lacuneuse du culte des morts, des martyrs et des reliques dans l'Afrique chrétienne des premiers siècles.

LECTURES LITURGIQUES

DATES	SAINTS	TEXTES D'AUGUSTIN	LECTURE HAGIOGR	ANCIEN TESTAMENT	ÉPÎTRE	ÉVANGILE	PSAUME
11-1	Salvius	Cal. Carth.					
		POSS. VI. 42 ; X 6. 186					
21-1	Fructueux, Augure et Euloge	*Serm.* 273	*BHL* 3196				
21-1	Agnès	Cal. Carth.					
		Serm. perdu		Gen 27			
		Serm. 53				Mt 5, 3-8	
		Serm. 273, 6					
		Serm. 286, 2					
		Serm. 354, 5					
22-1	Vincent	Cal. Carth.					
		POSS. X 6. 136					
		Serm. 4		Gen 27			
		Serm. 274	*BHL* 8627-30				42,1
		Serm. 275	*BHL* 8627-30		(1 Cor 1, 31)	(Mt 10, 20)	(115, 15)
		Serm. 276	*BHL* 8627-30			(Mt 10, 19-20)	(115, 15)
		Serm. 277	*BHL* 8627-30			(Mt 10, 28)	
		Caillau I, 47	*BHL* 8627-30		(1 Cor 1, 31)	(Mt 10, 20)	
25-1	Agilée	Cal. Carth.					
		POSS. X 6. 139					
26-1	Théogène	*Serm.* 273, 7					
		Mai 158, 2					
2-1	Carterienses	Cal. Carth.					
		POSS. X 6. 141					
		Serm. 70				Mt 11, 28-30	

DATES	SAINTS	TEXTES D'AUGUSTIN	LECTURE HAGIOGR.	ANCIEN TESTAMENT	ÉPÎTRE	ÉVANGILE	PSAUME
7-3	Perpétue	POSS. X⁶. 185					
	et Félicité	*Serm*. 280	*BHL* 6633				
		Serm. 281	*BHL* 6633				2, 1-4
		Serm. 282	*BHL* 6633				
4-5	Léonce	*Serm*. 260					
		Serm. 262					
		Ep. 29		32, 6, 19	1 Cor 5, 11	Mt 21, 12-13	
					1 Cor 6, 9-11		
		Ep. 29 (suite)			1 Cor 6, 20-22		
					Gal 5, 19-23		
				Ez 33, 9	1 P 4, 1-3		
6-5	Marien	Cal. Carth.					
	et Jacques	*Serm*. 258 add.					
		Serm. 284	*BHL* 131				
22-5	Castus	Cal. Carth.					
	et Emilius	POSS. X⁶. 105					
		Serm. 285					
19-6	Gervais	Cal. Carth.					
	et Protais	*Serm*. 286	*Libellus*				
		Serm. 318, 1	*miraculorum*				
		Ciu. Dei XXII, 8, 7					
24-6	Jean Baptiste	Cal. Carth.					
		POSS. X². 23					
		POSS. X⁶. 36, 37, 118, 150, 157					
		Serm. 287					
		Serm. 288		Is 40, 3-8			
		Serm. 289		(Is 40, 3-8)		Lc 1, 13-66	
		Serm. 290		Is 40, 3		Lc 1, 5-80	(115, 10 ?)

		Serm. 291				Lc 1, 5-80	
		Serm. 292					(131, 17)
		Serm. 293					
		Caillau I, 57					
		Frangip. 7					
		Frangip. 8					
		Guelf. 22		(Is 40, 3-5)	Act 13, 25	Lc 1, 18-66	131, 17-18
		Lambot 20 = *Serm*. 379				Lc 1, 5	
27-6	Guddenis	(*Serm*. 294)				Jn 3, 1-21	
29-6	Pierre et Paul	Cal. Carth.					
		POSS. X 6. 158, 182					
		Serm. 295				Jn 21, 15-17)	(18, 5)
		Serm. 296				Jn 21, 15-19	
		Serm. 297			2 Tim 4, 6-8		
		Serm. 298			2 Tim 4, 6	Jn 21, 15-19	(18)
		Serm. 299			2 Tim 4, 6-8	Jn 21, 15-19	18, 5
		Serm. 381					
		Casin. I, 133				Jn 21, 15-18	
		Guelf. 23			2 Tim 4, 6	Jn 21, 15, 19	18, 2-3
		Guelf. 24			(2 Tim 4, 6-8)		18,5
		Lambot 3				Jn 21, 15	
		Mai 19				Jn 21, 15, 17	
15-7	Catulinus	Cal. Carth.					
		POSS. X 6. 124					
17-7	Scillitains	Cal. Carth.					
		POSS. X 6. 125					
		Serm. 37					
		(= POSS. X 6. 82)	*BHL* 7527	Prov 31, 10-36			
		Denis 16	*BHL* 7527			(Lc 10, 25-37)	
		Guelf. 30	*BHL* 7527			(Lc 16, 19-31)	(115, 15)
		Guelf. 31					(145, 2-5)
		Lambot 9	*BHL* 7527			Lc 12, 1-12	
22-7	Maxulitains	Cal. Carth.					

DATES	SAINTS	TEXTES D'AUGUSTIN	LECTURE HAGIOGR.	ANCIEN TESTAMENT	ÉPÎTRE	ÉVANGILE	PSAUME
		Serm. 283					61, 6-9
30-7	Tuburbitaines	Cal. Carth.					
		Serm. 345 = *Frangip.* 3			1 Tim 6, 17-19		
		Mai 20				Mt 10 (16-22)	
1-8	Macchabées	Cal. Carth.					
		Serm. 300		2 Macc 7, 1-41			
		Serm. 301		2 Macc 7, 1-41			
		Denis 17		2 Macc 7, 1-41		Lc 14, 28-33	
6-8	Sixte II	Cal. Carth.					
		Serm. 334 (Agimond)			Rom 8, 31-32		
		In Ioan. eu. tr. 27, 12	(*BHL* 7801)				
10-8	Laurent	Cal. Carth.					
		In Ioan. eu. tr. 27, 12	(*BHL* 4753)			(Jn 6, 60-72)	
		Serm. 302 + *Guelf.* 25	(*BHL* 4753)		(Rom 12, 21 ; 13, 4)	Mt 5, 12	
		Serm. 303	(*BHL* 4753) + CYPR. *Exh mart.* 13			Lc 21, 19	
		Serm. 304	(*BHL* 4753)	Prov 23, 1-2			
		Serm. 305			(Rom 8, 31-32)	Jn 12, 24-27	
		Denis 13	(*BHL* 4753) + CYPR. *Exh. mart.* 13		2 Cor 1, 5-14	Mt 23, 29-39	54, 5-6
18-8	Massa Candida	Cal. Carth.					
		POSS. X^6. 130					
		Serm. 306		Sag 3, 2-8		(Jn 5, 28-29)	115, 15 (35, 9 ?)
		Serm. 311, 10					
		Serm. 330			(2 Tim 3, 1-2 ?)	Mt 16, 22-23	
		Morin 14				(Mt 5, 3-10)	(35, 9-10 ?)

		En. Ps. 49					49
		En. Ps. 144				Mt 19, 21-28	144
		En. Ps. 147					147
21-8	Quadratus	Cal. Carth.					
		POSS. X ^{6}. 131					
		Fragm. *PL* 39, 1731 = *Lambot* 8, 1					
		Denis 18			Rom 6, 19	(Mt 10, 27-39)	(33, 25-27 ?)
		Lambot 8			(2 Cor 4, 13 ?)		(35, 7-8 ?)
		Morin 15		(Prov 24, 15-16)		Mt 16, 25	
26-8	Victor	POSS. X ^{6}. 194					
13-9	Cyprien (vigile)	*Denis* 11				(Mt 7, 23-22 Lc 13, 25-26)	131, 17-18
		En. Ps. 32 II, serm. 1				(Lc 19, 23 ?)	32
		En. Ps. 85					85
		En. Ps. 88, serm. 2					88
14-9	Cyprien (fête)	Cal. Carth.					
		POSS. X ^{6}. 184					
		Serm. 309	*BHL* 2037				
		Serm. 310					
		Serm. 311		(Sir 31, 8, 10)		(Mt 6, 19-21)	
		Serm. 312	*BHL* 2037				
		Serm. 313					
		Denis 14	*BHL* 2037				123,8
		Denis 15	*BHL* 2037				123,6
		Denis 22					
		Guelf. 26			(2 Cor 2, 15-14)	Mc 8, 35 + Jn 12, 25	
		Guelf. 27	*BHL* 2037			Mc 8, 34-35 + Jn 12, 25	125, 5-6
		Guelf. 28	*BHL* 2037				

DATES	SAINTS	TEXTES D'AUGUSTIN	LECTURE HAGIOGR.	ANCIEN TESTAMENT	ÉPÎTRE	ÉVANGILE	PSAUME
17-10	Volitains	Cal. Carth.					
		Serm. 156			Rom 8, 12-17		
		In Ioan. eu. tr. 42				Jn 8, 37-47	
1-11	Huit martyrs	Cal. Carth. (?)					
		Serm. 356, 10					
		Morin 2, 2					
6-11	Félix	*En. Ps. 127*			2 Tim 3, 12	Mc 9, 43	127
15-11	Vingt martyrs	*Serm*. 148			Act 5, 4		
		Serm. 257				(Jn 20, 25-27 ?)	(115, 11 ?)
		Serm. 325	*BHL* inconnu				
		Serm. 326	*BHL* inconnu		2 Cor 6, 10	Mt 11, 12	
		Morin 2				Jn 15, 18-19; 16, 2	
5-12	Crispine	Cal. Carth.					
		Virgin. 45					
		Serm. 286, 2					
		Serm. 354, 5					
		Morin 2, 2					
		En Ps. 120	= *BHL* 1989			Mt 24, 23-43	120
		En. Ps. 137	= *BHL* 1989	(Gen 1, 28 ?)			137
10-12	Eulalie	Cal. Carth.					
		Morin 2				Jn 15, 17-19	
26-12	Étienne	Cal. Carth.					
		Serm. 314			Act 7, 55		
		Serm. 315			Act 7, 59		
		Serm. 316			Act 6, 1, 8; 7, 51-60		(128, 7 ?)
		Serm. 317			(Act 7, 56-60)		
		Serm. 318			Act 7, 54-60		(115, 15 ?)
		Serm. 319	*libelli*				

		iraculorum		Act 7, 2-60	Jn 12, 26	
	Serm. 320					
	Serm. 321					(115, 15 ?)
	Serm. 322	*libellus miraculorum*				
	Serm. 323					
	Serm. 324					
	Wilmart 12, 5					
	Ciu. Dei, 8, 18-20, 23					
date incertaine : Abitinenses	*Lambot* 7 (?)			Apoc 14, 5	Lc 21, 19	115, 11
date inconnue : Domitien	*Rev. bén.* 61 (1949) 78		Sag 4, 7	(Rom 14, 9-8 ?)		(115 ?)

INDEX BIBLIOGRAPHIQUE

1. Auteurs profanes

2. Bible

Nous suivons la Bible de Jérusalem pour l'ordre des livres de la Bible en général et la numérotation des Psaumes en particulier.

3. Auteurs chrétiens

4. AUTEURS MODERNES

INDEX ANALYTIQUE

1. Noms communs

2. Noms propres

Les noms propres de lieux sont en petites capitales, ceux de personnes en italiques, ceux de saints sont désignés par (S.)

3. EXPRESSIONS ET MOTS LATINS

Achevé d'imprimer en avril 1980
sur les presses de l'imprimerie Laballery et Cie
58500 Clamecy
Dépôt légal : 2e trimestre 1980
Numéro d'imprimeur : 19220

THÉOLOGIE HISTORIQUE

1. — PAUL AUBIN. Le problème de la conversion. *Étude sur un terme commun à l'hellénisme et au christianisme des trois premiers siècles.* Avant-propos de JEAN DANIÉLOU.
2. — AUGUSTE LUNEAU. L'histoire du salut chez les Pères de l'Église. *La doctrine des âges du monde.*
3. — FRANÇOIS RODÉ. Le miracle dans la controverse moderniste.
4. — JEAN COLSON. Ministre de Jésus-Christ ou le sacerdoce de l'Évangile. *Étude sur la condition sacerdotale des ministres chrétiens dans l'Église primitive.*
5. — JEAN DANIÉLOU. Études d'exégèse judéo-chrétienne. *Les testimonia.*
6. — YVON BODIN. Saint Jérôme et l'Église.
7. — J. VAN GOUDOEVER. Fêtes et Calendriers Bibliques. Traduit de l'anglais par MARIE-LUC KERREMANS. *Troisième édition revue et corrigée.* Préface de C. A. RIJK.
8. — ÉLISABETH GERMAIN. Parler du salut ? Aux origines d'une mentalité religieuse — *La catéchèse du salut dans la France de la Restauration.* Préface de JOSEPH BOURNIQUE.
9. — RAYMOND JOHANNY. L'Eucharistie. *Centre de l'histoire du salut chez Ambroise de Milan.*
10. — JEAN COLSON. L'énigme du disciple que Jésus aimait.
11. — J.-P. BROUDEHOUX. Mariage et famille chez Clément d'Alexandrie.
12. — HENRI HOLSTEIN. Hiérarchie et Peuple de Dieu d'après Lumen Gentium.
13. — HENRI CROUZEL. L'Église primitive face au divorce. *Du premier au cinquième siècle.*
14. — ALBANO VILELA. La condition collégiale des prêtres au IIIe siècle.
15. — EMMANUEL PATAQ SIMAN. L'expérience de l'Esprit par l'Église d'après la tradition syrienne d'Antioche.
16. — JEAN LAPORTE. La doctrine eucharistique chez Philon d'Alexandrie.
17. — ANDRÉ TARBY. La prière eucharistique de l'Église de Jérusalem.
18. — LESLIE W. BARNARD. Athenagoras. *A Study in second Century Christian Apologetic.*
19. — EDWARD NOWAK. Le chrétien devant la souffrance. *Étude sur la pensée de Jean Chrysostome.*
20. — CHRISTOPH VON SCHÖNBORN. Sophrone de Jérusalem. *Vie monastique et confession dogmatique.*
21. — LOUIS BOISSET. Un concile provincial au XIIIe siècle. Vienne 1289. *Église locale et Société.* Préface de J. GAUDEMET.

22. — ALAIN RIOU. Le Monde et l'Église selon Maxime le Confesseur. Préface de M. J. LE GUILLOU.

23. — LOUIS LIGIER. La Confirmation. *Sens et conjoncture œcuménique hier et aujourd'hui*.

24. — J. GREISCH, K. NEUFELD, C. THEOBALD. La crise contemporaine. *Du Modernisme à la crise des herméneutiques*.

25. — TON H. C. VAN EIJK. La résurrection des morts chez les Pères apostoliques.

26. — J.-B. MOLIN et P. MUTEMBÉ. Le rituel du mariage en France du XIIe au XVIe siècle. Préface de P.-M. GY.

27. — C. KANNENGIESSER *éd.* Politique et théologie chez Athanase d'Alexandrie. *Actes du Colloque de Chantilly,* 23-25 septembre 1973.

28. — R.-P. HARDY. Actualité de la révélation divine. *Une étude des « Tractatus in Johannis Evangelium » de saint Augustin*.

29. — Y. MARCHASSON. La diplomatie romaine et la République française. *A la recherche d'une conciliation,* 1879-1880.

30. — P. HÉGY. L'autorité dans le catholicisme contemporain. *Du Syllabus à Vatican II*.

31. — B. de MARGERIE. La Trinité chrétienne dans l'histoire.

32. — MAXIMOS DE SARDES. Le patriarcat œcuménique dans l'Église orthodoxe. *Étude historique et canonique*.

33. — M.-T. PERRIN *éd.* Laberthonnière et ses amis : L. Birot, H. Bremond, L. Canet, E. Le Roy. *Dossiers de correspondance* (1905-1916). Préface de Mgr POUPARD.

34. — D. DIDEBERG. Augustin et la Ire Épître de saint Jean. *Une théologie de l'agapè*. Préface d'ANNE-MARIE LA BONNARDIÈRE.

35. — C. KANNENGIESSER *éd.* Jean Chrysostome et Augustin. *Actes du Colloque de Chantilly,* 22-24 septembre 1974.

36. — P. LEVILLAIN. La mécanique politique de Vatican II. *La majorité et l'unanimité dans un concile*. Préface de RENÉ RÉMOND.

37. — B.-D. BERGER. Le drame liturgique de Pâques. *Théâtre et Liturgie*. Préface de PIERRE JOUNEL.

38. — J.-M. GARRIGUES. Maxime le Confesseur. *La charité, avenir divin de l'homme*. Préface de M.J. LE GUILLOU.

39. — J. LEDIT. Marie dans la Liturgie de Byzance. Préface de Mgr A. MARTIN, Évêque de Nicolet.

40. — A. FAIVRE. Naissance d'une hiérarchie. *Les premières étapes du cursus clérical*.

41. — P. GISEL. Vérité et Histoire. *La théologie dans la modernité.* Ernst Käsemann.

42. — P. CANIVET. Le monachisme syrien selon Théodoret de Cyr.

43. — J. R. VILLALON. Sacrements dans l'Esprit. *Existence humaine et théologie sacramentelle*.

44. — C. BRESSOLETTE. L'Abbé Maret. *Le combat d'un théologien pour une démocratie chrétienne* (1830-1851).

45. — J. COURVOISIER. De la Réforme au Protestantisme. *Essai d'ecclésiologie réformée.*

46. — G. F. CHESNUT. The First Christian Histories. *Eusebius, Socrates, Sozomen, Theodoret and Evagrius.*

47. — M. H. SMITH III. And Taking Bread. *The development of the Azyme Controversy.*

48. — J. FONTAINE et M. PERRIN. Lactance et son temps. *Actes du IVe Colloque d'Études historiques et patristiques.* Chantilly 21-23 septembre 1976.

49. — J. DECHANET. Guillaume de Saint-Thierry. *Aux sources d'une pensée.*

50. — R. MENGUS. Théorie et pratique chez Dietrich Bonhœffer.

51. — B.-D. MARLIANGEAS. Clés pour une théologie du ministère. *In persona Christi — In persona Ecclesiae.* Préface de Y.M. CONGAR.

52. — F.-M. LETHEL. Théologie de l'Agonie du Christ. *La liberté humaine du Fils de Dieu et son importance sotériologique mises en lumière par Saint Maxime le Confesseur.* Préface de M.J. LE GUILLOU.

53. — Early Christian Literature and the Classical Intellectual Tradition. MÉLANGES ROBERT GRANT publiés par William R. SCHOEDEL et Robert L. WILKEN.

54. — B. GIRARDIN. Rhétorique et Théologique. Calvin. Le commentaire de l'*Épître aux Romains.*

EN PRÉPARATION

J. GOLDSTAIN. Les valeurs de la Loi. *La Thora, une lumière sur la route.*

R. STAUFFER. Interprètes de la Bible. *Étude sur les Réformateurs du seizième siècle.*

B. FRAIGNEAU-JULIEN. Les sens spirituels et la vision de Dieu selon Syméon le Nouveau Théologien.

M. PERRIN. L'homme antique et chrétien. *Anthropologie de Lactance* (250-325).

E. CATTANEO. Trois Homélies Pseudo-Chrysostomiennes *in Sanctum Pascha I-III* comme œuvre d'Apollinaire de Laodicée. Attribution et étude théologique.

E. OSBORN. Éthique chrétienne aux premiers siècles.

P. L'HUILLIER. L'œuvre disciplinaire des quatre premiers conciles œcuméniques.

TEXTES DOSSIERS DOCUMENTS

Le succès persistant de la collection THÉOLOGIE HISTORIQUE
permet de lui conférer une nouvelle dimension
grâce à une série complémentaire, intitulée
TEXTES DOSSIERS DOCUMENTS.

La création en est prévue pour l'automne 1979. Le public disposera en langue française de textes inédits au niveau de la traduction, ainsi que de nombreuses pièces justificatives assez remarquables pour être publiées en vue d'une meilleure compréhension de l'histoire du christianisme à toutes ses époques.

1. HENRY MARET — L'Église et l'État. *Cours de Sorbonne inédit* (1850-1851).
Présentation de Claude BRESSOLETTE
Préface d'Émile POULAT

2. E. BOZÓKY — Le livre secret des Cathares. *Interrogation Iohannis*. Apocryphe d'origine bogomile.
Édition critique, traduction, commentaire.
Préface d'Émile TURDEANU

Prochains volumes à paraître :

H. ZWINGLI — De la justice divine et de la justice humaine
Première traduction française par Jacques COURVOISIER

MAXIME LE CONFESSEUR — La dispute avec Pyrrhus
Édition présentée par M. DOUCET

A.J. FESTUGIERE — Les Actes du Concile d'Ephèse (431)
Les Actes du Concile de Chalcédoine (451)
Première traduction française

L. LE GUILLOU — Le dossier de la condamnation de Lamennais
Correspondance de Lamennais

LE SAGE — De la Bretagne à la Silésie. 1791-1800.
Mémoires d'exil présentés par X. LAVAGNE

F. MORARD — Les Pseudepigraphes coptes de l'Ancien Testament

A. LOISY — L'Évangile et l'Église
Nouvelle édition présentée par Émile POULAT